民具・民芸から デザインの未来まで
～教育の視点から

企画・監修：宮脇　理

編　集　　：畑山 未央
　　　　　：佐藤 昌彦
特別 企画・監修：山木 朝彦

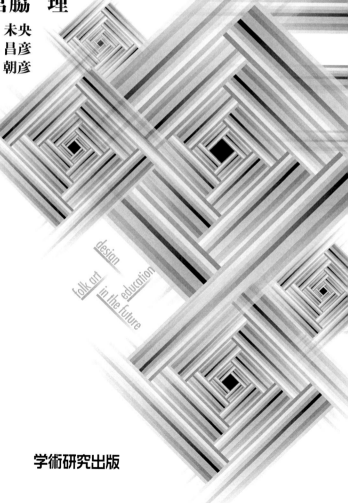

design
folk art education
in the future

■碇　　勝貴
■石山 正夫
■伊藤 文彦
■尾澤　勇
■カイ・エドモンド
■笠原 広一
■近藤 康太
■齊藤 暁子
■佐藤 昌彦
■徐　　英杰
■鈴木 美樹
■張　　月松
■東條 吉峰
■直江 俊雄
■畑山 未央
■前村　晃
■宮崎 藤吉
■宮脇　理
■山木 朝彦
■山口 喜雄
■山田 一美
■吉田奈穂子
■劉　　叡琳
■渡辺 邦夫
■渡邊 晃一
■和田　学
＜執筆者 26 名＞

学術研究出版

目 次

第3章　地域に深く根ざした伝統の"今" ―民芸・工芸と教育―

まえがき

　わが国におけるデザイン及びデザイン教育のコンセプトについて遡及するなら
ば、1954（昭和29）年当時の「教育美術」誌（第15巻8号）に掲載された江川和
彦（1896-1981）の「デザイン教育とピュリズムの原理」という論説に行き当たる。
江川和彦は、1920年代から美術批評を書き始め、1970年代半ばまで、50年以上
もこの分野の特に同時代のアートについて健筆を振るった人であり、美術評論家
連盟の重鎮であり、武蔵野美術大学開学時から同大教授として勤めた。

　モダニズム絵画史から紐解く批評的接近ではあるが、詰まるところ、江川の考
えは、子どもの絵を絹地へプリント（捺染）してカーテンを作らせることを"デザ
イン教育"であるとする考えであり、すでに抽象化された（絵画）から直裁的に直
線とか、曲線なる造形の要素を学び得るということ、そして、それを活用すると
いう「通路」を教育の本筋とする方向を示している。

　その反面、「物」の使い勝手、つまり狭義の機能をもとにした計画を行うという
論理が、彼の思考に占める割合は小さい。それは総体として言えば、抽象絵画の
「応用」という枠内の中に収まる考え方である。

　デザインを美術の応用であるとする考えは、すこし冷静に捉えれば分かること
だが、たとえ美術の質がここでいう造形の原理を含んだ抽象画であろうと、古典
的な絵画であろうと、その構図に変わりはないのである。

　しかし、エヴリン・サーフェースというひとが当時の米国スクール・アート誌
（1901年創刊～現在）に書いた、形のコントラスト（対比）、コンポジションにお
けるカラー・バリュー（色価）、空間の区分、パターンの作成などの教育方法にた
いして江川が賛同の意を表明した箇所は、近代芸術の要素理解とデザイン教育の
運動の交点を示しているのであり、この位置こそが当時のデザインに対する、さ

らにはデザイン教育に関する公約数的な理解であることを表している。

　デザインを美術の応用であるとする考え方もさることながら、そこに潜在するのは、自然から造形の秩序を学び取ることと、自然から抽出した「美」なる規範を、人間がその主体において性急にまとめ上げるという堅牢な構図である。それは、デザインにかかわる教育を美術の応用であることから、一転して硬い「計画の論理」「計画の思考」を中心とする「デザイン教育」へ転換する思考の萌芽であると考えることもできる。

　ところで、第2回ユネスコ主催「美術工芸教育国際セミナーに出席して」という、武井勝雄と石原正徳による興味深い対談が、江川和彦の論説が掲載された4か月後の「教育美術」誌（第15巻12号）に掲載されている。デザインにかかわる教育がその独自性を出そうとした同じ時間帯に位置するこの記事の内容を振り返ることで、その後の教育における工芸とデザイン概念の複雑な関係を俯瞰しうるであろう。

　東京のプリンスホテル（現在の「グランドプリンスホテル高輪」の前身）を会場に1954（昭和29）年8月8日から9月25日までの約4週間にわたって開催されたこのセミナーの特色は、第1回のそれがイギリスのブリストルにて開催されたのに対して、アジア地区で行われたことにある。前者が世界の工業化の先端に位置した国々が中心となった開催であったのに比して、第2回の「美術工芸教育国際セミナー」は、工業振興を模索するアジア諸国を中心に開催されたことに留意すべきであろう。

　対談者の武井勝雄（1898-1979、当時 東京文京区図画工作指導員）、石原正徳（1902-1966、当時 大阪児童美術研究会長）は、児童画の話題に続いて伝統の問題に触れ、アジア諸国の多くは、工芸にかかわる教育がその国々の経済を支えるために存在しており、〈伝統の保有とは何か、その深化とは何か〉などの論議には至らなかったと語っている。つまり独自の文化的背景を認め合うことが、インターナショナルという理念と結びつくという考えの欠如である。

　それは、来日したアジア諸国の代表者を驚嘆させたのが大阪の街の発展だったことに象徴されており、西ヨーロッパやアメリカ合衆国と、アジア諸国の大半との関係が工業や経済の問題に収斂してしまう時代には、工芸にかかわる教育の捉

え方にも大幅な意識のズレが存在していたことを物語っている。つまり、後者の国家や国民の意識は、先進工業化を進めている西ヨーロッパやアメリカ合衆国の政策をまずは頭に描くことから始まり、それとの関係で、自らの「伝統」については無論のこと、児童画の内容さえも論議する方向に向かうのである。

　武井の発言の中には、アメリカ合衆国からの参加者であるハワード夫人の言を取り上げている箇所があるが、彼女の発言こそ、まさしく当時のアジア諸国からの参加者たちと工業化を成し遂げたアメリカの教育者との意識の距離を浮き彫りにしている。武井が語った該当の箇所を次に引用したい。

　「アメリカのハワード夫人によると、四〜五年の間に一般の人つまり素人が自分の手で織り、染物をして、木彫をし、塗物をする、趣味がさかんになった。それはアメリカの産業組織や、能率性によって手数が省け、働く時間がへったため、余暇の利用としてこういうことが起ってきた。アメリカのスピード主義、機械主義、能率主義の考え方は、本質的な精神生活が、マスプロの犠牲になっていたことを感じ出し、そのマイナスを補うために起って来たのだろうと。絵は知能的な仕事なので誰にも出来るとはいえない。それで染色、木工、が盛［ママ］になったと言ってましたがね。」

　きわめて自然発生的な「フォーク・アート」を経済に活用させることを「教育」と考えるアジア諸国からの参加者が見ている現実と、急速な工業の発展がもたらした過誤の集積のために、「補完」ないしは「修正」を考えるアメリカの教育者を取り巻く現実の間には、巻き戻せない工業化の歴史がもたらした大きな溝があることは明らかである。

　しかし、工業未開発国を未来へタイムスリップさせれば、同様の事態になっているという点で、両者は同じ線上に位置し、「補完の論理」の枠内に収まっていることも明白である。

　当時すでに先進工業国の立場にもっとも近接していた日本側のセミナー参加者である前田泰次（1913-1982）が、人間の幸福をめぐって「手」と「機械」の関係はいかにあるべきかという課題を提示したにもかかわらず、工業化の星霜を経た諸国のみが反応したという報告は、教育を進める論理もまた、産業発展といった

国是以外の価値を煩瑣なものと考え、捨象してきたことの証となろう。

　「手」による「もの」作りを、「機械」による「もの」作りへと変換させた論理は、個人の感情や感性の燃焼を可能とするプロセスをその基底に置いていたのかどうか、つまり、人間を主体とした「もの」作りという視点を内包していたのだろうか。これを教育の視点から問い続けることは、工芸とデザインを通底し、相互に響き合う課題を浮上させるはずであり、工芸教育・デザイン教育という区割りの見直しをも可能とするものであろう。

　そして、人間を主体とした「もの」作り、そして、個人の感情や感性の燃焼という課題を掲げることができたならば、工業化を成し遂げていないアジアの国々からの参加者は、手による「もの」作りの魅力を語っていたかもしれない。国際的な組織、ユネスコに主導されたセミナーであるにもかかわらず、各国が工業化を推し進める時代がもたらした思考の制約ないし限界を見る思いである。

　さて、上述した江川和彦の論説やユネスコ主催の国際セミナーの記事が掲載された同年、すなわち1954（昭和29）年の5月19日に、世界の建築界における権威と象徴として、また今世紀初頭のバウハウスの創設者として、日本の美術教育界にその名が浸透していたグロピウス（Walter A.G. Gropius, 1883–1969）が来日している。

　この来日を契機に、わが国のデザイン教育は一気に加速するのだが、それだけ彼の影響が大きかったと言うことであろう。さらにこれと連動した「構成教育」の再浮上は、デザイン教育がその「方法論」を何よりも先行させた事例とみることが可能である。

　グロピウスの来日を機に1954年5月27日、東京芸術大学において、日本の造形教育の現状の紹介が行われたが、その際この国のデザインに関する専門教育（大学教育）、小学校と中学校、それに高等学校の構成教育の作品が展示された。グロピウスにとっては、すでに20数年前にドイツにおいて終焉を遂げた、バウハウスに端を発したいわゆる「構成教育」が日本において、しかも義務教育課程の教育内容として引き継がれ、発展していることは一種の驚きであった。

　この展示に先駆け、5月24日には神田の共立女子大の神田共立講堂で「グロピウス博士講演会」が開催され、これに参加したグラフィック・デザイン研究の

田中正明（1931-2013）は、日本デザイン学会の研究誌である「デザイン学研究」67号（1988）に会場の様子を次のように伝えている。

　「この講演会は今日から34年も前のことであるが、筆者は昨日の出来事のように 満員の共立講堂の熱気をおぼえている。おそらく本学会の会員の中にもかなり多くの人がこの中に参加していて、なつかしい思い出をもっていることであろう。」

　1954年6月12日からは、グロピウスの業績を紹介する展覧会が国立近代美術館で開催された。建築写真と模型、バウハウスの各工房の試作や習作等が陳列された。
　このように、グロピウスの来日は一種のデザイン旋風を引き起こしたが、本来、バウハウスについての理解は形式的には捉え得るものの、近代を背景にした誕生の必然性、さらに目的、方法、そして普通教育への移植の妥当性などをどのように考えるべきかとなると、当時の日本のデザイナーにとっても、教育者にとっても、それは容易ではなかったはずである。
　いっぽう、実業の世界において行われた海外のデザイナーの起用は、社会一般の現象の中でも、とりわけ人々の関心を惹き付ける話題となった。その最も象徴的な事例は、日本の専売公社がアメリカの工業デザイナーのレイモンド・ローウィ（Raymond Loewy, 1893-1986）に依頼されたピース（たばこ）のデザインである。1952（昭和27）年2月に登場したそのパッケージは濃紺の地に金色の鳩がオリーブの葉を嘴にくわえているが、この地の色は「ピース紺」と呼ばれ人々の記憶に刻まれた。
　専売公社が民営化したJT（日本たばこ産業株式会社）が運営する「たばこと塩の博物館」のサイトには、このピースのデザインについて、簡潔かつ雄弁な説明が掲載されている。

　「ピースのデザイン改装にあたって、ローウィに支払われた金額は150万円。当時、内閣総理大臣の月給が11万円だったことからみても、いかに高額であったか推察できます。当然、マスコミなどでも話題となりましたが、この新しいデザインのピースが発

売されるやいなや、売り上げは、前年同月に比べ3倍にもなりました。のちに商業デザインの成功例として取り上げられるピースのデザインは、復興期にあった日本の産業界にも強い影響を与え、「デザインが嗜好まで変えた」ともいわれました。」

　ちなみに、ラッキーストライク（たばこ）のパッケージに印刷された白地に赤い輪で構成されたシンプル極まりないデザインは、ジッポーと共にアメリカを象徴するアイコンとなったが、このデザイナーこそローウィそのひとであった。ピースのデザイン委託の物語には、伏線としてのアメリカ本国での商業的な成功があったのである。

　Never Leave Well Enough Alone（現状のままを良しとするなかれ）というローウィの著作のタイトルを『口紅から機関車まで』に変えたのは、これを翻訳した藤山愛一郎（1897-1985）の機転によるものなのだが、戦後政治史・経済史に足跡を残す藤山がモダンデザインの申し子であるローウィの著書を訳したことそれ自体が商業世界でのデザインのありようを雄弁に物語っているのである。

　再びピースのデザインにフォーカスすれば、1955（昭和30）年9月号の「教育美術」誌（Vol.16、No.9）に、岩中徳次郎（1897-1989）による「ピースのデザインと造形」という論考が掲載されている。デザインに関わる商業世界での現象が教育の世界に移行するこの3年という期間を短いとみるか、長い時間帯とみるかは人それぞれであろうが、教育的言説が社会一般の現象の受け皿となっていることは確かである。しかし、岩中の論考が示すとおり、デザインが完成するまでのプロセスを解剖する必要を論じなければ、頼るべき方法論の展開を可能とする論理には辿り着けないとするのが教育の視点であり、教育の意義なのである。デザインは「図案」ではないという論理への反転のためにも時宜を得た論考であった。

　現代のデザインおよび工芸を教育の観点から論ずる本書に対して、戦後10年前後を経た時代のこのような話が「まえがき」として置かれることを訝しがる読者もいようが、企画の早い段階から、現代のデザインや工芸を論ずるには歴史を俯瞰し、歴史的事象の点と点を結ぶアーキビストとしての批評的視座が不可欠であり、自らそれを明らかにすることで、監修の意図を示したいと考えていたのである。それは、約27年前に建帛社から、私の編著として出版された『デザイン教

10

育 ダイナミズム』に収められた「未来から考えるカリキュラム」という論考において試みられた方法論でもある。実際のところ、この「まえがき」もまた、「未来から考えるカリキュラム」を含む平成の時代に手がけた幾つかの自分の仕事を令和に繋げるアーキビスト的な試みの1つだと考えている。

　接近と俯瞰という、対象への距離の置き方を繰り返すことは、一見分裂した様相を示している物事と物事の関係を結びつけ、一元的に対象を理解するために必要であるということを、エドガー・エンデ（Edgar Ende, 1901-1965）とミヒャエル・エンデ（Michael Ende, 1929-1995）という稀代の創作家である父子のアート（絵画と迷宮的物語）やチャールズ（Charles Eames, 1907-1978）とレイ（Ray-Bernice Eames, 1912-1988）のイームズ夫妻の映像作品から刺激を受けつつ認識するに至った。

　特にイームズ夫妻の映像作品である《パワーズ・オブ・テン》（Powers of Ten, 1977）が切り拓いたミクロとマクロの世界の連続性を実写とアニメーションの組み合わせによって描写する手法は秀逸であり、歴史的な事象を解読する手法についてもこの映像作品から示唆を受けることとなった。どのような素材や道具によって、ミクロとマクロを描写し連動させうるかという問題は、どのような媒体によって表現すべきなのかという「媒体論」にとっても示唆的であることは言うまでもない。イームズ夫妻が優れた倚子のデザイナーであるということと、かくのごとき示唆に満ち満ちた映像作家でもあるということは、けっして無関係なことではないのである。

　本書の執筆者達がこのような意識を持って執筆しているかどうかは、企画・監修という立場として執筆者とテーマの編成に関わった私よりも、優れた読み手によってこそ判断されるべき範疇にある。

　末尾となったが「まえがき」としての役割を果たすべく、本書の成り立ちに関わる事柄として編者の畑山未央と佐藤昌彦、表紙制作の伊藤文彦、そして中途から実務に加わった山木朝彦について触れておく。

　畑山氏は美術教育に関係する様々な研究グループにおいて、研究推進のための実務を担う経験を通じて、まとめ役としての実力を磨いてきた新進気鋭の研究者。研究書の編集は初めてのこととなるが、誠心誠意、この仕事と向かい合い遂

行して頂いた。佐藤氏は私との共著である『ものづくり教育再考』(学術研究出版、2018) や『中国 100 均の里・義烏と古都・洛陽を訪ねて』(同上、2020) 等、出版の実績を重ね、編集プロセスについて習熟している。本書においても、出版社との打ち合わせから執筆者への連絡、執筆要領の作成に至るまで、安定感のある緻密な仕事をして頂いた。伊藤氏には宮脇監修の『アートエデュケーション思考』(学術研究出版、2018) 出版の際には完成度の高い美しい表紙を作成して頂いたが、今回も洗練された表紙デザインを本書に提供して頂いた。山木氏には、手術による入院という予期せぬ事態に遭遇した私の補助役として、執筆者間の調整、中国在住の徐 英杰氏との連絡などを担って頂いた。〈特別 企画・監修〉とは、具体的に言えばそのような役割を担って頂いたことを意味している。

　本書が無事、出版の運びとなったことについて、分担執筆者にたいしてと同様にこの 4 名に感謝したいと思う。

　また、企画段階から相談に乗って頂いた学術研究出版常務取締役の湯川勝史郎氏に感謝の意を表したい。

2020 年 10 月吉日

第 *1* 章

ものづくりの原点を求めて

—民具・民芸とデザインの源流—

佐藤昌彦

渡辺邦夫

鈴木美樹

張　月松

石山正夫、宮脇　理、佐藤昌彦

宮崎藤吉

（掲載順）

NHK連続テレビ小説『おしん』に登場した生活用具「かて切り」とものづくり教育

佐藤昌彦

はじめに

　何を大切に考えて子どもの前に立つのか。これは教育の根本的な問いです。地球規模の生態系の問題[1]や原発事故を含む様々な事件・事故を踏まえれば、生命を基本とする教育と答えることができます。生命を基本とする教育とは、生命に及ぼす影響に配慮して、よりよい生活環境を創造する人間の育成を意味しています[2]。では、生命を基本とする教育を具現化するためには、どのようなものづくりを目指す必要があるでしょうか。端的に言えば、自然と対立するものづくりではなく自然と馴染むものづくりを目指すということでしょう。人間は自然の一員であり、自然に支えられてこそ生きることができるからです。

　NHK連続テレビ小説『おしん』[3]に登場した生活用具「かて切り」[4]は米に加える食べもの（大根や芋など）を細かく刻む道具のことです。かて切りの「かて」とは米に加える食べもの[5]を意味し、かて飯（糅飯）は米の消費を抑えるために、他の食べもの（穀物・野菜・海藻など）を混ぜて炊いたご飯を指しています。「かて」の種類によって、大根飯、大根かて飯、大根葉かて飯、芋飯、芋かて飯、麦かて飯などの名称があります。NHK連続テレビ小説『おしん』の中でかて切りは大根飯をつくるための道具として使用されていました。

　それでは、いまなぜNHK連続テレビ小説『おしん』に登場した生活用具「かて切り」に眼差しを向けるのでしょうか。それは自然と対立するものづくりではなく自然と馴染むものづくりの規範として人間形成にかかわる先人の叡智を学ぶことができるからです。その主なポイントを以下に三つ示しました。

1. 自然の生命への敬意と食生活に関する聞き書きの記録

　第一は自然の生命に対する敬意です。自然と馴染むものづくりの基盤となるものであり、大根飯や芋飯などの食生活に関する聞き書きの記録から読み取ることができます。

　食生活に関する聞き書きの記録は、「日本の食生活全集 山形」編集委員会編『日本の食生活全集⑥聞き書 山形の食事』（農山漁村文化協会、1988）にその内容が記されています。大正の終わりから昭和の初めにかけての食生活に関するものです。当時を知る方々から直接に調査・取材したもので、聞き取り調査、料理の再現、写真撮影等での協力者の氏名・市町村名が明記されています。明治・大正生まれの協力者の方々には生年も記載されていました。山形県は NHK 連続テレビ小説『おしん』のロケ地です。自然の生命への敬意にかかわる言葉を次に三つ取り上げました。

　一つ目は「自然のいのちをいただく」という言葉です。『日本の食生活全集⑥聞き書 山形の食事』の表紙カバーに記載されている長谷部 俊子氏（山形県消費者団体連絡協議会事務局長）のものです。その内容に関する長谷部氏の文章を下に掲載しました。

　　　春に草木が芽吹くころ、秋に草木の実がみのるころ、いまもやまがた人の血はさわぎます。節々（せつせつ）の自然の恵みを五感で楽しみ、貯えて長い冬のくらしにとりこむ、さらに海川の幸を配し、あまねく活かす知恵と技と心の結晶が、やまがたに伝わる "食" の心髄であり、文化の原点でもあると思います。やまがたの先人は、自然のいのちと人間のいのちをかしこく同化させ、その豊かさを私たちに残してくれました。この土着の "食" をうけつぎ、多様化したくらしの中に、どう活かして伝えていくかが、今日を生きる私達のつとめでありましょう。（表紙カバー）

　二つ目は「『母なる川』最上川」という言葉です。人々の生活や文化を産み育てた「母なる川」として自然への敬意を表しています。『日本の食生活全集⑥聞き書 山形の食事』には次のように記されていました。

山形は山の国であり、川の国です。山形県内を南から北に貫流する最上川は、福島県境の吾妻山系に源を発し、飯豊（いいで）、朝日、蔵王、出羽などの連峰、山地からの支流と合流して日本海に至り、その全流域は県土の八割にも及びます。農業用水の水源、内陸と庄内地方を結ぶ水運として、地域の生活や文化と深くかかわってきたこの「母なる川」は、くだるにしたがって、置賜（おきたま）、村山、最上と盆地ごとに沖積地を形成し、最後は出羽山地の難所・最上峡をぬけて四万町歩という大庄内平野をかたちづくりました。これらの盆地と平野は古来、米どころとして有名です。（p.1）

　三つ目は「田の神に感謝して搗（つ）く秋の刈上げもち」（口絵）、「豊作を感謝して恵比寿、大黒さまに供える正月十五日のでんがく」（口絵）という言葉です。それらに関する文章を以下に示しました。

　本（ほん）のもち（白い臼もち）は盆、正月、小正月、ひなの節句、大田植え、刈上げなど大きな節目節目に搗いて祝い、感謝を表わし、食べて体力を養う。（p.34）
　1月15日は、昨秋の豊作を感謝し、でんがくをつくって恵比寿さまと大黒さまにお供えをする。夕食は軽くすませ、そのあとでいろりを囲み、豆腐、こんにゃく、丸めもちを竹串にさして、赤々と燃える火で焼いて、くるみ味噌やさんしょう味噌をつける。まず恵比寿さまと大黒さまにお供えしてから、ごちそうになる。（p.21）

なお、大根飯（大根がて）やかて切り（かて切り器械）については、『日本の食生活全集⑥聞き書 山形の食事』のいたるところに関連する写真または文章が掲載されています。主な例を以下に記しました。
○写真「かて切り器械で大根がてをつくる」（p.17）：女性が右手でかて切りの柄を握り、左手で大根を第1の刃がある板に押し付けています。かて切りは竹を編んだ容器「箕」（み）の上に置かれており、細かく刻まれた大根は箕の中

に落ちるようになっています。女性の左側には竹籠の中に細かく刻む前の大根が数本入っています。（「村山盆地の食」より、冬、p.17。NHK連続テレビ小説『おしん』の舞台となった中山町もこの村山地方にあります。）

○大根がては、毎晩かて切り器械で切り、鉄なべに入れていろりで煮る。そして翌朝、仕かけておいた釜の米と混ぜて炊く。（「村山盆地の食」より、冬、p.17）

○（県北最上地方）異常気象の年が多い。また水害も毎年あるので不作凶作の年が多く、毎年米の出来ぐあいが不安定である。したがって、どの家も保有米の確保を考えざるをえない。また、この地域では米は一番の換金作物なので、できるかぎり多く販売してしまう。したがって、一般の農家は、米だけをたらふく食べるわけにはいかず、麦飯とか、大根葉、豆飯、いも飯などのかて飯を多く食べることになる。（中略）米づくり農家でありながら、いつも節約しながら凶作時に備える心がけが自然に育ってきた。（中略）ふだんは麦飯で、米一升に大麦三合の割合。秋から冬にかけては、大根飯か大根葉飯が多く、ときどき二度いも（じゃがいも）、さつまいもを入れたごはんを炊く。（「県北最上の食」より、p.121）

○冬はかて飯をよく食べる。かての主役は大根である。大根飯が一番食べやすい。前の晩、米５升に対して大きい大根二本を細かくきざみ、なべの底に敷いておいて、翌日炊きあげる。（「庄内山間の食」より、p.275）

2. 自然の理との整合性と生活用具「かて切り」の構造

　第二は自然の理との整合性です。大根の特性に対応した「かて切り」の構造は自然の理と整合するものづくりを示しています。

　大根の特性とは、小さな刃で切ることができ、しかも小さな刃を取り付けた板に手で握って横から押し付けることができる長さ、太さ、重さ、そしてかたさ（質）をもつという点を指しています。また、大根の特性に対応した構造とは次のように示すことができます。

　　一つの動作で３種類の刃が連動し連続的に大根を細かく刻む構造

2019年6月16日（日）、生活用具「かて切り」の構造（切る仕組み）を調べるために、山形県中山町立歴史民俗資料館を訪問しました。前のページの構造はその調査に基づいて記したものです。先述したように中山町はNHK連続テレビ小説『おしん』の舞台（おしんの生家撮影地）になったところです。資料館の中に入るとおしんを演じた3人（少女期：小林綾子、青春〜青年期：田中裕子、中年〜老年期：乙羽信子）の写真とともに大根を細かく刻むための生活用具「かて切り」が展示されていました。館内を案内してくださったのは、村山 聡氏（中山町教育委員会）と髙橋昌敏氏（中山町教育委員会）です。実際に目の前で大根を切りながら、かて切りの切る仕組みをお二人に教えていただきました。

　驚いたことに、柄（え：持ち手）をさげるという一つの動作だけで大根を米粒大に細かく裁断することができたのです。一般的な包丁で大根を細かく裁断するのであれば、まず薄く輪切りにし、次に棒状に切り、そしてそれを端から細かく

■大根を細かく刻むための生活用具「かて切り」（山形県中山町立歴史民俗資料館、2019.6.16）

切るという三つの動作が必要になります。それらが柄をさげるという一つの動作だけで可能になっていたのです。村山氏と高橋氏が見せてくださったかて切りの実演の様子を下に記しました。かて切りには3種類の刃がついています。それぞれの動きを説明するために、3種類の刃をここでは、第1の刃、第2の刃、第3の刃と呼ぶこととします。

【村山 聡氏と高橋昌敏氏による「かて切り」の実演の様子】
①右手で柄の部分（持ち手）を握ります。
②左手で大根の切り口を板に押しあてます。
③柄の部分をさげます。第1の刃（板についているたくさんの小さな刃）が大根に切り込みを入れていきます。
④一番下までさげます。第2の刃（柄の先にあるたくさんの小さな刃）が大根に切り込みを入れます。第1の刃による切れ込みと第2の刃による切れ込みが交差することになります。小さなひし形がたくさんできました。第3の刃（包丁のような刃）が大根の先にできたたくさんの小さなひし形を切り落とします（輪切りにすることによって）。切り落とされた米粒大の大根（ひし形）が第3の刃（包丁のような刃）の隣から出てきます。

　こうしたかて切り全体の動きを踏まえて、刃の動きとその刃が大根を切った跡との関係も次のページ以降（刃の動きと大根の関係）に示しました。まず第1

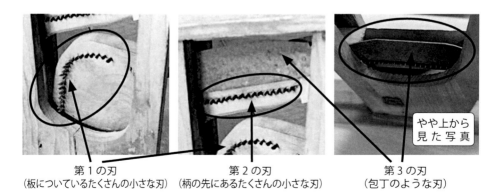

第1の刃
（板についているたくさんの小さな刃）　　第2の刃
（柄の先にあるたくさんの小さな刃）　　第3の刃
（包丁のような刃）

やや上から
見た写真

の刃が大根を切った跡を複数の線で表しました。次に第2の刃が切った跡を加えました。互いに交差しています。第3の刃が大根の端を薄く輪切りにした部分は楕円で示しました。

　刃の動きと大根を切った後の関係をそのように図で表してみると、一般的な包丁で切る場合との違いが際立ちます。それは輪切りにする段階が最後になっていたということです。包丁で細かく裁断する際には、前述したように、まず薄く輪輪切りにし、次に棒状に切り、そしてそれを端から細かく切るという手順になるからです。

　山形県中山町立歴史民俗資料館を訪ね、実際にその切る仕組みを目の前で確認したことによって、先に述べたように、かて切りの構造を以下のように述べることができます。

　　一つの動作で3種類の刃が連動し連続的に大根を細かく刻む構造

　柄をさげると、3種類の刃の中でまず第1の刃が大根に切れ目を入れます。たくさん並んだ小さい刃で切りますので切れ目は複数になります。柄と第1の刃がついている板はL字型の金具でつながっています。その金具によって離れていても柄をさげた力が第1の刃に伝わるようになっています。

　次に第2の刃が大根に切れ目を入れます。やはりたくさん並んだ小さい刃で切りますので切れ目は複数になります。第1の刃による切れ目と第2の刃による切れ目が交差し小さなひし形がたくさんできます。第2の刃は柄の先についていますので柄をさげた力が直接伝わります。

　そして包丁のような形をした第3の刃がたくさんできたひし形を切り落とします。大根を薄く輪切りにするのです。切り落とすといっても、上から下に落ちるということではありません。第3の刃の隣にある隙間から上へ米粒大に細かく刻まれたものが押し出されるように出てくるのです。

　3種類の刃がそれぞれの役割をしっかりと果たし、同時にそれぞれが連動するからこそ、柄をさげるという一つの動作で米粒大に大根が細かく刻まれて出てくることになります。3種類の刃、一つ一つが主役です。さらに柄を下げた力を

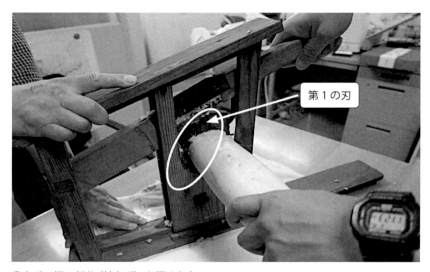

第1の刃

①右手で柄の部分（持ち手）を握ります。
②左手で大根の切り口を板に押しあてます。

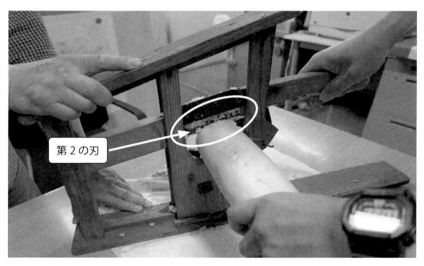

第2の刃

③柄の部分をさげます。
　＊第1の刃（板についているたくさんの小さな刃）が大根に切り込みを入れていきます。

　　　　　■かて切り―大根を細かく刻むためのプロセス―（1）

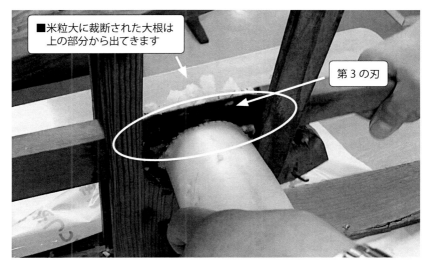

■米粒大に裁断された大根は
　上の部分から出てきます

第３の刃

④一番下までさげます。
　＊第２の刃（柄の先にあるたくさんの小さな刃）が大根に切り込みを入れます。
　＊第１の刃と第２の刃によって小さなひし形がたくさんできます（切った跡が交差します）。

■３種類の刃が
　連動するため
　の金具(重要)
　＊裏側に取り付け
　　てあります。

■米粒大に
　なった大根

　＊柄の先にある第３の刃(包丁のような刃)がたくさんの小さなひし形を切り落とします。
　＊切り落とされたひし形（米粒大）が第３の刃（包丁のような刃）の隣から出てきます。

■かて切り─大根を細かく刻むためのプロセス─（2）

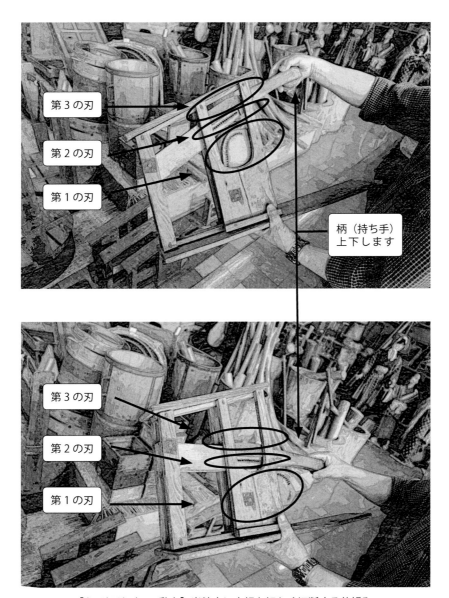

第3の刃

第2の刃

第1の刃

柄（持ち手）
上下します

第3の刃

第2の刃

第1の刃

【かて切り／刃の動き】米粒大に大根を細かく切断する仕組み
ー柄（え：持ち手）を下げる動作一つで3種類の刃が連動しますー
＊写真（p.10、p11）はアプリ「Sketch Me!」で加工したものです。

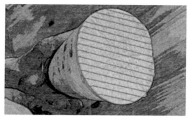

■第1の刃（複数の刃）が大根を切り
ます。

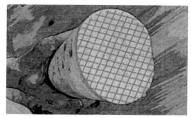

■第2の刃（複数の刃）が切ります。
交差するように。

■第3の刃（1枚）が大根の端を薄く
輪切りにします。

■大根が米粒大に細かく切断されました。

【刃の動きと大根の関係】

第1の刃に伝えるL字型の金具・柄を支える柱・土台など、3種類の刃以外の部品もすべて同じように主役です。各部品が自らの役割を実行し全体として連携することによってかて切りはかて切りとしての働きができるからです。

　前述した構造には「連続的に」という言葉も使用しました。かて切りは一つの動作で3種類の刃が連動するだけではなく、それを繰り返すことによって大根を米粒大に短時間でたくさん切断することができるからです。一つの動作で3種類の刃が連動すること、それが連続すること。かて切りとしての働きとは特にこの二つを指します。大根は、小さな刃で切ることができ、しかも小さな刃を取り付けた板に手で握って横から押し付けることができる長さ、太さ、重さ、そしてかたさ（質）をもつという特性をもっています。かて切りはそうした特性を踏まえた構造になっていたのです。

　なお、かて切りの特許に関する書類は工業所有権情報・研修館（東京都）に「細切機」（特許第1511号）の名称で保管されていました。山形県中山町立歴史民俗資料館に収蔵されているかて切りとすべて同じ形ではありませんが、その構造図を次のページに掲載します。書類には以下のような記載がありました（一部を記載しました。目的・構造・使用方法などが詳細に記載されています）。

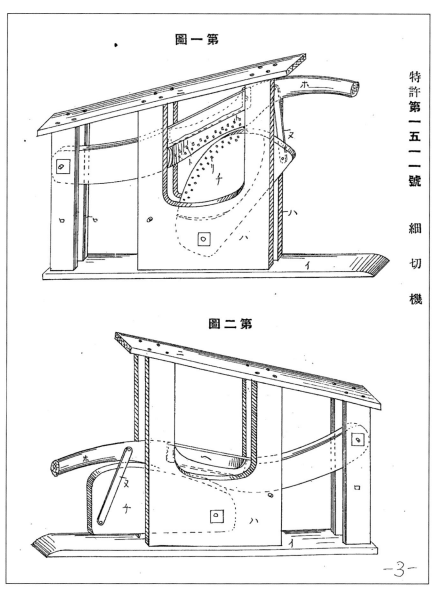

■細切機（かて切り）の構造図（特許第 1511 号）上：表側、下：裏側
　＊出典：独立行政法人 工業所有権情報・研修館（東京都）／特許情報プラットフォーム
　　「特許第 1511 号 細切機」（p.3）https://www.j-platpat.inpit.go.jp

26

○特許第 1511 号 第 126 類

○出願 明治 24 年 12 月 7 日、特許 明治 25 年 3 月 10 日、特許年限 10 年

○明治 35 年 3 月 9 日年限満了に依り特許権消滅

○特許権者 盛岡市神子田 41 番戸 大橋亀治

○明細書 細切機

○目的とする所は餅、大根、芋等の如き軟きものを迅速に骰子の目（さいのめ）
に切断するに在り

　　　　　＊旧字体（旧漢字）は新字体（新漢字）で記載しました。片仮名（カタカナ）は平仮名（ひ
　　　　　らがな）で記しました。

3. ものづくりの責任と製造者または製造所の焼印

　第三はものづくりの責任です[6]。木製のかて切りに押された「製造者または製
造元の焼印」は、他と区別するためのしるしだけではなく、自らのものづくりに
対する責任をも表す（責任の所在を示す）ことになります。

　製造者または製造元に関する焼印は下記のとおりです。

【山形県】	■羽前天童町　川崎為吉 収蔵：山形県中山町立歴史民俗資料館

【福島県】	■若松市片柳町　林製造所 収蔵：福島県只見町旧朝日公民館

　かて切りの焼印は上記以外に他の博物館でも確認することができました。たと
えば、北海道の市立函館博物館（函館市）では「盛岡市川原町 毛藤長次郎」、青
森県の県立郷土館（青森市）では「盛岡市川原町 毛藤長次郎」及び「若松市片
柳町 林製造所」、岩手県の農業科学博物館（北上市）では「盛岡市川原町 毛藤
長次郎」、同じ岩手県の一関市博物館（一関市）では「陸中 茂庭禎之輔」という
ものです。それぞれの焼印や各博物館の資料には、かて切りについて、馬鈴薯裁
断機・家庭用薯米剪理器（北海道／市立函館博物館・旧戸井町資料）、ダイコン

■かて切り／製造者に関する焼印の文字：羽前天童町 川崎為吉
＊山形県中山町立歴史民俗資料館 2019.6.16（担当：村山 聡氏、髙橋昌敏氏）

■かて切り／製造元に関する焼印の文字：若松市片柳町 林製造所
＊福島県只見町旧朝日公民館 2020.7.13（担当：渡部賢史氏）

切り機・薯米用剪理器（青森県／青森県立郷土館）、大根かて切り・五串器：い
つくしき（岩手県／岩手県立農業科学博物館）、糅切：かてきり（山形県／中山
町立歴史民俗資料館）、ダイコンキリ（福島県／只見町旧朝日公民館）などとも
記されていました。

　原発事故の原因を踏まえれば、ものづくりの責任はものづくり教育の要です。
『国会事故調報告書』（東京電力福島原子力発電所事故調査委員会、徳間書房、
2012）には、事故原因について、直接的な原因は「地震・津波」、根本的な原因
は「生命を守るという責任感の欠如」と記載されていました。ものづくりの教育
においては、あらゆるものづくりを視野に入れ、それらすべての基底に責任を位
置付けることが必要になるでしょう。

　本稿でのものづくり教育という言葉は、一領域、一分野、一教科という限定し
た意味で使用しているのではありません。ものづくり教育はものづくり全体を視
野に入れた教育を指しています。科学・技術・芸術の連携を横軸とし、ものづく
りの原点（手づくり）から最先端（5G・6G、AI、ビックデータ、IoT など）ま
での流れを縦軸としました。ものづくりの初期の段階から増産の段階までの流れ
全体やものづくりの過去・現在・未来をも意味しています。新旧の併存も含みま
す。図画工作科や美術科の手工・工作・工芸・デザインとともに理科や技術・家
庭科のものづくりなども含んでいます。一部のものづくりに限定するのではなく、
身のまわりにある製品はもちろんのこと、原子力発電所なども含めて、人間の生
活環境にかかわるありとあらゆるものづくりを念頭におきました。私たちの生活
は多種多様なものに支えられて成り立っているからです。さらに言えば、それら
のものにかかわる多くの人々にも支えられています。

　あらゆるものづくり（ものづくりのまるごと）を最初から視野に入れながら、
総体的に教えるためのプランを追究すること。その大切さについて、宮脇 理先
生（Independent Scholar ／元・筑波大学大学院教授）は『感性による教育——
学校教育の再生』（国土社、1988）のなかで次のように記しています。

　　（映画『ロッキー 4』について）たった一つだけ私はこの映画に驚いたと
　　ころがあります。それは、ソビエト対アメリカの競合よりも、ボクシングの

練習のありかたにかかわってのことです。たとえばソビエトの練習風景がきわめて機械的な、そして効率的な分析的な練習方法を積み重ねているのに対して、アメリカの場合、つまりロッキーの練習方法というのが山野跋渉するというやりかたをとっています。この山野跋渉というのは、人工的に組み立てた練習方法の部分を全部あつめて合成するのとは決定的に違う、最初からあらゆるものを含んでいるという発想が基本にあります。そこには計算された一つ一つの段階というのはありませんけれど、野をかけ、山をかけてトレーニングしているという情景には、計算しつくせない要素が多分にあるということを映像ははっきりと見せているわけです。(p.31)

また宮脇先生は、第41回美術科教育学会概要集（北海道大会：札幌市、2019）において、「汽水域」という言葉を使用して以下のように述べています。

> レオナルド・ダ・ヴィンチ：" 五千枚の手記 " を瞥見した印象は、あたかも、汽水域（きすいいき）の中で育った " 天才 " の航跡を辿ることにも似ている。汽水（Brackish water）とは、川が海に淡水を注ぎ入れられ、河川・湖沼および沿海などの陸よりの部分、つまり干潟が占める区域であり、生物に必要な揺籃地帯である。オリーブの里は将に " 陸の汽水域 " であり、空は青く、空気は澄み、飛翔する夢をかきたてる。（中略）母なる自然がグロテスクの様相に満ちている時代は、時代を超えて自己決定に難渋するのだが、それはイマにも重なる時間帯でもあり、レオナルドの生涯（1452年〜1519年）もそれに相応するが、彼は天才の資質に相乗りした自然環境をきっかけにして、絵画・彫刻・建築・物理・数学等の全てをブレークスルーした。ヴィンチ村を散策してみよう。そして天才レオナルド・ダ・ヴィンチに想いを馳せよう。
>
> ＊共同発表の題目は「ダ・ヴィンチ：" 五千枚の手記 " に視る『科学からアートへ・アートから科学へ』の構想世界」です。宮脇 理、渡邊晃一、佐藤昌彦、3人で発表しました。

レオナルド・ダ・ヴィンチ（伊、Leonardo da Vinci、1452-1519）の創造の源泉は、

レオナルドが少年時代を過ごしたヴィンチ村の自然であり、宮脇先生はそうしたヴィンチ村の自然を"陸の汽水域"と呼びました。汽水域は海水と淡水が混じり合う水域です。栄養が豊富で稚魚の成長に適しています。教育における汽水域への眼差しは、栄養豊富な世界に子どもが住むことを可能にします。専門化・分業化（独立して系統化していく）以前の全体的な基盤の重要性に着目すること、汽水域という言葉はそれを象徴的に示しています。

　生活用具（日用雑器、民具・民芸）「かて切り」は、そうした全体性に目を向けあらゆるものづくりの一つとして掘り起こしたものです。さらにここでは自然と対立するものづくりではなく自然と馴染むものづくりの規範としてのかて切りに焦点をあてました。生活用具の美的側面や台所道具の歴史など、かて切りへの切り口を変えれば、その他にも様々な先人の叡智を学ぶことができるでしょう。

おわりに

　本稿では、何を大切に考えて子どもの前に立つのかという教育の根本的な問いをスタートとしました。子どもの人間形成全体を視野に入れてものづくり教育を捉えたいと考えたからです。そして生命を基本とする教育とそれを具現化するために自然と対立するものづくりではなく自然と馴染むものづくりという視点を提示しました。また自然と馴染むものづくりの規範として、NHK連続テレビ小説『おしん』に登場した生活用具「かて切り」を取り上げ、ものづくり教育の指針として先人に学ぶことができるポイントを三つ示しました。第一が自然の生命への敬意、第二が自然の理との整合性、第三がものづくりの責任です。

　NHK連続テレビ小説『おしん』の原作者であり脚本も手がけた橋田壽賀子氏は著書『おしんの遺言』（小学館、2010）で、「単なる昔話ではなく、いまの世の中にも通じる、現在進行形の物語なのだと、そのことをしっかりと伝えたかった」（p.10）、「おしんと共に『ほんとうの豊かさ、幸せ』について考えてほしかった」（p.11）と述べています。

　生活用具「かて切り」も単なる過去の道具ではありません。冒頭で述べましたように、地球規模の生態系の問題や原発事故を含む様々な事件・事故を踏まえて取り上げたものです。そして人々の生活（生命）を支えてきたかて切りを通して、

ものづくりの本質を先人に学び、次世代へ伝えていきたいと考えるからです[7]。

　現在、ものづくりという言葉には非連濁形のものつくりと連濁形のものづくりが共存しています。ものつくり大学（埼玉県行田市。2001 年設立。初代総長：梅原 猛）では非連濁形のものつくりを大学名に使用しており、大学案内には「ものづくりは縄文の時代から、わが国の誇りと言える優れた伝統です。古来の大和（やまと）言葉は濁点をふらないことから、現代日本語の慣用表記とは異なる『ものつくり』を用いた大学名が付けられています」との説明があります。文部省『中学校美術指導資料 第 2 集 工芸の指導』（日本文教出版、1974）における「人間の生活は、自然とのかかわりの中で生命の保持、それに伴うものづくりを背景に始まった」（p.251）という一文は連濁形使用の事例です。本稿では現代日本語の慣用表記としての連濁形：ものづくりを使用しました。

　あらゆるものづくりへ眼差しを向けること。それは人々の生活（生命）を支えるものづくりへの敬意につながるとともに日本文化に根差したものづくり教育を構築していく基盤ともなるでしょう。

註

1) 【生態系の問題】生態系にかかわって、『サピエンス全史──文明の構造と人類の幸福』（上・下、河出書房新社、2016）の著者、ユヴァル・ノア・ハラリ（Yuval Noah Harari 1976-）の言葉を以下に示しました。「7 万年前、ホモ・サピエンスはまだ、アフリカの片隅で生きていくのに精一杯の、取るに足りない動物だった。ところがその後の年月に、全地球の主となり、生態系を脅かすに至った。（中略）自ら神にのし上がった私たちが責任を取らなければならない相手はいない。その結果、私たちは仲間の動物たちや周囲の生態系を悲惨な目に遭わせ、自分自身の快適さや楽しみ以外はほとんど追い求めないが、それでもけっして満足できずにいる。自分が何を望んでいるかもわからない、不満で無責任な神々ほど危険なものがあるだろか？」（pp.264-265）

2) 【生命への配慮・生活環境の創造に関する文献】エレン・H・リチャーズ（Ellen Henrietta Swallow Richards、1842-1911）著、住田和子・住田良仁訳『ユーセニクス』スペクトラム出版社、2016。環境とは自然環境と人為的環境を意味します。

3) 【連続テレビ小説『おしん』と「かて切り」】NHK 連続テレビ小説『おしん』は、1983（昭和 58）年 4 月 4 日から 1984（昭和 59）年 3 月 31 日まで放送されました。原作者である橋田壽賀子氏は著書『おしんの遺言』（小学館、2010）で、おしんの時代を「米 1 俵で奉公に出され、学校に行きたくても行けない。米を腹いっぱい食べることが切実な夢であった時代」（p.14）と表現しています。そしてそれは「決して大昔のことではありません。『おし

ん』が放送された頃には、そういう体験をしたお年寄りが、実は身近にたくさんいたのです」
（p.14）とも述べています。主人公のおしんは小作農の娘であり、9人家族（父、母、祖母、
兄、姉2人、弟、妹、おしん）という多人数での生活は苦しいものでした。口減らしのた
めにおしんは奉公に出されることになります。ドラマのなかで「かて切り」はそうした貧し
い生活の中で家族の生命を支える道具として使用されていました。

4)【かて切り】山口昌伴『主役の道具たち 図説 台所道具の歴史』（柴田書店、1979）には次の
ように記されています。「芋鉋（馬鈴薯裁断機）」：芋鉋の改良型として商品化され東北・北
海道に流通していた。（中略）製造元・盛岡市川原町毛藤長次郎と焼印がある。函館博物館・
分館郷土室。また、芋鉋については、「澱粉をとるために芋を細断する作業の能率化をはか
ろうとする道具。半機械（セミマシーン）は農民と村の鍛冶屋との相談のレベルで開発され
た。大工も一枚加わって。それが評判となれば荒物屋が製造元となって地方に流通した。（中
略）青森市・県立郷土館」と述べられています。

5)『かてもの集』（月明会編、月明会出版部、1944）と「かて切り」』『かてもの集』（月明会編、
月明会出版部、1944）には「かて切り」について以下のように記載されていました。「『か
てきり』：田舎の家（宮城県白石）を訪ねた時、納屋の横に雨晒になっている木製の道具が
転がって居たので、貰って来た物だが、土地の人は『かてきり』と呼んで居た。使われたの
は明治32・33年頃で、明治30年頃に出来たものらしい。これは大根のかて飯を作る時、
大根の細切れを簡単に製造する機械で、この以前には鉋の様な物の刃の手前に針の歯が一列
に植えてあるので卸して千六本を作り、それを包丁で更に細かに刻んだが、この手数に比べ
て此の『かてきり』は一段と進歩した機械であると云ってよい。（中略／構造と切る仕掛け）
昔とは大分変わって来た経済関係で明治30年前後は農家も大変経済的に苦しんだので、手
間取りの作男を使う農家では如何にして少ない飯を食わせて多く働かせるかに苦心してかて
めしを作った。かてきりは此の様な時代の要求にもとづいて生まれ上下する取手は作男の代
用飯を作り出す様になったものである。（片倉信光）＊旧字体（旧漢字）は新字体（新漢字）
で記載しました。

6)【責任】（未来に対する責任）：ハンス・ヨナス（Hans Jonas、1903-1993）『責任という原
理―科学技術文明のための倫理学の試み―』（監訳・加藤尚武、東信堂、2000）には、訳者
による解説として以下のように記されています。「ヨナスの哲学は、存在の声に耳を傾ける
ことが、人間の歴史的な責任であると要約することができる。存在の声に耳を傾けることと
は、森の中で詩人的な直感にふけることではない。まず、人間の未来の存在を保証すること、
人間の愛と自由と理性を保持する遺伝的形質を保存すること、すべての自然の生命を守るこ
とである。それが歴史的な責任であるというのは、短期的な個人が自分で直接に経験できる
時間の範囲内に限定されない、数百年、数千年におよぶ地上の全生命の未来に、現在の人間
が負うべき責任であるという意味である。責任であるというのは、力のあるもの、それを知
ることのできる者の、知る義務と力を尽くす義務であるという意味である。」＊本書は、科
学と技術の時代の文化を根源的な生命の視点から見据えた思索としてドイツ出版平和賞を受
賞しています。

7)【ものづくり／工作・工芸教育の出発点】宮脇 理先生は、著書『中国100均（100円ショップ）
の里・義烏と古都・洛陽を訪ねて』（宮脇 理、佐藤昌彦、徐 英杰、若林矢寿子、学術研究

出版、2020）のなかで以下のように述べています。「（中国義烏市"塘李小学校"での懇談で）フィンランドのウノ・シグネウス（Uno Cygnaeus、1810-1888）の教育方法に関心を抱き続けてきましたと述べ、さわりの箇所として、機械が手の代わりをするその象徴的な第1次産業革命による社会の変革が進むなかで、教育はどのように人間を育てるべきかという課題が浮上したわけです。これに対して、小学校の教育者（director）であるシグネウスは社会、そして人間が崩れる崩壊感覚にも似た危機感を抱き、ものづくり教育の着想を逸速く掴み、提案したのです。それはものづくり教育を行う時に、まずは、先人の作った遺作（もの）を、如何にそっくりそのまま伝えていくかという点に重点を置く教育方法に着目したのです（將に模作ですが……）（中略）フレーベルがそうであったように、分析的なアプローチよりも前に、まずは先人の総体：block を認識する方法をとること、全体像を掴ませる方法を考案したのでしょう。（如何にそっくりそのまま）を伝えていくのかというのがソレです。」（p.24）、そして「シグネウスがテーマとしたのは、当時、社会的に台頭してきたテクノロジーという考え方に対置する捉え方でした。彼はテクノロジーというものに対して、部分的な分析的な学習より教育の全体性を重視したのです。このような考え方は、現代の工作や工芸教育の出発点であると云ってもよいでしょう」（p.24）とも記しています。

【取材協力】

（北海道）市立函館博物館（保科智治）
（青森県）青森県立郷土館（増田公寧）
（岩手県）農業科学博物館（伊藤義晴、小野寺郁夫）、一関市博物館（小岩弘明）
（秋田県）秋田県立博物館（丸谷仁美）
（山形県）中山町教育委員会・中山町立歴史民俗資料館（村山 聡、髙橋昌敏）
（福島県）只見町教育委員会（渡部賢史）

*順不同、敬称略

＊本稿の写真は筆者（佐藤昌彦）が撮影したものです。本書への掲載にあたっては山形県中山町立歴史民俗資料館（山形県中山町教育委員会／許可書中教第 320 号）と福島県只見町旧朝日公民館（福島県只見町教育委員会／許可番号 B2-8）の許可を受けました。

佐藤 昌彦（さとう まさひこ）
・1955（昭和 30）年 福島県生まれ
・北海道教育大学名誉教授
・博士（学校教育学・兵庫教育大学大学院連合学校教育学研究科、2016 年）
・佐藤 昌彦『次世代ものづくり教育研究―日本人は責任の問題をどう解決するのか―』学術研究出版、2019
・宮脇 理・佐藤 昌彦・徐 英杰・若林 矢寿子著『中国 100 均（100 円ショップ）の里・義烏と古都・洛陽を訪ねて』学術研究出版、2019
・佐藤 昌彦著・抄訳、宮脇 理解説『ものづくり教育再考―戦後（1945 年以降）ものづくり教育の点描とチャールズ・A・ベネット著作の抄訳―』学術研究出版、2018　他
・併任／北海道教育大学附属札幌中学校・校長（2012 年 4 月〜 2016 年 3 月）

「自然の芸術」と「美と鑑賞の起源」
—民藝文化の中にみる「水石」に関する一考察—

渡辺邦夫

序論 「民藝」とは何か？

　偉大なデザイン思想の先駆者：柳宗理は「民藝」とは…民衆が日常に使う工藝品である。民家、民具、民画を総称して「民藝」と呼ぶ。「民藝品たること」と「美しく作りたること」には、固い結縁があり、質素こそが慕わしい徳であると…著書『民藝とは何か』の中で述べている。つまり、民藝は民衆のものであり、日常的に使う「工藝品」であり、住まう家、使う道具、生活の為に使う「用」から鑑賞する為の書画の「美」に至る人の生活の中に在る「役立つ美」であると定義していると解釈することができる。産業革命以前、機械による大量生産が無かった時代、ものは遍く「人の手によって」作られていた。民藝の歴史も「手による創造」が源なのである。

　次に「工藝品とは何か」を調べると…実用品に芸術的な意匠を施し、機能性と美術的な美しさを融合させた工作物…と定義されている。工藝品は緻密な手作業によって製作され、あくまでも実用性を重視しており、鑑賞目的の芸術作品とは異なる。ただし両者の境界は曖昧であり、人によって解釈は異なり得る…と付記されている。

　つまり、工藝品には「実用品としての生活に使う工藝品」と「その美を鑑賞する為の工藝品」という二つの側面があり、工藝品には「実用と鑑賞」の双方から存在意義があり、その二つの要素の割合は、人の解釈次第で異なるものだと考えられる。竹を巧みに用いて割いた竹籤で「籠」を作り、花を生ければ…竹は「花器」となり、また、茶室で「花を鑑賞する美」の「要」となる。花を生ける文化を根底から支えているのは「民衆の心」であると言える。

民衆が自然から利用できる「材」を見出し、手作業で素材を活かした創作活動を行い、その結果として生まれた質素で簡潔な「生活に役立つ日用品」が民藝であり、それらは、住む住居や使う道具や飾る書画に至る。「実用と鑑賞」双方の価値観の融合、また、別の角度から捉えると「自然と人の融合」が「手」によって成されてきたと考察することができる。また、それ等の「造形美」に見られる「質素」であることの「価値」に目をとめる時、日本人の好んできた美は…質素こそが慕わしい徳である…の名言に合致している。

　民藝品には、石、木、竹、茅、藁、蔓、漆、麻、絹…見事な迄の「漢字一文字」で表せる材料が…用いられてきた。工藝は、デザインなどと言う、謂わば近代に生まれた新しい概念が形成される遥か昔から、民衆の「生きる為の智慧」により生じていた。

　民藝の発祥と起原は、我々の祖先が「石器」の発明によって初期の文明を起こした頃に遡る。「黒曜石」という硝子質の材の鋭利な断面に着目した祖先はその材の特性を活かし、石は矢尻となり獲物を得て、ナイフとなり捕えた獲物を捌き、火で焙って喰らい、何十万年もの間、旧石器時代を「手作りの工藝品」が人間の生活を根底から支えたのだ。

　石器に見る「用と美」は、材を使えると気付いた「人間の閃き」と、より良く改良を加えた「人間の智慧」が結実している。閃きとは…脳が思い付くことにより生ずる「行動の根拠意識」であるが、智慧は…この場合、無意識の中に生じる「偶然の霊感」であろう。意識は「脳の理性や思考」が司るが、無意識は「脳の理性や思考」では制御できない。意識は脳の「思考の産物」であるが、無意識は「何も考えない状態の脳の産物」であるからだ。

つげ芳春『石を売る男』

　日本が産んだ世界から認められる漫画文化の中に、二人の天才がいる。一人は…言うまでもなく『鉄腕アトム』『リボンの騎士』『火の鳥』『ブラックジャック』等の名作を世に贈り出した漫画の神様：手塚治虫である。生命とは何か？、生きる意義、人間の存在を哲学的な知見で子供から大人まで幅広く読書に問う名作は尊く、明るい未来へのエネルギーに満ちた太陽、つまり意識である。

姿石「鯉登」高 25cm（筆者蔵）
河原の石だが白い部分が故事「登竜門」
の滝を登って龍になる「鯉」に見える。

もう一人は、手塚と対照的なダークサイド漫画の天才：つげ芳春である。『ねじ式』『赤い花』『もっきり屋』『石を売る男』等の作品は、手塚とは真逆の…人間の性（さが）、幻覚、デジャブ等の奇怪でアングラで危ない世界に人を誘う。その傑作に『石を売る』幻の短編漫画『石を売る男』がある。こちらが無意識である。

河原で拾った石を、主人公は河原の露店に並べて売るのだ。全く馬鹿げた愚かな職業に見えるが、主人公は真面目に「鑑賞する価値が有る」と判断した河原の石が商品となり露店に並べる。客が来るも来ないも買うも買わないも運任せ。もしも、石を買う者が現れた場合、主人公の価値観と客の価値観は「鑑賞に値する美に於いて合致した」ことになり、主人公はその美を失う代わり金を得て、客はその美を手に入れて対価を支払う。この漫画は極めて単純だからこそ、

仏石「観音菩薩」高 44cm（筆者蔵）
険しい「嶺」にして慈悲深い「観音様」
二つを同時に宿す、極上形の那智黒石。

遠山石「剣ケ峰」幅 19cm（筆者蔵）
遠くから見る「山」に見える。鋭く切り立った嶺に更に「孤峰」が槍の如く聳える。例え、小さくとも…大きく見える好例の石。

他の遍く仕事の対価報酬や、美術に生きて制作した美術品の売買時に派生する美術の価格についての鮮烈な寓話として、若き日の私は、つげ義春が持つ身震いがする程の鋭い感性を見たのである。

　人は何故？石を眺めて幸せになるのか。石は喰える訳でもない…若き日の私には謎であった。しかし、人は山を見て幸せになれる。夕焼けを見て、花を見ても、絵や彫刻を見ても人は幸せになれる。歳を重ねて、亡父が盆栽や掛軸や石を鑑賞していた姿を思い出し、ようやく、自然の美を鑑賞する幸せが解るようになって来た。

　自然の美を愛することが人間の魂の根幹に在るから、遍く美は、自然から生じている。絵画、彫刻、工芸、デザイン、民藝に於いても同じである。美の鑑賞により人間は幸せになれる。故に、民藝は道具であっても、機能用途のみならず、「美」を求めてきたのだ。

　本稿では民藝の内、民藝の本流「民具（民間の道具）」と言った生活工藝品を少し離れて、民衆が尊び、自然の芸術に価値を見付け愛でる鑑賞石文化「水石」について論考する。

　私は、ここに、美術芸術の根源的な核「美と鑑賞の起原」が在ると考えるからである。何故なら鑑賞石は「無意識」を見る人に求めてくる。石に、鑑賞するに値する「美的価値」が在ると感じられることは、即ち、自然＝自（おのず）から然（あ）る姿を愛でて、人が幸せに至る究極の愉しみである。美術が自然観察に始まり、最後に再び自然観察に回帰するえもゆわれぬ何か尊い感覚になる。

「水石」とは何か？

　日本の民衆が生活の中で永く鑑賞して来たものの代表に、茶器、掛軸、浮世絵、盆栽をあげることが出来る。何も、古の中国を起源とし日本に伝わり、日本で独自の進化を遂げ、信長が茶湯を戦略的交渉に用い、家臣の手柄に茶道具を褒美とし与えたことで、新たに注目されている古田織部なる茶人武士が日本独自の美意識の世界を拓いた。やがて、天下泰平の世が230年も続いた江戸時代、それ迄、特権階級に独占されていた「美」が、民衆も愛で鑑賞できるように社会が変化した。浮世絵に代表される美術の大衆化である。

柳宗理が定義する「民藝」の中に注目すべき語がある。「民画」である。それは、民衆が生活の中で生活に必要な道具のみならず、書画を嗜み、飾り愛でて来たことを示すからである。これは民藝が工藝品に留まらず、絵画や彫刻と言った純粋芸術の分野にも及んでいたことを示している。次に、文中「質素こそ慕わしい徳である」に私は強く感銘する。質素とは…華美や贅沢の反意語であり、慎ましくて無駄の無い人の生き方の美徳を指す。慕わしいの「慕う」とは、心の奥底で憧憬を持ち、それに憧れ、及ばず達せずとも「思い続ける人の心」のありようのことを指す。古より、特権階級の皇族や宮人、守護大名、武士には及ばねども、それ等、上流階級の支配者が御擁絵師たちに描かせた書画や、雅やかで豪華な工藝品には、叶わないと知りながら…民衆が成し得る美術鑑賞に「其処らで拾える唯の石」の中に、鑑賞に値する「美しさ」と「価値」を見出した文化、そこに受け継がれて來た「民衆の美意識」に着目したい。

　鑑賞石は、木製台座に据えて鑑賞する方法と、平たく薄い盆景用陶器鉢（その多くは楕円形）の上に砂を薄く敷き詰めて石を置き、水を掛けて、石の色艶や表情を愛でる鑑賞法がある。石に「水」を掛けることから「水石」と言う言葉が生まれたとする説がある。

愛石（石を愛でる）文化

　石を愛でる文化は、古代中国で宮廷人や文人の嗜みとして派生し、南宋時代に日本に伝わった。書斎で書画と嗜み、文房四宝に並ぶ、美の鑑賞に、石を飾って愛でる「愛石文化」が存在している。

　鑑賞は美術に於ける制作に並ぶ主要素であり、感動と喜びを伴う。

　愛石の「喜び」は、一、美を石に見出した喜び。二、その美を所有する喜び。三、その美を他者に認めて貰う喜びへと発展する。

　中国と日本の価値基準や鑑賞法には、些か差異があるが、自然美を讃える心、憧憬や夢想、自然崇拝的精神など、根底に流れる思想は同じと考えてよい。中国では具象性や珍しさや個性に重きが置かれ「奇怪な石を好む」のに対して、日本人は簡素簡潔な幾つかの鑑賞石の典型的な型に該当する石を好み「奇怪な石を蔑む」傾向がある。

中国も日本も、石の底に合わせた特別な木製の台座に自立させて鑑賞するが、日本は台座を外して、水盤に砂を敷いて据えても鑑賞する。ここに感性の差がある。石を自然の彫刻とし、台座に立てて鑑賞する形と、台座の人為性を排し、枯山水の様に砂を水に見立てることで、水石を仮に自然に解き放ち、自然な姿を愛でるのは石と精神的に対峙する日本独特の鑑賞作法である。周囲が細かく均質な砂粒になると「ジオラマ効果」で石は実物より大きく感じられる。

糸掛石「残心」（筆者蔵）
石に「糸」を巻き付けた様な独特の形と質感を持つ珍石。

連山石「深山幽谷」幅34cm（筆者蔵）
中国景林を彷彿とさせる悠久の時を感じる連山の姿、山裾の谷の深淵さも格別な石。この石は中国と日本、双方の「水石」の特徴を有している。

中国の「奇石・怪石」の魅力

　古代中国の文人は「珍しい石」をこよなく愛した。

　それは、日本の水石文化の源流である。

　仙人の隠れ家としての…石室「洞庭」や「地肺」等の大洞窟に関する伝承、須弥山や蓬莱山といった俗世を離れたユートピア願望＝境地思想が介在していたに違いない。理想郷が名山勝地の奥深くに実在すると信じられた神仙思想、永生者が棲める別天地への憧憬や信仰である。銘石をこよなく愛した北宋の米芾（べいふつ）は、石に関する古い文献や収集品と、彼自身の審美眼で石の美的価値基準を以下の通り定めた。その「４つの石の美的価値基準」は中国独特の美意識であって、日本の「水石の美的価値基準」は、奇怪さを寧ろ嫌い、より洗練されて、謂わば…枯れた「侘び寂びの境地」へと辿り着いたと推測できる。

【痩】細さを意味する。そして石に関しては流麗な、すらりとして見事に単独で「直立する美しい姿」を意味する。

【皺】しわを意味する。きめ豊かで「繊細に窪んだ線で出来た溝」形状にリズムと変化を与える「隆起や線」を指す。これ等により小さい石に「山岳や山脈の地形の特徴」を体現できる。

【漏】道筋を意味する。石の洞窟や、凹みが、内部であたかも道が多岐に広がるように互いに通じ合っている。

【透】石に空いた「穴と開放部」を意味する。風と月光が、洞穴を自由に通り抜けることが出来る。

米芾（べいふつ）が定めた「石の美的価値基準」は、銘石「太湖石」や「霊壁石」に顕著に見られる。

太湖石「邂逅」高 50cm（筆者蔵）
地と図、虚と実、過去と未来等の対峙する概念が背後に抜ける虚空を行き来する銘石。

霊壁石「阿僧祇」高 78cm（筆者蔵）
南宋時代に、日本に渡来した貴重な「霊壁石」の中でも最大級と伝承される大迫力の銘石。通常時は非公開。

中国に起こった「愛石文化」は日本に伝わって、天皇や特権階級の趣味に始まり次第に愛好家が増え、大実業家で三菱創業者の岩崎弥太郎、文豪の芥川龍之介等も名高い「愛石家」として知られる。やがて庶民にも広まり、昭和40年頃には空前の「石ブーム」が沸き起こり、愛石家達は優れた「石」を求めて銘石の産地へとこぞって押しかけた。愛好家が多く存在する「愛石文化」が本家中国と日本両国に独自に形成されているのが現状だといえる。そんな、日本人を魅了してやまない鑑賞石や銘石は、一体、普通の石と何処が違うのかというのが「水石」趣味の大きな謎だろう。鑑賞方法としては水盤や台座に置き、自然石の形や紋様や色彩などから、山景（遠山石）や海上の岩（島石）の姿に見立てたり、滝等の自然界の様々な景色を感じ取りながら鑑賞する。水石が備える要素として「自然の風景を連想させる見所がある」「ある程度の硬さがある」「深みと落ち着きのある色」などが求められる。人によって見え方が異なる点も水石の醍醐味で、小さな石から…目の前に広がる「壮大な自然の景色」を想像して鑑賞する。正に究極の「侘び寂び」精神世界に於ける「自然の芸術鑑賞」なのである。

石に始まり石に終わる

　ここ迄、自然の中に在った美を、心静かに鑑賞する民衆の愉しみ「水石」について、所蔵する石とその鑑賞例を示して具体的に述べてきた。石はその生立ち、その変遷、謂わば「地球の悠久の時」を「自然の芸術」として鑑賞できる美術鑑賞であるということが出来る。

　地球46億年の歴史は、熱く解けていた原始地球が冷えて固まり、雨が振って大地と海に分かれ、生命の誕生、下等な植物が海中から陸上に進出、溶岩が冷えた岩に地衣類が取り付き、次第に岩を分解し、植物が繁る森に変えてきた地球史の上に生命の繁栄は成り立っている。土は植物の死骸と微塵となった岩なのだ。人間の心が自然を「美しい」と感じる全ての根源に石がある。石に自然の芸術や美の根源を見出し「石に愛おしさを感じる」この奥深い趣味は「人生が終わり近くなって初めてわかる愉しみ」とも言われる。私は探石＝石探しも作庭も自力でする。そうすると石を室内でなく、庭に配し活用し、外光で鑑賞するようになった。全く自然な閃きであった。「愛石」に於ける自力探石は野外で鑑賞石を探し

て歩く楽しみであり、健康維持に誠によいのでお勧めしたい。喩え、足腰が弱り体が動かなくなっても…石を介し「鑑賞する心」は遥か「深山幽谷」や「悟りの境地」へ自由に旅することができるではないか。嗚呼、何と素晴らしいことか。

　人類最初の文明を築いた民藝が「石」に始まり、人生の最終章に鑑賞する美が「石」に終わるのは、本当に不思議で誠に興味深い。万物の起原＝石を愛で自然と暮すことは、人生至高の幸せであろう。

　最後に平素から深い智慧と慈愛の心で、私を励して下さる偉大な宮脇理先生に心からの御礼を申し上げます。

　是非、「是等水石の現物」私の「愛石」を何時の日か、お目に掛けたいと…夢…想い描いております。

和室円窓（筆者設計）
伊豆城ヶ崎海岸別宅、和室の中からの眺め。

円相石「仏の左手」幅 16.5cm（筆者蔵）
円相とは禅に於ける「悟りや真理、仏性、宇宙全体」等を象徴的に表現したもの。この石は「虚空」を持ち、その空に「無の境地」を悟す釈迦如来の「左手の化身」である。

苔庭「蓮持観音菩薩像・謎掛五石」（筆者設計 / 作庭）
御影石彫像を本尊に据え、筆者が九頭竜川上流等で探石し見付けた石を、無意識で閃き配した。
伊豆城ヶ崎海岸、筆者別宅の裏庭。石の周囲に苔を配した「祈りの苔庭」和室円窓から見える。

渡辺 邦夫（わたなべ くにお）
・横浜国立大学教授 教育学部 美術教育講座
・1959（昭和 34 年）横浜生まれ
・1984 東京藝術大学美術研究科構成デザイン専攻修了
・横浜市交通局環境 PR バスグラフィックデザイン（2004）
・色彩環の絵の具「ARTEO」ISOT'2014 国際文具紙製品展デザイン部門最優秀賞（2014）
・アートエデュケーション思考 ― Dr. 宮脇理 88 歳と併走する論考・エッセイ集―（2016）
・『今、ミュージアムにできること』せとうち美術館ネットワークの挑戦（2019）

日本における＜紙＞の伝承と造形表現

鈴木美樹

1．民藝と和紙

　柳宗悦（1889-1961）は著書『民藝とは何か』[1] の冒頭で、「私の信念では、将来造形美の問題は必ずや工藝を中心とするに至ると思うのです。中でも民衆と工藝との関係、言葉を換えれば生活と美との交渉が最も重要な問題となるでしょう。その時民藝が何より重大な意義を齎らすことは疑う余地がないのです。なぜなら人間の日常生活に美を即せしめる道は民藝をおいて他にないのです。その向上と普及とがなくば美の国は決して実現されないでしょう。」と述べている。

　また、民藝について、「民衆が日々用いる工芸品」との意味で、「不断使いにするもの、誰でも日々用いるもの、毎日の衣食住に直接必要な品々」を民藝品と呼び、一般民衆の生活に一層親しい関係をもっており、実用品の代表的なものが「民藝品」であると記述している [2]。民藝品は、ごく普通のもので、上等ではないものを指すことから、粗末なものや下等なものと思われ、つまらないものとみなされてきた。

　日本民藝館学芸員の杉山享司 [3] によれば、柳宗悦が1931（昭和6）年に『因幡の紙』で綴った文章が、和紙の価値について語った最初のものであり、素材にすぎない「和紙」を工芸における美の対象として紹介した、日本で最初のものであろうと指摘している。

　　「よい紙には不思議な魅力がある。質が与える悦びである。そこではいつも堅牢と美とが結ばれている。正しい工芸の法則がここにも現れている事がわかる。私はわけても和紙が好きである。日本への賛美をここでも味わう。近代の知識は紙を西洋化さす事に

急いでいる。私達は量において助けを得たが、質において失ったものは大きい。（略）私は和紙の美を忘れることが出来ない」 （柳宗悦、『因幡の紙』）

　柳と和紙の縁は、1922（大正11）年に刊行された『朝鮮の美術』などの私版本に、信州の和紙を取り上げ、その後も多数の書物に用いている。1931（昭和6）年には民芸調査のために島根を訪れて和紙に出会い、同じ年には雑誌の『工芸』が創刊された。1933（昭和8）年4月の28号では、「和紙」が特集され、和紙の工芸的な価値と意義が初めて正面から受けとめられ、和紙に関する代表的な論文として『和紙の美』[4]が著されている。杉山は、柳の目指したものが、和紙を通した民芸運動の実践であり、和紙による「美しき日本の姿」の発見と、和紙という日本独特の素材を活かした、新しい美の創造であると述べている。

　和紙の原料は、古くは麻や桑、稲・麦わらなども使われていたが、現在は楮、雁皮、三椏の3種類が最も使用されており、いずれも皮の部分を使用する。楮紙は、楮を原料とする代表的な紙であり、竹紙は若竹の繊維から作られている。雁皮紙や三椏紙もある。麻紙は中国で麻の繊維を利用して紙つくりが始まり、原料処理が難しく一時廃れていたが、1926（大正15／昭和元）年に越前の岩野平三郎（1878-1960）が日本画用紙として復興させ、当時の日本画家、竹内栖鳳（1864-1942）や横山大観（1868-1958）らの求めに応じ、好みの紙を漉きあげていった。

　民芸紙とは、庶民の生活のなかから生まれた郷土的な工芸を民芸といい、実用性とともに素朴な美しさをそなえた紙のことである[5]。当初は素朴な美をたたえた手漉き和紙を指す言葉であったが、のちには草木染めもしくは天然染料を用いた染紙を意味するようになった。柳が1931（昭和6）年に出雲（鳥取）で出会った安部榮四郎（1902-1984）が民芸運動に加わり、天然染料を用いた染紙をつくったことが、当時の版画家や工芸家に高く評価され、出雲民芸紙と呼ばれるようになった。出雲地方は、古くから紙の産地で、正倉院文書にも記されている。同県では青谷町の因州民芸紙もあり、他には富山県八尾町の民芸紙（越中型染紙）、沖縄の芭蕉紙などが知られている。

　柳と親交があり、民藝運動に参加した寿岳文章（1900-1992）も、熱心に和

紙の研究を行った。文献資料を基に実態を調査し、日本各地にある紙漉きの里を訪ね、多くの著作を残している。『日本の紙』[6] では、我が国における紙の歴史を、初めて実証的に解明したと言われており、特に上代（平安期まで）において多くの論述がなされている。また、民芸品としての和紙の特色は、障子紙に最もよく保持されていると述べている[7]。

2．和紙の始まりと伝承

　世界最古の紙は、1986（昭和61）年に中国で出土した、前漢文帝・景帝（在位紀元前179-141）の頃のものと推定され、麻の繊維を原料とした「放馬灘紙（ほうばたんし）」だとされている[8]。日本で最初の製紙については、『日本書紀』に記録があり、610（推古18）年に高句麗の僧、曇徴が作ったとされている。しかし、初めて紙を作ったとは記述されていない[9]。紙はそれ以前から、中国や朝鮮の帰化人によって作られていたと考えられており、造紙技術の開始や伝来について明らかにするのは困難で、様々な論議がある。

　多量の紙の必要性については、戸籍や計帳の作成などが挙げられる。645（大化元）年の大化の改新で、全国の戸籍簿が作られることになった。当時の日本の人口約650万人分の紙の量を考えてみても、全国の主要な場所では紙漉きが行われていたと推測される。正倉院には、702（大宝2）年の戸籍の一部が残っており、これが日本で漉かれた、年代のわかる最古の紙と言われている[10]。

(1)　紙祖神を祀る神社

　越前和紙は、紙漉きの歴史が最も古く、西暦500年頃もしくは610年頃には既に始まっていたともされる。今から約千五百年前に、「越前五箇」と呼ばれる越前市岡本地区を流れる川の上流に女神が現われ、村人に紙漉きの技を伝えたという伝説がある[11]。大滝の岡本川の上流に現われた美しい女性が、谷あいで田畑の少ないこの村里は暮らしにくいところであるが、清らかな水と緑深い山に恵まれているので、紙漉きをして生計をたてれば、生活も楽になるだろうと紙の漉き方を教えてくれたという[12]。村人は女性を「川上御前」と崇め、岡太神社の祭神とした。他説によれば、この女性はミズハノメノカミ[13] という水の神とされている。水の神は、龍や蛇の姿をとることもあるが、麗しい女神の姿をとるこ

ともある。紙漉きには、清浄で豊かな水が必
要であり、他にも農耕用の水路や生活用水等、
人間にとってなくてはならない水は神格化さ
れた。ここでも自然（神）と人間との密接な
関わりが示されていると言える。

【図1】岡太神社　本殿・拝殿

　岡太神社【図1】は、雄略天皇の御代（457
〜79）に創建され、紙の神様を祀るのは、全
国でも岡太神社だけである。毎年5月に祭礼
が行われ、川上御前が紙漉きを伝授された所作を女性1人が演ずる無言劇「紙能
舞」が奉納されている。下宮社殿は本殿と拝殿の屋根が連結する「日本一複雑な
屋根」を持ち、国指定の重要文化財となっている。この産地の和紙の特徴は、種
類の豊富さで、大きさも含め日本で作られるほとんどの種類が作られている。

(2)　紙の語源と信仰

　「紙」の語源は、「簡」を語源とする説が有力で、カンに母音iが加わった
kam+iだと言われている。紙が発明されていない時代の言葉で、竹のフダを竹簡、
木のフダを木簡と言うが、漢字「簡」と紙の現物とは、ほぼ同時期に日本に入っ
てきた。中国の漢字は「糸＋氏（薄く平ら）」で、糸屑綿の繊維を薄く平たく伸
ばしたものとの説がある[14]。

　歴史研究者の戸部民夫によれば、紙の製造を中国では造紙、英語ではペーパー
メイキングというが、和紙は漉くと言い、日本の生活文化の中で、和紙は独特な
意味合いをもっていると述べられている[15]。スクは、農耕の「鋤く」に通じる
とされ、土壌を清らかに整えて穀霊の降臨を待つという行為が、生命力の象徴で
あり、清浄な水に溶かした樹皮の繊維によって作られる和紙の神聖さと共通する
と考えられ、紙（カミ）は神に通じるものとされてきた。宗教儀礼と和紙との関
わりは深く、祈りの心を表す手段や、呪術や占いなど様々な形で使用されている。

　白または五色、金や銀の紙などを細く切って垂らしたものを、串に差し挟んだ
祭祀用具に御幣がある[16]。御幣をミテグラと読むのは“カミの座（くら）”を意
味するという説もあり、神の依り代とされている。神への尊敬を伝えるために捧
げたり、霊力を招き寄せる目印にもなる。祓いの儀式に用いられる時は、災いや

穢れ、罪などを御幣に移して川に流したりする形で使われる。日本の伝統工芸は、神社仏閣の装飾などを中心に発達し、神事との関わりも深い。

　日本発祥とされる折り紙は、御幣などもその一種で、紙が貴重品であったことから、霊威がこもっていると考えられていた[17]。折ると折り目ができ、そこに異界が生じ、さらに折ると「目」と呼ばれる点ができ、霊力を蓄積させていく。古くから宗教的呪術に使われた形代は、人間の身代わりとして、病気などをもたらす穢れや災厄を乗り移させ、海や川に流して穢れを祓う呪術に対する信仰もある。

　鎌倉時代初期の説話集『宇治拾遺物語』には、陰陽師の安倍清明が「……懐より紙を取り出し、鳥の形に引き結びて、呪を誦じかけて、空へ投げ上げたれば、たちまち白鷺になりて、南をさして飛び行けにけり。」という場面が描かれている[18]。

【和紙を用いた身のまわりの物】

　日本の紙は、絵や書の支持体や、遊び、玩具、儀式、呪い、祈り、生活の中で以下のようなものに用いられてきた。

〈絵、版画、文字〉

　支持体、巻物、掛け軸、浮世絵、草紙、短冊、文（ふみ）、和本、瓦版

〈遊び・玩具〉

　張子（だるま、赤べこ等の郷土玩具）、風車、凧、人形、かるた、双六、折り紙、切り紙

〈儀式・祈り・祭礼〉

　幣、山車、鯉のぼり、飾り（七夕、正月、婚礼、祭）、包み、灯篭、仏像、面、おみくじ、経典、花火

〈生活〉

　紙幣、暦、地図、衣、帯、提灯、行灯、障子、襖、屏風、衝立、傘、団扇、扇子、水引、こより、熨斗、懐紙、薬包、器、型紙

---

3. 保育・教育と和紙

　1876（明治9）年に開設された東京師範学校附属幼稚園において、保育内容には「紙織（組紙）、紙摺み（折紙）、紙剪り（切紙細工）、剪紙貼付」があり、教育で紙を使用する歴史は長い。

　そして現在も、保育・教育現場では、多種多様な紙と紙製品が使用されている。紙は、身近で操作性に優れているという特徴から、造形活動の中でも主要な材料であり、年齢や発達に応じた様々な種類の紙の扱い方、題材、教育的効果について論じられている。

　しかしながら現在、洋紙に比べ和紙の使用は少ないといえる。明治期以降、大量生産で作られた洋紙の普及は、私たちの日常生活のみならず、子どもたちを取り巻く紙や、紙で作られていた玩具にも大きな変化を与えた。和紙があまり用いられない理由としては、高価であることや、指導者も触れる機会が少なく、素材の特性を把握しきれていない状況もあるだろう。

　筆者は以前、保育実習を巡回していた際に、保育現場の施設長から、ぜひ大学で紙について教えてもらいたいという要望を受けた。卒業して保育現場に出るようになると、毎日が忙しく、なかなか素材に対しての学びを深められなくなる。特に使用頻度の高い素材として、紙を勉強させてほしいとのことだった。それ以来、担当してきた通年科目「図画工作」の授業では毎年、学生が夏に地元に帰省した際、紙について調査する『紙のマーケティングリサーチ』という、レポートを課してきた。学生にとって、紙は身近な素材でありながら、あることが当たり前で注意を向けることが少なく、学校で渡される紙しか知らないことが多い。目的としては、身の周りの様々な紙について知ることと、紙の販売店などでの調査、特徴や用途、歴史等を調べ、保育者として将来に役立てられるよう工夫することとした。直接的な製作等ではないが、この課題を通して多くの紙に出会わせることを目的としている。

　学生は、身近にある紙から紙製品等をホームセンター、文具店、画材店、100円均一ショップ、そして地域の紙などについて調査してきた。中には熱心に地元の伝統的な紙を調べ、伝承館などで紙漉きの体験をし、出来上がったハガキやしおり、団扇等と共にその様子を撮影してきた。インターネットで調べて牛乳パッ

クから紙を作り、添付する者もいた。気に入った紙を数点購入してレポートに貼り、紙の名前を調べて記入し、実際に手で触れられるような見本帳のように工夫されている物もあった。また、紙に直接絵具やペン等で描き加え、描いた時の描き心地の違いを表した物もあった。記述内容は、紙の定義や分類、歴史、生産地、生産量、原料、製造方法、規格、用途、名前、特徴、金額、保育や身近で使われる紙、感想、調査を行った地域と店舗名、参考文献等である。

　感想としては、「たくさんの発見や驚きがあった。これまでの生活で紙について深く考えたことはなく、学校で使う紙しか知らなかった。」「こんなに多くの種類があることに驚いたし、美しさに感動した。」「最初は大変だと思ったが、楽しんで取り組むことができた。」「紙の使い方を子どもと考えたい。」「紙漉き体験をして、紙1枚を作るのにも多大な労力と時間がかかることがわかり、作り手の思いが感じられた。」「歴史を知り、紙が古代から現在まで受け継がれてきたことを学んだ。」「今回の調査や体験を今後に生かしたい。」等が述べられた。指導者が、知らなければ、子どもたちに様々な紙を使わせ、その特徴や用途、美しさ、地域との関わりを伝えることはできない。この課題を通して、紙そのものの美や、手仕事で受け継がれてきた歴史や文化に思いを馳せてもらいたかった。美術や造形というと、まず描くことや作ることと考えてしまう傾向がある。しかし、素材や伝統は、風土や歴史的文脈とは切り離せないものである。時間数の制約もあるが、造形活動を通して、そのようなところに目を向けられるような視点を培いたいと考えるし、文化や歴史への視点をもつことは重要である。

　また、筆者が担当する造形表現のゼミナールにおいて、保育現場で用いられる紙をテーマとし、中でも和紙の研究を行い、卒業論文を書いた学生もいた。研究を通して教材を開発し、「日本は美術や工芸品であふれていることを知り、美意識は成長する過程で得られることに気づいた。」と感想を述べていた。学生には、将来につなげるために、材料や手技、伝統に出会わせ、意識に変化を与えることが必要である。

　機械化により手仕事は減っても、子どもたちが手を使って物を作り出すことは、感覚を豊かにする上でも重要である。手指の巧緻性も養うことができ、紙に触れ操作することで、イメージが広がっていく。また、「手は第2の脳」とも言われ、

手を使うことで、脳の発達を促すこともできる。

　幼児期には豊かな素材体験が必要である。表現は、テーマや技法からの発想で行われるが、素材からの発想で、様々な表現が広がる。素材についての言及として、『保育所保育指針』の表現領域では「紙」に触れることが示されている。乳児期から感覚を豊かにすることの重要性が示されており[19]、紙の質感と多様性はそれを可能にする。１歳以上３歳未満児の保育に関わるねらい及び内容でも、身体の諸感覚の経験を豊かにし、様々な感覚を味わうことや、様々な素材に触れて楽しむこととあり、具体的な素材として「紙」が示されている[20]。

　また、環境領域の３歳以上児の保育に関するねらい及び内容には、我が国の文化や伝統に親しむことが示されている[21]。洋紙の使用が多い現在においても、和紙の使用からつなげることができるであろう。そして、『小学校学習指導要領』[22]には、伝統文化を尊重し、それらをはぐくんできた我が国と郷土を愛し、他国を尊重しながら、国際社会の平和と発展に寄与する態度を養うこととされている。そのためには、指導者自身が伝統文化に親しみ、幼児期から伝統文化に触れられる体験を準備しなければならないといえるだろう。

４．地域の自然と紙、そして未来へ

　日本画を専門としている筆者は、絵を描く際、主に福井県越前市で生産される雲肌麻紙を使用している。その名の通り、雲のような質感、独特の匂いや、黄味がかった色合い、水を含んでしっとりとした冷たさと滑らかさが、何とも言えず心地よく、墨を入れる前に味わう。和紙そのものが美しく、その上に自分の絵を描くことさえ、ためらわれるほどである。日本画や水墨画は、西洋画のようにキャンバスを立てて描くのではなく、平らに寝かせて描く。それは、絵具を水で滲ませるからで、その行為は自然との共同作業である。どのように滲むかは、水の分量やその日の湿度によっても変化する。日本の子どもたちが画面を寝かせて描くのは、このように和紙に描くことから由来しているのかもしれない。

　令和元年、機会を得て初めて福井県の「越前和紙の里」を訪ねた。普段用いている麻紙が漉かれている場所を見て、漉いている女性にもお会いすることができ、大きな感動を得た。民藝とは、日常の美であり、職人の作り出した物である。制

作者との出会いにより、もう単なる紙ではなくなった。麻紙に触れる度に、「紙漉き歌」を歌いながら手を動かす女性の姿が思い出される。【図2、3】日本の文化を捉える上では、そのような、「物」を通した繋がりに思いを馳せることが大切だと考える。パルプを原料とした洋紙の寿命は数十年と言われているが、和紙は耐久性が高く、千年も保存することができる。和紙は、人間の寿命より長く生き、人から人の手に渡り、数々の物語を紡ぎ出していく。和紙は自然から生まれ、人工物でありながら、自然に還ることができる素材であり、自然と人間世界とを円環する。日本人は、太陽や月、山や川、海等々森羅万象に、目には見えない神の姿を見てきた。また、古くなった道具にも、神や精霊が宿ると考えてきた。日本の文化は、自然や祈りと共にある。

【図2、3】福井県「越前和紙の里」

　『手仕事の日本』の中で柳は、日本固有の品物の背景として、自然、歴史、固有の伝統の3つを挙げている[23]。日本文化の大きな基礎が自然であり、自然を離れては何物をも存在することができない。そして、人間の生活は過去からの積み重ねであり、それをさらに進歩させ発展させていくことだと述べている。

　「和紙十年」には、地方を旅して思いがけない出会いの紙として、著者の在住する福島県から、伊達郡小国村でできる蚕の種紙が紹介されている[24]。地方的な需要は、不思議な紙を生産させ、日本国中探せばまだ色々匿われていると言う。また、日本の地域を北から南まで区切り、各地の特色ある手仕事を通して、固有な美しい日本を示すとあり、ここでも福島県の紙が紹介されている[25]。会津地方の喜多方では良い生漉の紙ができ、材料はすべて楮で強い張りがある。福島県には紙漉の村が多く、岩代の国では伊達郡山舟生、安達郡の上及下の川崎村、耶麻郡熱塩村の日中が挙げられ、磐城の国では相馬郡の信田沢、石城郡の深山田の名を挙げ「磐城紙」の名で知られると記述されている。

　柳が仲間と、紙の仕事に寄与し得た最も大きな面として、素地に施した加工

の３つをあげている[26]。それは染色、型附、漆絵であった。雑誌『工芸』では、最初の１カ月のみ洋紙が用いられ、その後は百号に至るまで、手漉き和紙で出版された。この論文の締めくくりに「私は来るべき十年廿年が更に尚私にとって和紙の歳月であることを念じる。和紙を愛することは要するに日本の存在をいや美しくする所以ではないか。」と述べている。柳は、古の和紙を愛するのみならず、地方を訪ね独自の和紙を見つけ出し、さらに新しい和紙の開発にも情熱を注いだのである。

製紙法が中国から日本へ伝わった時の技術は、原料の麻繊維を短く切って漉く「溜め漉き」といわれている[27]。多様な植物に恵まれた我が国では、日本の手漉き和紙の製法として特徴的な、「流し漉き」を行うのに適した楮や雁皮の繊維を見つけ出すことができた。また、繊維の分散を助ける「ネリ（植物性粘液）」が発見されたことで、「流し漉き」は平安時代に完成し、独特の発展をとげていった。ネリの効果を高めるために、紙漉きは水の冷たい冬に行われている。そして、和紙作りには大量の綺麗な水が必要であるため、自然の豊かな地で、代々職人にその技術は受け継がれている。

自然は、人間に恵みを与えてくれるだけでなく、大きな試練を与える存在である。日本人は、自然の中に八百万の神を見出し、名前を与えてきた。日本の神は、和魂、荒魂という２つの性格を持ち、水の神の恵みを与えてくれる姿は女神で、制御できない荒ぶる面では、龍や蛇の姿となる。これは、自然の二面性を表している。人間も自然の一部であり、直接的に身体で自然と関わることで、その感覚を思い出すことができる。特に地方においては、その結びつきが強い。

現在の生活の中では、洋風建築の増加により、和紙が使われることも減少している。以前、日本の家屋は、木と紙でできていると言われていた。和室の外から入る日の光で、庭の樹木の影が障子に映し出される。樹木が風に揺らされるのに合わせて、柔らかな光はゆらゆらと室内を動く。障子を通した明るさは、カーテンを通したそれとは異なり、薄明るく、温かみを感じる。和紙で作られた照明器具のシェードは、明かりを灯した時に、幾層にも重なった模様が浮かび上がる。

教育に携わる者や美術家にとって、材料や地域を研究することは、感性を豊かにするだけでなく、表現の幅を広げることができる。また職人は、芸術家との親

交から新たな伝統を生みだしていく。和紙やそれを生みだした日本の風土を理解することは、文化を理解することにつながる。幼児の頃から、日本文化に親しみ、風土から生まれた美意識を育てていくことで、人間の原風景として心の底に根付くのだと考える。

　日本における 1930 年代は、ナショナリズムが高揚していた時期と言われている。柳が見出し、未来へ残そうとした美しい民芸品は、残っているものもあれば、失われたものもあるだろう。1925（大正 14）年に柳が、無名の職人がつくる民衆的工芸品を「民藝」と名付けてから、約 100 年が経とうとしている。美術雑誌では、「100 年後の民藝」が特集された [28]。現在の民藝とは何か、100 年後に残すべき手仕事は何か、そのことに目を向け、これからの 100 年後を見越して、美を発見し残していく「ものを見る目」を育てていくことが、美術教育にとって重要である。

　現在の美術教育においては、表現のテーマや制作過程に重きを置かれているが、手を使い、技術を学び、伝えることも重要ではないか。科学技術の進展により、価値観が急速に変化している。パソコン上の仮想空間での制作や機械化により手仕事が減っても、人間が素材を用いて手を使うことは生きる実感につながり、自分の手で物を作り出す喜びを得る体験の重要性は、今後ますます必要とされるだろう。

【註】

1)　柳宗悦『民藝とは何か』講談社、2006、p.9
2)　同、pp.21-22
3)　杉山享司「民芸運動と和紙」、田中為芳・出村弘一・柳沢春美・山下祥子（編）『紙の大百科』美術出版社、2001、pp.76-77.
4)　柳宗悦「和紙の美」、寿岳文章編『日本の名随筆 68　紙』作品社、1988、pp.148-173.
　　※昭和 17（1942）年に執筆とある。
5)　久米康生『和紙文化辞典』わがみ堂、1995、pp.320-321.
6)　寿岳文章『日本の紙』吉川弘文館、1996
7)　寿岳文章『柳宗悦と共に』集英社、1980、p.108.
8)　久米康生『和紙文化誌』毎日コミュニケーションズ、1990、pp.3-4.
9)　久米は、『日本書紀』の記述から、曇徴が初めて紙をつくったとは言っていないと述べている。（同、pp.30-31.）寿岳も同様である。（寿岳、前掲『日本の紙』pp.19-25.）

10）越前和紙の里　卯立の工芸館『越前和紙を知ろう』2018、pp.2-9.

11）福井県和紙工業協同組合／大瀧ガイドの会／越前市観光協会、福井県越前市パンフレット「紙祖神　岡太神社　大滝神社」、「越前和紙の里」2019

12）岡太講事務所・神社社務所パンフレット「紙祖神岡太神社　大瀧神社」2019

13）『古事記』では弥都波能売神（みづはのめのかみ）、『日本書紀』では罔象女神（みつはのめのかみ）で、イザナミ神から生まれた。
　　戸部民夫『八百万の神々　日本の神霊たちのプロフィール』新紀元社、1997、pp.170-173.

14）増井金典『日本語源広辞典』ミネルヴァ書房、2010、p.205.

15）戸部民夫『神秘の道具　日本編』新紀元社、2013、pp.473-475.

16）同、pp.173-176.

17）同、pp.66-68.

18）『日本古典文学全集 28　宇治拾遺物語』小学館、1973、pp.473-475.

19）厚生労働省『保育所保育指針〈平成 29 年告示〉』フレーベル館、2017、pp.15-16.

20）同、p.21.

21）同、p.27.

22）文部科学省『小学校学習指導要領（平成 29 年度告示)』2017、p.15.

23）柳宗悦『手仕事の日本』講談社、2015、p.60　（原本『手仕事の日本』靖文社、1948)

24）柳、前掲「和紙の美（和紙十年）」p.166.

25）柳、前掲『手仕事の日本』p.60.

26）柳、前掲「和紙の美（和紙十年）」p.169.

27）『和紙と洋紙―その相違点と類似点―』公益財団法人　紙の博物館、2013、pp.7-9.

28）『美術手帖―100 年後の民藝』美術出版社、2019

鈴木 美樹（すずき みき）
・福島県出身
・福島学院大学　准教授
・芸術学修士（武蔵野美術大学大学院）
・鈴木　美樹「感性を豊かにする美術教育」、宮脇　理監修『アートエデュケーション思考』学術研究出版／ブックウェイ、2016
・鈴木　美樹「保育環境にかかわる手作り教材」、谷田貝　公昭監修『新・保育内容シリーズ 6　造形表現』一藝社、2010
・渡辺　晃一・鈴木　美樹「身体認識の現況とその課題－幼児とその指導者の育成にあたって－」福島学院短期大学研究紀要 31 集、2000
・福島県総合美術展（受賞：福島県美術賞／ 1993、佳作／ 1994）、創画展（1988)・春季創画展（1989、1990）ほか、『福島ビエンナーレ』（2004 ～）、『岡本太郎の博物館・はじめる視点』福島県立博物館（2009）等の企画展に出品。

「温故知新」玩具の心
―昔ながらの玩具の魅力・再発見―

張　月松

1．はじめに

　日本の美術教育の偉大な先駆者、宮脇 理氏は「手で考える」という教育理念を提唱した。民芸的な「手の働き」を重視し材料の形や感触を確かめながら幼少期からものづくりをする姿勢を育むのはとても重要である。玩具研究の日本の第一人者、春日明夫氏は、日本における玩具そのものの発展を起点として、教育の中に玩具がどのように根付いたかに着目し、造形美術における玩具題材の意義を研究し、玩具と文化と教育の関わりを強調した[1]。図画工作や美術の授業に伝統的な郷土玩具という題材を取り上げ、郷土玩具や伝統工芸の鑑賞、学習、制作を通じて、日本独特の美しさや素晴らしさに気づき、伝統の素晴らしさを理解することが出来る一方、人間文化、国際理解や親善の役に立てるとも語っている[2]。つまり、玩具の題材は子どもの成長段階における重要不可欠な要素なのである。本稿の目的は、昔からの伝統的な玩具の本義に着目し、それを題材にして親子と共に楽しめる新しい鑑賞や造形活動を通じて、現代のプラスチック製電子玩具流行の時流の中、失われつつある玩具の魅力を再発見しその意義を検討したい。

2．玩具の危機

　筆者が生きるこの時代は、玩具は親子で楽しみながら造るものではなく、買うだけのものになってしまった。特に、デジタル玩具が盛んで、伝承遊びや手作り玩具という言葉から連想できる光景は、今では懐かしいものになってきている[3]。親も玩具は買って与えるものだと思い込み、年中行事や特別な日に、自分の手で玩具を造って飾ったり、遊んだりする子どもは少なくなってきた。こけし

や張子などのように、全国に認知されている郷土玩具が存在する一方、地域住民にその存在すら認知されていない場合が多い[4]。泥天神のような、一度廃絶を経験した玩具ものもある。技術が失われ、作る手間がかかり、伝統工芸の材料不足問題もあって、伝統的な玩具は伝承されにくくなっているのが現実である。昔ながらの玩具は深刻な危機に陥るだろう[5]。玩具市場に関する調査結果[6]によって、2014年度の国内主要9品目玩具の売り上げは約6,491億円、その中で電子玩具ゲーム機は合計約3,464億円であり半分以上を占めている。Benesse教育研究開発センターの調査[7]によると、小学生が放課後テレビゲームで遊ぶ時間は平均で約1時間、「2時間以上する」小学生が2割強もいる。手で作る楽しみも無く工夫せずに、誰でも手軽に楽しめることがデジタル玩具の人気の理由の一つだろう。しかし、狭い世界に閉じられ、決まったルールに縛られ、指とボタン・スイッチで同じような動きを繰り返すことが多いのは悲しい現実だ。一方、現代版ベイゴマ「ベイブレード」、デジタル化した剣玉「デジケン」など、玩具メーカーによって、現代の子どもたち向けに伝統的玩具が作り変えられ売り出された現代版伝統玩具も現れた。いずれも習得にかかる時間が少なく、誰にでもすぐに楽しめる共通点があるが人気は一過性のもので定着することはない。ベイブレードが流行したことで、逆に昔ながらのベイゴマが見直され、ベイゴマ人口は増えた[8]。結果的には指先の工夫や技術を会得上達する喜びと仲間とのコミュニケーションの楽しみを味わえる「伝統的な玩具の醍醐味」を見直すきっかけになった。

3．玩具の本来の魅力

　買うだけでは満たされず、手で作ることから得られる本来の玩具の楽しみ、及び生活の中で受け継がれ継承されてきた伝承文化への学習意識は、現代の子どもたちは失っているではないか。筆者は玩具の語源を始めとして、昔ながらの玩具本来の特徴と魅力を検討してみたい。

（1）手で楽しめるもの

　「玩具」は、「持ち」「遊ぶ」物というのが原義であった[9]。喜田川守貞[1]が

1　江戸時代の風俗を知る上で貴重な『守貞謾稿』（・『近世風俗志』とも）を著わした人物

1837 年から 1853 年までの江戸の風俗を描いた「守貞漫稿」においては、「オモチャ」という言葉はまだ使われていないが、当時他の著者らも使っていた「弄玩物」、「玩物」、「弄玩の具」などの造語を用いている。玩具の「玩」の字も玉を「弄ぶ」という意味から派生したというから、手で遊ぶことによって、ものはおもちゃとみなされ玩具となりえたのだろう。それを弄る手があり、そこに遊び心が働いて、はじめてその物体に玩具としての命が宿る。[10] 従って日本語にはオモチャを表わす言葉が「玩具」と「おもちゃ」二つ存在し、それは日本の昔ながらの、手を通じる遊びという意味であり、ものと手との対話によって存在した。

（2）周りの素材でつくられている

古くから日本の各地に伝わってきた郷土玩具は、土、木材、竹、紙、布、糸、藁、木の実、河原の小石など身のまわりにある安価な素材で作られている。これらは全て明治以前から日本で使われていた材料である[11) 12)]。「この遊び、あったらよい」から「では、作って遊ぶ」まで、そこにあった素材を活用し、イメージしたものを具現化する。昔の人の素晴らしい知恵と技を集約した玩具は伝統を踏まえつつ今の人々も魅了した。

（3）手で作れる

伝統的な玩具は昔、職人によって、また子どもを愛する親や年上者等によって、丁寧につくられてきた世界唯一のものである。苦労して作ったものには愛着が湧きやすい。[13] 出来上がりが気に入っていれば猶更である。遊び手が作り手の苦労を想像できるようになり、同じような愛着を感じることが出来る様になる。思い入れが強い玩具は、長く大切できるのではないだろうか[14]。また、子どもは玩具をつくることから、中身や動作原理まで掘り下げ、子どもの好奇心を満たすことが出来、最初から完成までの過程において、もっと一層良くしようという意欲が湧く。

（4）自由自在に楽しめる

玩具は、決まった材料、造形、遊び方、遊び場所に縛られることが少ない。例えば、剣玉の技は 1000 以上あると言われている[15]。お手玉と万華鏡の中身、お面と張子の形から色まで、自由に決められる。中にはあやとりや折り紙のような、普段よく作られる形から、自ら偶然に思った形まで、自由な発想を生み出し自由に

創意工夫できるものもあり、玩具は実は無限大の可能性を持つと言えるだろう。

（5）願いが込められている

　郷土玩具は民間信仰や寺社縁起などから生まれた、所謂、信仰的玩具が多い [16]。昔からの人々の生活の中における願い事や、大切な行事の中の祭り事を展開するための一道具であり [17]、暮しとも結びついている。家族の健康や幸せ、子供たちの健やかな成長など…さまざまな願いが込められ、温かい愛情に満ちているのだ。

（6）世代を超えられる

　伝統に裏打ちされている文化的・歴史的な玩具は世代を超えて使用される傾向があり [18]、元々、手から手へ、祖父母から子どもや孫に伝わっていったものである。親世代が一緒に玩具を作ったり遊んだりして、そのうち、お互いの理解と絆を深め、ものを大切にする心、愛と感謝の気持ちを子孫へ未来へと受け継がれていく。

　以上の特徴から、玩具は古くから受け継がれた知恵と人間本来の真善美の心が込められていることが分かった。また、技術と生産力の発展と伴い、魂を失わずに、新しい模様に変身していく。例えば、福島会津地方に紙と羊毛で郷土玩具張子を新しく造形するプロジェクトが開発された事例があった [19]。また、保育現場において、紙と廃材を活用して玩具をつくる風景もよく見られる。予算が限られた中、木製の立派な玩具も買う一方、手作りできるようなものもできる範囲で作るのも一つ理由である。昔ながらの玩具を題材にして教育現場の造形活動に多く受け入れ、新しい価値を探ることは、今後、発展の余地があると考えられる。

４．筆者の実践

　玩具が持つ本来の要素を踏まえて、玩具「本来の魅力を再発見すること」を目的とする実践活動を行い、将来の教育に「手作り玩具」を活用する可能性を検討するため、筆者は以下の事例において考察を行った。

（1）お手玉づくり造形プロジェクト

　2017年6月に、神奈川県立三ツ池公園で行った「なんのたまご」というお手玉を雛形にした造形プロジェクトに参画、考察を行った。元来、お手玉は手に触

れる手遊びとして古くから親しまれ、母から娘、孫へと伝承されたものだった。今回のプロジェクトは現代の素材であるゴムの風船と自然素材である植物の種を活用し、親子、兄弟同士、友達同士と一緒に、五感をフルに使って玩具を触って、作って、遊ぶワークショップであり、身の回りの植物に造形素材として、改めて目を向け、子どもたちにとって手の動きを楽しめる造形活動である。活動の始めの時、子供たちをガラスボウルに入れた植物の種を見て触ってもらい、気になる一種を選んで活動に入ってもらった。この段階で子どもたちが意外と素材への深い興味を示し、手で種を触ったり掴んだりして、その内、種の匂いを嗅ぎ、音を出して楽しめる子も多くいた。子どもたちが着席してから作業を始めた。お手玉の中にある種を変えたり、形を変形したりする試行錯誤を繰り返す子供がいて、造形活動の多様性が現れ始めた。造形に夢中になってきたのに伴い親子間の対話が多くなり、一緒に活動を楽しめる光景が現れた。「親子」から「仲間」への関係の転換が見られた。作業が終了してから、子供同士の間がたまごを交換したり、比較したり一緒に遊ぶ姿が見られ、親子同士の活発なコミュニケーションが自然に生み出されていた。

活動中の様子

優しい自然素材

親子が共に楽しめる

今回のワークショップを通じて、親子と共に手で素材を触る、玩具を作る、遊ぶ場面を構想し実現させた。昔から好まれたお手玉と同じく、たまごの中身を種など身近な素材で作ると滑りも良く音も良く、独特の手の感触も楽しめる。伝統文化の継承の大切さを理解させ、視覚のみならず触覚や聴覚も刺激して、子供たちの繊細な感性の育成に有効ではないかと考える。その後の日常生活では子どもにとって、玩具は買うだけ玩具ではなく、昔のように手の動きを通じて「そこにあった素材」を「活用して作ると楽しい」という考え方に変化するのではないだろうか。

（2）「万華鏡づくり」ワークショップでの考察

上記の実践を踏まえて、同年12月、筆者が神奈川県立三ツ池公園で自然素材である和紙と植物を活用して万華鏡をつくるワークショップを企画した。万華鏡の底部は外れるタイプなので、公園内にあった葉っぱ、種、花弁を収集し、中身を入れ替えると違った色や模様が見えるため、楽しみ方も様々である。また、同じ模様が皆違うので、親子と友達同士はお互いの模様を鑑賞するためコミュニケーションが生まれ、一層活動の楽しみが増えた。活動終了後、アンケート調査

活動中の様子

親子が共に万華鏡を楽しむ様子

会場全体の様子

万華鏡作品例

を行った。その結果には「伝統玩具に対する関心意欲が高まった」「今後はまた多く作ってみたい」「このような活動を多く行ってほしい」の本実践の喜びの声が多かった。

　手でものを作って遊ぶ行為には無限の楽しさがある。万華鏡を作ることから、自分でイメージしたものを、形作り、発見し、作る過程から大きな満足感や充実感が獲得できるからであろう。違う模様に変り続けて、同じ模様は二度と見られないため、昔ながらの万華鏡の贅沢感を味わえる。自分で作った「世界で一つしかない美しい図案」を、大切な人に渡して見せて、作り手ならではの気持ちと喜びの感情の共有が出来る。そして、万華鏡に入れる物は多種多様であり、楽しみ方は無限である。伝統玩具は今の時代を活性化させる斬新な存在と言えるのではないだろうか[20]。

（3）伝承遊び楽しみ会 ― 保育現場での考察 ―

　2010年1月、筆者が大田区いずも保育園で主催した伝承遊びを話題にする新年お楽しみ会を事例として考察を行った。今までの親子で楽しめる集会とは違い、今年度は3.4.5歳園児の祖父母を招待した。内容として、昔ながらの玩具と伝承遊び（剣玉、独楽、あやとり、お手玉など）で集まり、紹介、体験する一方、祖父母さんが子どもたちの前に、遊び方を示すコースもある。参加者の中に、お手本となる上手な方も何人も出て、会場には子供たちが驚嘆する声が溢れた。筆者

の設問に対して、保育サービス課保育アドバイザー、永嶋係長（元いずも保育園長）は以下の内容を語った。

Q：伝統玩具と伝承遊びを題材にする理由は？

A：日本の伝統玩具の特徴は「かかわって遊ぶ」。電子ゲーム機とは違い、一人から何人までも楽しめる。ふれあって遊ぶのが大事だ。子どもが自分の世界に閉じこもることなく、他者との楽しい対話が生まれ、人間関係の構築と豊かな心の成長に良い効果があると考える。また、昔ながらの玩具には技があり、根気、忍耐力と集中力を養う教育意義があるので、これらの優れたところは今の電子ゲームとは比べものにならないだろう。

Q：祖父母を招待する目的は？

A：保育園へ送迎の親の中で、意外と祖父母の方が多い。彼らは日常に子供たちに繋がって、子育て生活にいる不可欠な一員だろうと思った。祖父母には保育園に来てもらい、孫が保育園での生活を見て安心して頂ける一方、祖父母世帯でよく知られる伝承遊びを通じて、孫世帯の子供たちとお互いの遊ぶ姿を見て、世帯間と家族間を超えるコミュニケーションの促進と恩返しの心を養うことに役に立てる。

Q：普段、郷土玩具と手つくり玩具を題材にして造形活動の様子は？

A：独楽、お面、紙飛行機、紙風車など玩具から、鯉のぼり、雛祭りの人形など年中行事の縁起物、まで、手づくり造形活動を積極的にやっている。作る過程において、試行錯誤を繰り返し、もっと工夫してほしいとの意欲が生まれ、イメージしたものを創造する発想力と豊かな感性を養うことができる。玩具は「何でも買ってあげる」よりも、日常的な素材を活用、リサイクルして、親子と共に玩具をつくって遊ぶ方が喜びや感動がより大きくなるだろう。

　保育園での造形教育において、昔ながらの伝統的な玩具を題材にするのは、子どもの発達を促し、知的な刺激（思考力・創造力・想像力）を与えてくれる一方、精神面に於いて人と人との繋がり、伝統文化を大切にする心を養うにも意義がある。また、手づくり玩具の造形活動を通じて、伝統的な玩具に新しい表現形式を与えた。

5．まとめ

　子供たちが夢中になる玩具は、時代と共に変わっていく。デジタル化が急速に進み、現在はテレビゲーム、デジタルゲーム全盛の時代であり、玩具の世界も昔とは違ってきている。しかし伝統玩具は今のデジタルには比べられない素朴な素晴らしさを持っている。玩具は進化しているものであるが、素材、作り方、遊び方が如何に変わっても、玩具の持つ「本来の心」は変わらないだろう。新しい時代だからこそ、「温故知新」の心を持つべきである。

　様々な玩具が巷間に溢れる現代において、是非とも、伝統玩具を通じて、玩具の意味をもう一度、見直して貰いたい。昔の伝統文化、素朴さ、優しさ、手触り、自由な遊び方、次世代への愛情、幸せの願い…という玩具の「魂」を理解して貰いたい。

　更に、自分で考え、作って、遊べるように、新しい遊びを探り、新しい玩具と遊び方を創造し、人間文化の宝を、未来の人たちに伝承していって欲しい。そのために、教育現場から地域連携まで、伝統玩具の題材に触れる機会を多く提供し、玩具本来の素晴らしさを再発見、再創造する舞台を多く提供することは、美術教育においても、重大な意義があることでないだろうか。

参考文献
1）春日明夫『創作玩具―玩具と文化と教育を考える』（2007）
2）春日明夫『玩具創作の研究―造形教育の歴史と理論を探る』（2007）
3）多田千尋『子どものおもちゃと遊び』（2012）
4）岡本憲幸『維持困難な地域文化とその伝統―岡山県美の郷土玩具・泥天神を事例に』（2006）
5）岡本憲幸『郷土玩具と地域像 ―岡山県美作地方の泥天神の現在―』人文地理 第61巻第3号（2009）
6）㈱矢野経済研究所　玩具産業白書　2016年版（2015）国内の玩具・ゲームコンテンツ関連市場に関する調査を実施した。調査対象：玩具・ゲームコンテンツ関連メーカー、卸問屋、小売事業者等約300社。調査期間：2015年10月〜12月。調査方法：専門研究員による直接面談、電話によるヒアリング、ならびに郵送アンケート調査、文献調査併用。（㈱矢野経済研究所：各業界の市場情報を独自に調査し、オリジナル資料として提供する会社）
7）ベネッセ教育総合研究所：独自の子どもや教育に関連したさまざまな調査の報告書、調査データなどを公開している。
8）佐藤裕昭『いま注目される伝承遊び』くりっくにっぽん「日本の文化と人びと」、Takarabako No.11（2007年3月）

9）斎藤良輔『郷土玩具辞典』東京堂出版（1997）

10）森下みさ子『おもちゃ革命─手遊びおもちゃから電子おもちゃへ─』岩波書店（1996）

11）斎藤良輔『おもちゃの話』朝日新聞社（1971）

12）斎藤良輔『郷土玩具辞典』東京堂出版（1997）

13）平松清美「手作りおもちゃの制作で育つ力と教師の役割」岐阜女子大学紀要（2008）

14）岡山朋子、山川 峯『その「おもちゃ」を買う前に… おもちゃの３Ｒを考える』

15）日本けん玉協会 HP より引用

16）澤村英子『郷土玩具にみる色彩表現の特質について』（2005）

17）多田信作『手づくり玩具事典』黎明書房（1987）

18）岡山朋子、山川 峯『その「おもちゃ」を買う前に… おもちゃの３Ｒを考える』

19）高橋延昌『張子「ふわもこ羊」郷土玩具の新たな商品化』デザイン学研究作品集　No.20（2014）

20）張　月松『手で「考え・つくり・遊ぶ」玩具、その造形の意義 ― 伝統文化の素晴らしさを未来へ ―』（2018）

張 月松（ちょう げつしょう）

・1990（平成２）年 中国北京生まれ
・2011 年　金沢大学 日本語・日本文化研修留学生プログラム 修了
・2012 年　北京師範大学日本語専攻 卒業
・2012 年　北京師範大学国際経済貿易専攻（二重学位）卒業
・2013 年　北京師範大学大学院日本文化専攻 中退
・2017 年　横浜国立大学大学院教育研究科 美術教育専攻 卒業
・現在　　　グラフィックデザイナー
・Zhenhan Lei, Shunta Shimizu, Natuska Ota, Yuji Ito and Yuesong Zhang（2017）. Construction of Urban Design Support System using Cloud Computing Type Virtual Reality and Case Study International review for spatial planning and sustainable development, Vol.5, No.1, 15-28.
・張　月松（2017）、手で「考え・つくり・遊ぶ」玩具、その造形の意義 ─伝統文化の素晴らしさを未来へ─ 横浜国立大学大学院教育学研究科 修士論文（未公刊）
・受賞／ 2015.4　横浜歴史博物館書道展 理事長賞

【石山社長（石山建設）とのTalk対談】

ひとりで、木造住宅を造り続けるイマ（一人親方の歴史）
―修行時代・CAD設計・請負完成・maintenance―

石山　正夫
宮脇　　理（Talk対談の企画）
佐藤　昌彦（聞き手・編集）

　2010（平成22）年7月23日、北都新聞（創刊：1974年、本社：北海道名寄市）に石山建設社長：石山正夫氏に関する記事が掲載されました。記事の題名は「『一人親方』としてわが道を歩む-1／石山正夫さん（53）名寄市風連」というものです。冒頭には次のように記されていました。

　（北海道）名寄市風連で建築業・石山建設を営む石山正夫さんは、いわゆる「一人親方」として請け負った家の1軒1軒を、ほとんど1人の力でコツコツと建て上げる。中学校を卒業して職人の道を目指し、大工の世界に入って30余年。時代の移り変わりのなかから、自分流の仕事のスタイルが生まれてきた。2人のお子さんは大学へと進ませ、趣味に加えて新たな技術CADにも挑戦し使いこなす石山さん。

　一人親方としての石山氏を紹介する記事は、前述した記事を含めて北都新聞に4回（①2010.7.23、②2010.7.27、③2010.7.29、④2010.8.4）掲載されました。では、石山氏はどのような歴史を歩んでこられたのでしょうか。そして一人親方とはどのような仕事なのでしょうか。また、一人親方として大切にされてきたことはどのようなことなのでしょうか。石山社長とのTalk対談を以下に掲載しました。

●佐藤
―― 職人の道へ進むことになったきっかけを教えてください。

●石山

　中学校（風連中学校）の頃からものをつくることは得意でした。職人の道へ進むことになったのは、中学校の進路選択で旭川の職業訓練校を見学したのがきっかけです。職人という世界への興味が具体的なものとして高まりました。旭川の職業訓練校は自宅から遠かったので、卒業後は自宅から通いやすい名寄の職業訓練校に入りました。コースは3つありました。電気、塗装、木工です。それらの中から木工を選びました。そして1年後には、建具工見習いとして地元の建具会社で働くことになりました。

●佐藤

—— 建具工見習い・建具工時代の思い出をお聞かせください。

●石山

　先にも述べましたように、初めは建具工見習いとしてのスタートでした。その後は建具工となりました。会社に勤めて3年目になったとき、旭川で建具2級技能士試験を受けました。19歳の頃です。とても緊張しました。今でもそのときの様子が鮮明に思い浮かぶほどです。後でわかったことだったのですが、この建具2級技能士試験は技能五輪の選考会も兼ねていました。その選考会で準優勝になったとの知らせを後日受け取りました。立派なトロフィーも届きました。試験での実技作品が高く評価されたことはうれしい思い出です。

　ただ、準優勝の知らせを受けたのは、建具工から建築大工になってからのことでした。建築大工になる前にその知らせが届いていれば、違った人生になっていたかもしれません。

●佐藤

—— 建具工から建築大工になったのはなぜですか。

●石山

　建具工は4年ほど経験しました。建築大工になったのは20歳のころです。とて

■建築大工１級技能実技試験の様子（1）＊一番手前が石山正夫氏

も景気のいい時代でした。1970年代の頃です。新築住宅の注文が多く、大工のほうが建具工より収入がよかったからです。とても仕事が忙しく、夜はほとんど毎日、8時・9時まで残業しました。休みは月に2回程度です。第1・第3の日曜日だけだったと思います。

　20歳代後半になると、大工の棟梁として墨付けを任されるようになりました。30歳のときには結婚しました。1年後に長女が生まれ、その2年後には長男が生まれました。当時、大工としての収入は多かったのですが、新居は家賃15,000円の古い町営住宅にしました。夏場の日当や賃金が高くても、冬場になると大工仕事がなくなるからです。収入は失業保険（現在の雇用保険）だけになってしまいます。身体一つで働ける期間は、年齢的にも限られていますから、夏場の収入は将来に向かって先取りしていると考えました。信用金庫に勤めていた妻も同じ考えでした。この町営住宅には家族4人で8年間暮らしました。

■建築大工1級技能実技試験の様子（2）

●佐藤

―― 会社勤めの大工の棟梁から石山建設として独立し、一人親方として建築業を
　やっていこうと考えたのはおいくつの頃のことですか。

●石山

　40歳になろうとする頃です。30歳で結婚して、2人の子供にも恵まれた頃で
す。古い町営住宅で8年間暮らし、ある程度の蓄えができた頃でした。

●佐藤

―― なぜ、一人親方として独立しようと考えたのですか。

●石山

　世の中はバブル景気が崩壊して日本の経済は急速に冷え込んでいきました。バブル景気の時代といわれたのは、1985（昭和60）年から1991（平成3）年までです。1991年というと私は34歳になっていました。北海道の道北（北海道の北部）における新築住宅の注文も年々減っていきました。大工の仕事も減りました。建築会社に雇用されていても不安でした。家族のことを考えるとなお一層不安になりました。どうすればいいのか、真剣に考えました。出した結論が、"一人親方として独立する"というものでした。雇用されていても不安は続きます。同じ不安を抱えるのであれば、"だめなら全部自分の責任""うまくいけばそれは自分ががんばったから"とはっきりしてわかりやすいと思ったからです。まわりの方々からは、不況の時代に独立するのは無謀ではないかと心配していただきました。でも、真剣に考えた上での結論は変わりませんでした。

●佐藤

——　独立してからのことをお聞かせください。

●石山

　1999（平成11）年に一人親方として独立しました。42歳のときです。大工になってもうすでに20年を超えていました。それまでの仕事でお世話になった方々へご挨拶にまわりました。「独立したかぎりは、かじりついてでも最低3年は続けろよ」と励ましていただき、改修の仕事もいただいたことがありました。独立したときは、自分一人の生活だけではなく家族の生活全体に責任をもつ時代でした。「なんとかしなくては」という精神的なプレッシャーはとても大きなものです。それまでの人生の中で最大のプレッシャーだったと思います。自分の責任ということでまわりに頼ることができず自殺する人がいたということを聞いていた時期でもありました。また、個人の業者の方々がどんどんやめていく時代でもありました。注文が少ない、後継者がいないという理由です。一人親方を続けることができたのはまわりの方々から励ましていただくとともに仕事に関するお声をかけていただいたおかげだと思っています。

【新築】初めて設計施工した新築住宅

　独立後、最初に手掛けた新築住宅は二つあります。一つは私の家です。もう一つは名寄（なよろ）にある妻の実家です。それから10年の間に新築住宅は6棟ほど手掛けました。多人数で行えば、もっとたくさん手掛けることができたかもしれません。しかし、独立したときには、バブル景気が終わって、最初から仕事がたくさんある時代ではなくなっていましたので、やはり一人でやったほうがよくなっていました。仕事が少ないときに、人数が多ければ、誰かが遊んでしまうことになるからです。ただ、ぜんぜん仕事がないときもありました。そのときには出稼ぎで収入を確保しました。

　なかなか景気はよくなりませんでしたがうれしいことがあります。それは子供たちがどちらも本人が望む道へ進んでくれたことです。長女は短大を卒業し幼稚園教諭になりました。長男は4年制の医療科大学へ進み、現在は愛知医科大学病院で臨床検査技師（検査輸血部）をしています。

計画透視図

【新築】初めて CAD で設計した透視図

　住宅建設もコンピューター時代に対応できるようにするため、42歳の頃には上川北部地域人材開発センター（名寄市）の自作パソコン教室に参加しました。そしてその後はCAD（キャド）の世界へ進みました。CADはコンピューターによる設計を意味します。すでに型枠１級技能士、建築大工１級技能士の資格は取得していましたので、それらの知識も生かして、CADに熱中しました。建築用として代表的なフリーソフト「Jw-cad」も入手しました。仕事が少なくなる冬場には何冊もの使用法に関する書籍を読んで、CADの使い方に慣れるようにしていました。

●佐藤

―― 一人親方としての仕事についてお教えください。

【新築】CADによる設計に基づいて建築した新築住宅（風連の農家）

●石山

　最初の段階は営業です。どんな家を建てたいのか、お客さんに新築住宅に関する希望を具体的にお聞きします。住宅雑誌を持参して外観や間取りなどを確認しています（家族構成を踏まえながら。住宅雑誌には住まいに関するいろいろな写真が掲載されています）。この辺りは（会社がある地域は）農村地帯なので農家からの注文が多くなります。町の住宅と違う点は、表の玄関はもちろんのこと裏の入口についてもいろいろな要望が出るということです。農作業にかかわる出入りはもっぱら裏の入口を使用するからです。表の玄関より裏の玄関の方が広くなる場合もあります。そうした「裏の入り口を広くしたい」というようなお客さんのご要望を汲み取ることを大切にしながら、建築の専門家の立場から提案することも重視しています。建物の形はよくても使いにくかったり新築後のメンテナンスにお金がかかったりするということがないようにするためです。初めて住宅を建築する一般のお客さんにはわからなくても、住宅建築の専門の立場であれば、わかっていることがあります。「こんなはずではなかった」いうことがないように、

【改装】改装前／雲厳山 崇賢寺（2019年5月）

それを事前にお伝えするようにしています（新築後にお客さんが困らないように）。

　一人親方でも人手が必要なときには下請けの皆さんやアルバイトの方々（退職されても元気な方々）の手を借ります。建物のおおよその骨組み（躯体／くたい：木造建築の柱、梁、床、壁など）ができた後はほとんど一人で仕上げていきます。外観や内観などを整えるのです。一人でつくっているので完成するまでに時間がかかります。時間がかかるということについては契約の段階でお客さんにご了解をいただくようにしています。完成を楽しみにお待ちいただいているのにもかかわらず、時間がかかるというマイナスはありますが、それがプラスになることもあります。時間がかかれば、木材の乾燥が徐々に進みますので狂いが少なくなるというのはその一例です。急激に乾燥させる人工乾燥ではなく徐々に乾燥する自然乾燥であれば、床や壁際にできる隙間が小さくなります。

　1年間の工程はおおよそ次のようになります。12月から3月までは主にCADで平面図を作成します。お客さんに五つぐらい提案できるようにつくります。新築

【改装】改装後／雲巌山 崇賢寺（2019年7月、左右の引き戸窓、火頭窓、高欄などを新しくしました）

住宅の計画の段階です。必要な部材を確認してパソコンで見積書も作成します。4月からは新築・改装にかかわる具体的な仕事を開始し、11月中には完成させるようにします。12月になると雪のために外部はほとんど手を加えることができなくなるからです。

　一人親方では、設計とともに施工も担当するので、逆に施工での経験を設計に活かすことができます。「この部分はこのような収まりになる」というように具体的な形を思い浮かべながら設計することができるのです。設計において大工の経

験はとても役に立っています。

　現場では手板を見ながらつくっていきます。手板とは板に描かれた平面図のことです。パソコンを活用するようになってからは、手板とともにCAD設計による設計図も使用しています。CADを使えば、実際に必要な長さ（勾配など）をミリ単位で出すことができます。全体で使用する量が的確にわかりますので、材料を注文する上でもCADを導入してよかったと思っています。またCADで設計すると紙に印刷しますので現場で設計図が汚れても何度でも複製をつくることができます。データがパソコンに残っているからです。

　新築・改装の仕事で忙しく、一人で手がまわらないときには、駆体の材料を工場でカットしてもらいます。大工の棟梁としての墨付けの経験（手作業）がありましたので、工場の方との打ち合わせでは、大工の経験のないCAD設計だけの方よりスムーズに行うことができたと思います。営業経験だけの方では伝えにくいところも施工の内容について深く踏み込んで伝えることができたからです。

　新築や改装、どちらの住宅のmaintenanceにおいても、設計から施工まで、すべてを把握していないと緊急事態に対応することができません。一人親方として、板金塗装、暖房、配管、排水まで住宅全体のことを理解していますので、問題が起きたときにどこが悪いのかよくわかります。下請けの業者の方に頼むときにも自分自身がわかっていないと問題点を明確に伝えることができません。全体がわかっていれば、大工の仕事の問題なのか、下請けに関する問題なのか、複合的な問題なのか、迅速に見極めることができます。

　家族の生活を考えて、60歳以降の収入源としてのアパートを経営することとしました。給水・排水も含めて、アパートに関する改装はすべて自分でやりました。工事費が安くなりました。できることは自分でやろうと考えています。全部で8部屋あります。そのなかで7部屋改装しました（1つの部屋は同じ方がずっと借りていますので現在はそのままで住んでいただいております）。改装したことによって入居率があがっています。

●佐藤

──一人親方として大切にされてきたことはどのようなことですか。

●石山

　お客さんとのコミュニケーションです。この辺りは田舎なのでよい仕事をすると それが評判になって次の仕事へつながっていきます。お客さんからお客さんへよいこともわるいことも伝わります。いい新築住宅をつくったり改装の仕方がよかったりするとそれが次の新築や改装に結びついていくことになります。

　maintenanceの場合でも、万一苦情がきたときには素早く対応するように心がけました。一人親方の仕事は大手の仕事ではないので、都会でこうしたやりかたは難しいのではないでしょうか。田舎だからできたとも思います。

　一人親方として独立した当時は、「一人で木造住宅を造る」ということは論外と思われた時代でした。田舎でも公共工事を請け負うような大きな建築会社は、基礎工事（土木）は基礎工事（土木）というように分業化されていました。現在も分業化は進んでいます。営業は営業、設計は設計、施工は施工というように。都会のハウスメーカーであれば、なおさらこの傾向は強いと思います。ただ、会社組織であれば、そうした分業をしっかりまとめる立場の方がおられるはずです。

　木材は木裏（きうら）側にそって曲がるという癖があります。私の場合は、そうした木材の癖に配慮して組み合わせるようにしています。材料の性質に配慮するか配慮しないかによってよい仕事になるかならないかの違いが出てくると思うからです。また釘を一本打つにしても部材に対してどのくらいの力がかかるかを考えます。誰でも釘を打つことはできますが、私はそうしたことも大切にしています。

　付け加えますと、仕事のこだわりとして北海道特に名寄市は冬の寒さが北海道でも一二（いちに）の寒さを記録する地域で断熱は特に念入りに施工してきました。断熱材を生かすには機密も大事で両者の施行が両立できて断熱性能が機能します。外断熱住宅も4棟ほど建てました。

■東京訪問における宮脇 理先生との再会（浅草）2015 年
宮脇 理先生（右）と石山正夫氏（左）

●佐藤

―― 最も苦労したことは何ですか。

●石山

　独立して1年目の営業です。それまでは職人でしたので営業の方法がわかりませんでした。また、1回目は初めてということで1軒1軒まわることはできますが、仕事がこないからといって、同じ年に2回目・3回目とまたまわるということはできませんでした。自分の地元でそれぞれの顔がわかっている間柄ですので、何度も訪問して相手に不快な思いをさせては申し訳ないと思ったからです。

　仕事の少ないときには、パソコンの操作方法だけではなく、パソコンそのものを自作できるように基本や応用に関するいろいろなことを学びました。それがCAD設計に結びつきました。

■宮脇 理先生瑞宝中綬章受賞祝賀会・『アートエデュケーション思考』出版記念会の会場で 2017 年
宮脇 理先生（左）と石山正夫氏（右）

●佐藤

―― 長時間にわたって、貴重な内容をお聞かせいただきありがとうございまし
た。最後に、次の時代を担う若者へのエールをお願いいたします。

●石山

　いつの時代でも仕事をさせていただく「普遍的なもの」がたぶんあると思いま
す。その一つは、たとえば、人と人とのコミュニケーションなのかもしれません。
一人親方を始める若い人がいるのであれば、また一人親方ではなくても住宅建設
の仕事に進むのであれば、そしてものづくりにかかわるのであれば、自分なりに
苦労して考えて「普遍的なもの」を自分自身で見つけていただければ、きっと道
は開けていくのではないかと思っています。

○石山建設社長：石山正夫氏（一人親方）との Talk 対談は、宮脇 理先生が本書の出版にあたって企画したものです。当初は宮脇先生ご自身が石山社長に直接インタビューする予定でしたが、体調を崩されて東京の病院に入院されましたので、佐藤昌彦が石山社長にインタビューすることとなりました。

○【石山社長（石山建設）との Talk 対談】「ひとりで、木造住宅を造り続けるイマ（一人親方の歴史）—修行時代・CAD 設計・請負完成・maintenance—」という題目は宮脇先生が設定されたものです。インタビューはその題目を踏まえて実施しました。ただ、新型コロナウイルス感染拡大防止のため、インタビューは、スカイプ・電話・メールで行うことになりました。

○北都新聞（創刊：1974 年、本社：北海道名寄市）の石山社長に関する記事（特集 4 回①2010.7.23、② 2010.7.27、③ 2010.7.29、④ 2010.8.4）を本稿に関する引用・参考資料としました。石山社長には、Talk 対談の資料として北都新聞の記事とともに関連する写真も送っていただきました。

（録音起こし：佐藤昌彦）

石山 正夫（いしやま まさお）
・1957（昭和 32）年　北海道上川郡風連町（現在の名寄市風連町）に生まれる
・1973（昭和 48）年　名寄専修職業訓練校卒業し、建具工として職人の道を歩む
・1977（昭和 52）年　20 歳で大工の道へ進む
・1999（平成 11）年　42 歳で石山建設として独立（一人親方）

「教室からジェットコースター」玉転がしの教材研究・紙工作

宮崎藤吉

1．はじめに

　小学校の教員を長年勤めていると、持ちネタの教材をいくつか持っているものである。6年生の「ジェットコースターを作ろう」はその一つであり、私の十八番である（**図1**）。りんごが木から落ちるのを見て偉大な科学者アイザック・ニュートンが生まれた。りんごが木から落ちて転がる様子から、何かがひらめき、作ってみたいという気持ちが喚起させられる教材を考えた。

図1　高さ約80cm

　小学校課程で玉転がしの紙工作教材として、子供の発達段階を考慮しながら高学年（5年および6年）の教材に焦点を当てて提案するものである。

2．玉転がしの低中高学年の概要

　小学校の低学年（1年および2年）の玉転がしは、みんなで行う造形遊びの中で、段ボール箱を積み上げた後に、牛乳パックで前もって作っておいた一連のコースを巻きつけて出来上がりとする。スーパーボールやゴルフボールを転がせて楽しむことができる（**図2**）。また、教室の机上で作るなら、子供自身が集めたお菓子の箱や身近な空き箱を積み重ね、セロテープ等で固定して、それにあらかじめ螺旋状に作成した一連のV字形コース（中央に谷折り）を巻き付けることで、玉転がしの作品ができる（**図3**）。このように、低学年の玉転がしは、既成の箱を

重ね、予め作っておいたコースを
付けて完成させるという手順であ
る。

V字型

中学年（３年および４年）の玉
転がしは、およそＢ４サイズの空
き箱をベースにした迷路の紙工作
である（**図４**）。そこでの新しい試
みの一つに道具と素材がある。低
学年で使用するデンプンのりや水
のりに、中学年になって紙工作用
の木工用ボンドの接着剤が加わる。
また、扱う素材も多様になってく

図2　　　　　　　　図3

る。近頃ハサミで紙を切ることが困難になりつ
つある世代にとって、切るという作業は大切で
あり、折り紙から始まって様々な紙質の切り方
を習得させたい。各自持参した空き箱の内側に
段ボール紙や厚紙などで壁を配置し、ビー玉が

図4　平面の玉転がし

転がるコースを作っていく。そこにはお菓子の
容器やプリンカップや紙コップなども使ってレ
イアウトにアクセントをつけることもできる。
出来上がった作品を両手で水平に持ち、傾ける
ことによってビー玉をスタートからゴールまで
転がせて楽しむというものである。

図5　　５年生

高学年の玉転がしは、５年生では画用紙で枠
組みの各パーツを作成し、立体に組み立てて、その中に玉の転がるコースを作る
ものである（**図５**）。ねらいは紙工作の技術的な基礎を学ぶことにある。６年生
では、ジェットコースターそのものを紙工作で作るのではなく、玉が転がる様子
とジェットコースターに乗っているイメージを膨らませて、玉転がしに感情移入
するという活動となる。第一段階でタワーを作り、第二段階で玉が転がるコー

スを作成するものである。このコース作りが創
意工夫の発揮できる活動となり、この教材の肝
である。玉転がしのコースは素材に画用紙を使
い、最初に考えた完成コースをそのまま具現化
するのではなく、実際に玉を転がしながら少し
ずつコースを伸ばしていく。それは玉をどう転
がすかを想像しながらコースを工夫することで
ある。作品を作ることだけでなく、イメージメ
イキングであり、それも楽しむことになる。さ
らに、できた作品を共有して、みんなで遊ぶ楽
しみもある。

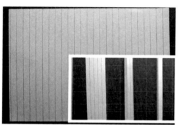

図6　　図7　谷折りで折る

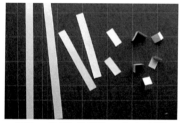

図8　のりしろ用テープ　L字型

3．5年生　玉転がし

　5年生の玉転がし　題材名「画用紙から作る」
全6時間（1時間 :45分）

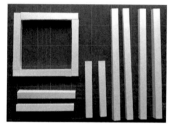

図9　パーツ

　5年では、平面から立体にする紙工作である。
作業はパターン化し、同じ形のパーツを作ること
で技能を習得させたい。紙を折ることで四角形の
管（四角柱）のパーツを作り、立体にすることで
強度が上がることを学ぶ。さらにパーツを立体に
することで骨組み全体の強度も出る。このように
してパーツを組み合わせて頑丈な枠組みを作り、その中
にコースを作成する。

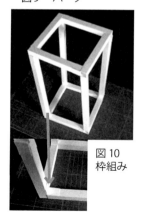

図10
枠組み

　八つ切の厚手の画用紙を横長に置いて、端から1.5cm
幅で縦線を引く（**図6**）。5本目の縦線をカッターナイ
フで切り取り、各々の線に折り曲げ線をペーパー用ペン
（インクの出なくなったボールペンを使い、紙に凹みを
入れるため）で入れて、谷折りに折って巻いていき柱を
作る（**図7**）。それを8本用意する。コース用は3本目
の縦線で切って、必要な数を用意する（**図11**）。残った

画用紙は、各々の縦線で切りテープ状にする。それを短く切ってL字型に折ってのりしろ用とする（図8）。長い柱8本の内4本は半分に切る。短い方の柱を4本使って正方形に固定して、それを2個作る（図9）。柱4本と正方形2個で直方体の形に組んで、のりしろで固定して頑丈な枠組みが完成する（図10）。次にコース用

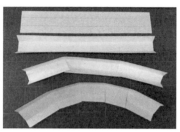

図11　コース用

のテープは折り曲げ線2本を谷折りにして、コの字型にして直線のコースを作っていく。さらに切り目を横から3分の2まで切り込みを入れてコースを曲げることができる（図11）。玉は紙粘土を丸めて作る。作業中に玉は見失うことがよくあるので数個用意しておく。また、作品は机や教室のロッカーの上から落ちても壊れないくらい丈夫なものにしたい。

　授業計画では全6時間である。しかしながら、画用紙に1.5cm幅の線を引く課題は、子供にとって時間の要することがある。授業時数に余裕がない場合、教師が予め画用紙に線を印刷したものを用意しておくことも可能である。物差しを使って2点を結び、直線を引く学習は3年の算数で学習するので、5年生で1.5cm幅の直線を連続で引く課題は決して困難ではないと思われる。線を引くことが苦手な子供には画用紙にひたすら線を引き続けることに集中しにくいが、繰り返すことが技術の習得につながることに気づかせたい。教師は教室内の子供の能力を考慮して時間をかけて個人のペースで作業を進めるために時間数を伸ばすことはできるが、時間内で作業を仕上げるという計画性も子供にとって小さな目標の一つでもある。授業全体の時間数が伸びると子供たちの作業工程に差が広がり、教師にとって授業の終わりに課題を残すことになる。時間数は教師のねらいがどこにあるのかが問われる問題である。

4．6年生　玉転がし

　6年生の玉転がし　題材名「ジェットコースターを作ろう」全8時間

　この教材は二部構成になっている。導入では主にタワー製作に関連する話を膨らませる。登下校時や近隣の住宅建設などの工事現場で見られる柱の組まれ方や、

または校舎の耐震補強で窓枠から見える補強
鉄骨で建物が頑丈になることに気づかせる。
身近な電波塔や山裾にある送電線のタワーの
画像を見せて、パーツが組み合わさって建て
られて強度が保たれていることを理解させる
（**図12**左）。また、実際に、1本の棒では立
たないが、4本あればピラミッドの形で頂点
をセロテープでとめると、4本の棒は固定す
ることができるのを子供たちに具体的に示す
（**図12**右）。最後に、法隆寺の五重塔の心柱、

図12

言い換えれば中心に1本の棒を立てるタイプと鉄塔のような土台に4本棒の四角
錐タイプと4本の棒を柱にして上に段ボール紙を積んで、床を重ねていくビル建
設タイプの3つを子供たちに例示しておく。

第一段階、タワーの製作

　タワー作りに適した素材（広告紙、割り箸、
工作用木材、小枝）がある。最適なのは広告
紙で紙ポールを作ってパーツにすることであ
る（**図13**下）。広告紙は角を指先でほんの少
しつまんで丸めていく作業である（**図13**上）。
最初、子供たちは丸める感覚（紙を撚る）が
つかめないが、慣れるにつれてできるように
なってくる。手先を使った細かな作業もぜひ
行わせたい。

　土台に段ボール紙や空き箱を使い、パーツ
を組み合わせ、塔を建てる（**図14**）。高さは

図13　紙ポール

事前に90cmまでと制限しておく。というのも、子供はどんどん高くしたがるも
ので、完成した作品を持って帰れないほど高くしたことがあったからである。

第二段階、コースの作成

　初めに、紙粘土が固まるまで少し時間がかかるので、玉を各自数個作ってお

く（**図15**）。転がす玉は何でもいいわけではない。大きさ、重さ、質感の違いで転がる様子が変わる。自分のコースに適した玉が必ずあるので、コースを作っていく途中で何度でも作ればよい。それをマイボールとしてサイズを記憶しておく。作品が完成したら様々な玉を転がせてどの玉がベストなのかを選ぶことができる。例

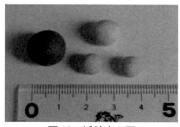

図15　紙粘土の玉

えば、鉄玉やビー玉だと紙粘土より重く、表面がつるつるしてコースとの摩擦がないので勢いよく転がり、大抵はコースからはみ出してしまう。また超軽量粘土では軽すぎて途中で止まってしまうことがある。ガラス、鉄、紙粘土などの材質による転がり方の違いや手触りとか、肌触りといった表面の感覚的な微妙な違いにも気づかせたい。

　厚手の四つ切画用紙またはケント紙でコースの基本形のテープを作る。薄手の画用紙では腰がないので、玉転がしには適さない。また市販の工作紙はこの教材のコース作りには硬すぎて扱いにくい。素材の吟味は指導者の役目である。5年生時に画用紙で短冊状のテープ作りは経験しているので容易に作業に取り掛かれる。

（1）教師が示す基本のパーツ

　四つ切画用紙から5cm幅の短冊状のテープ中央に2cm幅、両サイド1.5cm幅で2本の折れ線を引き、谷折りにして基本の形を一本作る。5cm幅の内3.5cmまでハサミで切り、同じ切れ目を2cm幅に入れていく（**図16**）。そして、切った方の紙片を少しずつ重ねて木工用ボンドで接着して（接着しなくてもよい）、紙に形状を付けて曲げていく（**図17**）。それをタワーのてっぺんにL字型ののりしろを付けて固定する（**図22**）。コースは、それが起点になり、玉を転がしながら基本パーツを創意工夫した形のコースを継ぎ足してゴールまで進める（**図23**）。

　教室内で基本パーツの作り方の説明が終わって、作業が始まって間もなく次の場面が見られた（**図19**）。

　児童　「あっ！　切ってしまった。先生、間違えたわ」
　先生　「どうした、どこが、何を間違えた？」

広告紙を用いたタワーの例
土台に段ボール紙を敷き四方に紙ポールを接着しておく。角に四本を立て四角錐に固定し、中心にもう一本足して立てる。高くするために中心のポールにもう一本差し込んで長くする。二階部分に段ボールを差し込んで、土台の角からまた新たなポールを加えて二階の段ボール紙と接着する。さらに数本の紙ポールを加え組み合わせて固定していく。

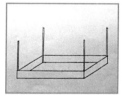

高さ約 95cm

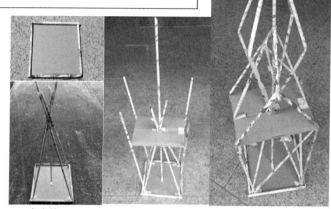

高さ約 38cm　　　　　　　高さ約 80cm

高さ約 55cm　　　高さ約 80cm　　　高さ約 85cm

高さ約 65cm

広告紙、割り箸、工作用木材、小枝の素材例
土台は画用紙、空き箱、割り箸を組んだもの。
接着剤は木工用ボンドを基本とする。瞬間接着剤や工作用ボンドは使わせない。教室内が揮発性の臭いで充満するからである。小枝の場合はホットグルーを使用すると固定が速い。ただし、火傷に注意する必要があり、子供の安全性を確保したい。

図14

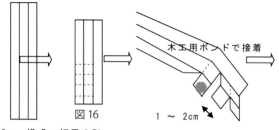

切り取り線：横に 3.5cm まで切る

図 16

木工用ボンドで接着

1 ～ 2cm

縦 38cm、横 5cm 短冊の形
谷折れ線の幅 1.5cm 2cm 1.5cm

コースの基本パーツ

図 17 教師が示す基本コースの作り方

児童　「コース！　コースの切り方の方向」

先生　「どこ？　それ大丈夫だよ、ボンド付けて貼りあわせてごらん」

児童　「失敗と違うの？」

先生　「玉が転がったらいいだけ、おもしろいコースができると思うよ」

児童　「ふ～ん　こうやってもいいのか」

先生　「Ａさん、こんな切り方発見したわ、すごいね、みんなもやってごらん」
　　　「さあ、自分の切り方にも挑戦して、作業やってごらん」

（2）子供が見つけた形

　教師の説明通りに基本のパーツの作り方で、１本
のテープ全部を正確に接着していくと形は丸くなっ
て籠状になっていく（**図18**）。コースが閉じてしま
い子供は困惑して、新たな接着の仕方や長さ、ハサ
ミの切り方で曲がるコースの形を何とか自分で考え
出さなければならないことになる。紙の素材を最大
限に活かせて微妙に曲げたり、形を整えたりしなが
ら、コースを作ることになる。そして、実際に玉を

図18　子供が見つけた形

転がしながらコースの形を作り始めることになる。より一層紙の質に注意を払い、
ものとの対話をしないとコース作りができない。ここが通例の紙工作の作り方と

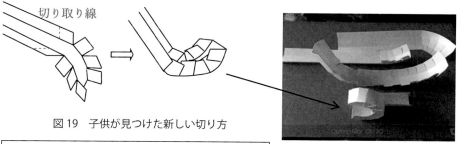

図19　子供が見つけた新しい切り方

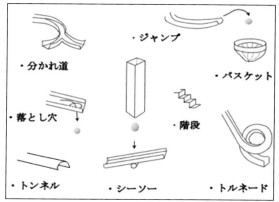

図20 A　子供が見つけたコースの形

・分かれ道
・ジャンプ
・バスケット
・落とし穴
・階段
・トンネル
・シーソー
・トルネード

図21　児童作品例

決定的に違うところであり、初めに完成した形を決めないで、作りながら徐々に完成形へと近づくというものである。基本のパーツを任意の箇所で適当に切り込みを入れると新しいアイディアが広がる。また、紙を接着しなくても、実際玉は転がるので、偶然にも様々なコースができる。要するに転がればいいだけ、失敗してもいい、この気楽さで作業できると、また、いろいろなコース作りのバリエーションが考え出せるようになってくる（**図20** A B）。

5．教材観

　創意工夫が高められる紙工作の教材、自ら学ぶ能力を育成する教材、素材との対話ができる教材を開発したいと考えている。子供が主体となって自ら学ぶ態度の形成が大切だと考えている。「ジェットコースターを作ろう」は、子供がひとたび基本コースの作り方を知ると容易に応用が利くことにある。

分かれ道

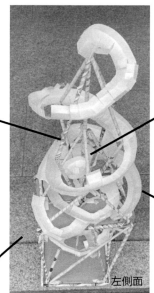

左側面

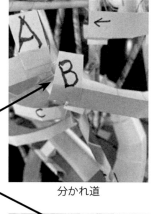

分かれ道

シーソー

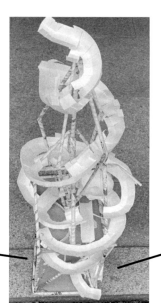

図20 B　子供の見つけた形を取り込んだ作品例　正面

バスケット

ジャンプ

トルネード

図22　コース作りの最初の場面

図23　製作途中の保管　図工室

図24　範例　小枝タイプ

　この教材のポイントは、基本のパーツの作り方であり、短冊状のテープを横に3.5cmまで切り、さらにそれを約2cm幅で切っていくことにある。しかし、子供は正確に切っていないことがある。この作業時に様々な状況が生まれ、おもしろい形のパーツが表れる。また、玉を転がしながらコース作りをすることもポイントである。少しずつコース作りを進めるとで、子供たちに人気のピタゴラスイッチのイメージで仕掛けが作り易いようである。一連のコースを巻き付けたインスタント玉転がしの作品は高学年では教育効果が少ない（**図25**）。

　授業は教材だけで成立するものではない。教育活動は子供、教師、教材のトラ

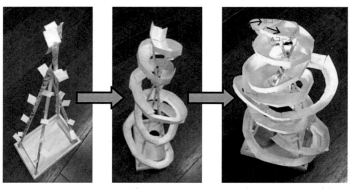

一連のコース

図25　インスタント玉
　　　転がしの作り方

1連目のコース　　　2本目のコースを追加

イアングルのバランスが保たれて授業がうまくいく。必須のものとして子供と教師との信頼関係、教師の教材に対する理解度、子供がその教材に適しているかどうか、子供の能力や教師の力量も大きな要素である。

　6年の冬の時期、卒業前に生駒山頂公園に卒業遠足で遊園地に行くことがあった。そこでジェットコースターに乗る子供も多くいた。恐くていやがる子供もいたが、教室で尋ねても8割以上は過去に乗ったことがある、と答えていた。ジェットコースターは身近な存在であった。

　紙工作の知識として、紙を折る時は必ず折り曲げ線を入れること、のりしろはL字型のテープを用意しておいて、貼るときはのりしろを使い接着剤の面積を多くすること、しかも適量にすることに気づかせたい。ハサミやカッターナイフの扱い方もしっかりと経験させたい。

　紙は、切ったり、貼ったりするだけでなく、折ったり、曲げたり、伸ばしたり、捻ったりして形状を変えることができること、また、紙への力の加え方で形の癖をつけることができること、さらに立体にして組み合わせることで強度を上げられることも学ばせたい。子供にはわかりにくい創意工夫をこの教材に取り組むことによって、適切な指導のもと自然と試行錯誤（トライアンドエラー）を行い、あれこれ粘り強く考えること＝創意工夫ができることを体験させたい。

　子供の技術的な難易度に関しては、できるか、できないかのぎりぎりのレベルでその子の目標とするようにする。例えば、トルネード形のコースに挑戦しても

作れない子もいる。微妙な紙の曲げ具合を調整して接着しないと、玉は上手く回転してくれないからである。作るのを諦める子もいるが何回もチャレンジする子もいる。いくらやってもできないと落ち込むが、個人差もある。作業が持続するには他の子の影響力が大きいことがよく見られる。ひとりではあきらめるのは早いが、となりの子がやっているとまた奮起する子もいる。学びの環境やクラス集団の力も大切である。

6．終わりに

　完成した作品で玉を転がすと、紙粘土で作られた玉の質が紙のコース上を転がるとカラカラという軽やかな音を奏でる。心地よい音を立てながら転がる様子にみんな感動する。作った玉が自分のものになっていき、玉と自分との関係が特別なものになって「マイボール」となるのである。その時ジェットコースターとの一体感が生まれる。まさに遊びの境地に至る。

　子供を思考の主体として教育内容を介して知性を内から育てるという方法は、基礎的な教科の系統的内容の習熟を抜きにして育成することはできない。よく見て素材の質を感受し、どうしたらいいのかという扱い方に気づけば、新たな考えやひらめきが引き出され、もの作りに繋がっていくと考える。それは試行錯誤の連続でもある。この教材によって、ものとの対話、創意工夫が生まれやすい。玉の転がる動きが子供の作業をドライブさせる紙工作の教材開発を行った。子供たちの眼差しが、地域の滑り台から、遊園地や著名なアトラクションのジェットコースターやウォータースライダーへ、またNTTドコモのCM映像だった『森の木琴[1]』や様々なプロダクトへと届くことを願う。たかが玉転がしされど玉転がし、である。

註
1）http://www.youtube.com/watch?v=C CDLBJD 4 M，http:answer.nttdocomo.co.jp/touchwood/

宮崎 藤吉（みやざき とうきち）

・1956（昭和 31）年 大阪生まれ
・Independent Scholar/ 元・奈良県生駒市立生駒小学校
・教育学修士（美術教育・大阪教育大学、1982 年）
・単著「ハーバード・プロジェクト・ゼロとハワード・ガードナーについて」第 7 号 pp.37-44、『美術教育学』 1985 年
・単著「ゲティー・センターの美術教育－ 1980 年代のアメリカの美術教育－」第 8 号 pp.17-23、『美術教育学』 1986 年
・単著「小学校の鑑賞教育－ 3 年生での「絵あわせゲーム」について－」第 13 号 pp.65-76『美術教育学』 1991 年
・単著「1960 年代におけるエリオット・アイスナー研究－アメリカの美術教育研究の立役者－」第 15 号 pp.293-303『美術教育学』1994 年
・エリオット W. アイスナー著、仲瀬 律久・前村 晃・山田 一美・箕作 雄三・岡崎 昭夫・宮崎 藤吉 他訳 『美術教育と子どもの知的発達』黎明書房、1986 年

第 *2* 章

ものづくりとデザイン教育の現在と未来

—理論的アプローチ—

宮脇　理

伊藤文彦

渡邊晃一

山田一美

直江俊雄

カイ・エドモンド

東條吉峰

齊藤暁子

消費社会というパラダイムと
〈手渡す贅沢な教育のシステム〉
―ボードリヤール『消費社会の神話と構造』再読―

宮脇　理

1. ボードリヤールの消費社会論

　現在の学校教育がすでに「擬制」であることが露呈していることは周知のことであるが、ジャン・ボードリヤール（Jean Baudrillard, 1929-2007）がその著『消費社会の神話と構造』（原著 *La Société de consommation*, 1970）の冒頭において述べた次の言葉は、「擬制」としての学校像と同じ次元に属している。

　　「今や「消費」が全生活をとらえ、あらゆる活動の組み合わせ様式に従って連鎖し、欲望の充足に達するための通路が一時間ごとに前もって引かれて、「環境」が全面的にエアー・コンディショニングされ整備され教養化されるに至った。消費の現象学において、生活と財、モノとサーヴィス、社会的行動と社会関係のこの全面的なエアー・コンディショニングは、純粋で単純な豊かさの段階から、モノの明瞭な組織網をへて、行動と時間の全面的条件付け、ドラッグストアやバルリー2や現代的な空港などの未来都市的で体系的な雰囲気の組織化へと発展し、"成就した" 段階にいたっている。」（今村仁司・塚原　史共訳『消費社会の神話と構造』第1部「モノの形式的儀礼」紀伊國屋書店1979年）

　つまり消費という人間の営為を前提として、今日の日常生活をとらえている肯定の視座は論者（宮脇）と同じである。また同書の序文を書いているリーディング大学研究センターの J.P. メイヤー（Jacob-Peter Mayer, 1903-1992）[1] は、ボードリヤールの思想の中軸について論じ、「消費が関係（単にモノとの関係ばかりでなく集団や世界との関係）の能動的様式であること、すなわちわれわれ

の文化の全システムがその上に成り立っている体系的活動と包括的反応の様式であることを、最初からはっきりと認めなければならない」として、ボードリヤールの先駆性を評価している。この評価を裏付ける言葉が、『消費社会の神話と構造』の終わり近くに見出されるので引用したい。人々が常識として理解していることをボードリヤールが根底から問い直していることがここから理解されるであろう。

　「〔例の〕モラリストたちは、この社会の型の問題を「メンタリティー」の問題に還元させたがっているようだ。彼らにとっては、本質、つまり現実の豊かさがすでに存在するのだから、貧困のメンタリティーから豊かさのメンタリティーへと移行しさえすればよいのだし、この移行がいかに困難であるかを嘆き、豊かさに対する抵抗が出現するのを見てうろたえていればよいわけである。ところが、豊かさそのもの（豊かさそのものさえも、というべきだ）が新しい型の強制のシステムにすぎないという仮説を少しでも認めるなら、この新しい社会的強制〈多かれ少なかれ無意識的な強制〉には新しい型の解放の要求しか対応できないことがすぐにわかるはずである。」（『消費社会の神話と構造』第3部「マス・メディア、セックス、余暇」）

　ボードリヤールは、消費社会を「能動的様式」であり、同時に「社会的強制」として展開される現象—われわれが目を塞ごうともけっして拒否できない現象—であると見ている。
　繰り返すことになるが、論者が現在の学校を「擬制」として提示したのもこれと同じ次元の認識なのであり、それを慨嘆するのみでは事態の解決にはならないと考える。さらにこの消費社会を「モノ」の生産という立場からボードリヤールは次のように述べている。若干長文であるが、重要な箇所なので再び引用する。

　「欲求とその充足についてのこのような合理主義的神話は、ヒステリー症状や心身相関症状に直面した伝統的医学と同じように素朴で無力である。この点について説明しよう。モノは、かわりのきかないその客観的機能の領域外やその明示的意味の領域外では、つまりモノが記号的価値を受けとる暗示的意味の領域においては、多かれ少なかれ無制

限に取りかえ可能なのである。こうして洗濯機は道具として用いられるとともに、幸福や威信等の要素としての役割を演じている。後者こそは消費の固有の領域である。ここでは、他のあらゆる種類のモノが、意味表示的要素としての洗濯機に取ってかわることができる。象徴の論理と同様に記号の論理においても、モノはもはやはっきり規定された機能や欲求にはまったく結びついていない。というのはまさしく、モノは社会的論理にせよ欲望の論理にせよ、まったく別のものに対応しているのであって、それらに対しては、モノは意味作用の無意識的で不安定な領域として役立っているからである。」(『消費社会の神話と構造』第2部「消費の理論」)

　以上の箇所は、その前の引用にもあるように、「消費社会」の「消費」を分析するには、「消費」が単にモノとモノ、モノと人との関係ばかりではなく、集団や世界との関係のなかで生成する現象だという認識、いわば社会学の範疇に収まる認識を示している。
　また、単なる生産関係の説明でないことは「訳者あとがき」にも記されているように、ボードリヤールの理論的構図が「現代社会分析のための単なる気のきいた枠組というものではなくて、マルクス、フロイト、ソシュールの諸理論との内在的な批判的格闘を通して得られた理論的構成」となっていることからも理解される。

2．ボードリヤールによる社会という概念の更新

　ボードリヤールの消費の概念が「経済学で語られる消費概念」と異なることは前述（引用）した「洗濯機は道具として用いられるとともに、幸福や威信等の要素としての役割を演じている」という言葉に象徴されている。
　さらに、「サーリンズによれば狩猟＝採集生活者たち（オーストラリアやカラハリ砂漠に住む未開の遊牧民）は、絶対的〈貧しさ〉にもかかわらず真の豊かさを知っていた」という言葉を参照すれば、ボードリヤールの思想の核心に迫ることが可能である。ボードリヤールの考えを正確にトレースするために、この続きを引用する。

「未開人たちは何も所有していない。彼らは自分の持ちものにつきまとわれることもなく、それらのものを次々に投げ棄ててもっとよいところへ移動していく。生産装置も「労働」も存在しないので、彼らは暇をみつけて狩をし採集し、手に入れたものをすべて彼らの間で分かちあう。何の経済的計算もせず貯蔵もしないで、すべてを一度に消費してしまうのだから、彼らは大変な浪費家である。狩猟＝採集生活者はブルジョアジーの発明したホモ・エコノミクスとはまったく無縁であり、経済学の基本概念など何一つ知らずに、人間のエネルギーと自然の資源がもたらす富を信じて暮らすのである（これが未開人のシステムの特徴だ）。ところが、われわれのシステムの方は、不十分な人間的手段を前にした絶望や、市場経済と普遍化された競争の深刻な結果である根源的で破局的な苦悩によって（それも技術の進歩とともにますます強く）特徴づけられることになる。」（『消費社会の神話と構造』第2部「消費の理論」）

　ボードリヤールが志向する新たな社会学的概念が、消費というコンセプトを全く新しいものへと更新したこともさることながら、社会という概念そのものを変更し、思考をリセットすることによって未開（時代）と現代とを貫通する社会理論を生み出そうとしていることに留意すべきであろう。
　しかしながら、ポトラッチ型のあらゆる非生産的な消費を人間社会の根本動因と見るごとき視線には、未開時代のシステムには所有の否定がみられるという仮説から論を進めた楽天性がつきまとう。
　引用からも明らかなように、「無限の自然資源がもたらす富を信じて暮らす」という叙述は、市場経済と普遍化された競争の深刻さという現代のリアリティーから見詰め返せば、あまりに楽天的であると言わざるを得ない。
　このように、ボードリヤールの理論を成立させている認識のすべてにわたっての同調こそできないものの、すくなくともヨーロッパ思想の支配的な思想である生産中心主義の堅い殻が、彼の思想によって崩されていく可能性を読み取ることができる。

3．ボードリヤールの記号論と擬制としての学校論
　訳者である今村仁司（1942–2007）[2]と塚原　史（1949–）[3]が指摘するように、

ボードリヤールの理論的冒険は、マルクスがいった「生産圏内のモノに限定した モノ＝記号論」を否定し、視野を拡大して社会の全現象にモノ＝記号という記号 論を当て嵌めたことにある。

　それは、あたかも、生涯教育（学習）論の思想が、新たな学習社会論を登場さ せ、「学校」という存在を唯一無二の教育組織であると信じる者をその迷妄から 開放し、初源的な教育の形態に戻した姿を仮想させ、そこから制度的枠組を構想 しようと試みたことと類似している。

　さらに敷衍して言うならば、手渡す教育という贅沢なシステムも、産業構造の 激変によってそれ自体はすでに固有の輪郭を失っており、実質的には擬制として の学校の一部として、あるいは社会構造の一部に姿を変え、包含されたことを示 唆している。

　危険を承知の上で言えば、ボードリヤールの理論を解明するためには、生涯教 育論や手渡すシステムの変容をも包み込むさらなる「枠」を想定することによっ て、従来の生産・消費の理論や社会の理論をその一部として再編成する試みが求 められている。

　『消費社会の神話と構造』の訳者の 2 人は、1979 年の初版の「訳者あとがき」 において、ボードリヤールの消費の理論の性格を的確に叙述している。

　「おそらく G. バタイユの「呪われた部分」における消費の理論」、「消費概念の 変換を提案し、独自の＜普遍経済学＞を提唱したこと」、「G. バタイユによれば 消費とは根本的に消費ないしは奢侈である」、「G. バタイユはポトラッチ型のあ らゆる非生産的な消費を人間社会の根本動因とみるわけである。」等の訳者によ る言葉をその「あとがき」から拾い、つなぎ合わせてみれば、前節で触れた「ポ トラッチ型消費」という概念には、初源的な教育やフォーク・アートの「無欲」 にも通ずるある種の「曖昧さ」の魅力があることがわかる。

4．手渡す贅沢な教育のシステム

　「教育」を考え進めることの困難は、目的に達するための直進性に従っている間 は気付くことができず、それへの絶望、挫折、袋小路に入ったときの困惑のさ中 にあって、それを如何に超えるかという課題に直面したときにはじめて感じられ

るものである。そのためには、柔軟な思考と行動を育てておかなくてはならない。

　手渡す教育の方法は、手の届かない贅沢なシステムであるとの慨嘆、あるいは、所詮は蟷螂の斧の如きものとの諦めは、「擬制としての学校」という捉え方、つまり擬制という認識を持てなかったことによる。

　それらの思考を更新する手掛かりは、ここで検討してきたボードリヤールのように、教育という現象を記号的な価値の世界として再解釈することにある。そのことによって「手渡す贅沢な教育のシステム」は、超人のもつ道具の如き粘着力のある方法（論）として、「手でものをつくる」プロセスが豊かに抱え持つ生産の意味や消費の意味を理解する優れた教育媒体となり得るのである。

　本稿において「手でものをつくる」という教育媒体論を押し進めるためには、「擬制としての学校」への認識が不可欠だとしたのは、単なる「陶冶論」としての「ものづくり」を超える視点を示すためであった。そのために、ボードリヤールの『消費社会の神話と構造』という、原著発行年から数えると50年も前の思想書に再度、照射し言及したのである。

　それにしても、「モラリストたち」が社会の型の問題を「メンタリティーの問題に還元させるために」、「いかに困難であるかを嘆くこと」で問題の解決を済ませているとしたのは、ボードリヤールの卓見である。このような見方を乗り超えるためには、象徴的に言えば、スロイドに関連して想起される「手渡す贅沢な教育のシステム」に内包されてきた社会や歴史の捉え方とともに、その教育的媒体論という思想を「擬制としての教育」という現象＝記号的営為のなかに分散させ埋め込むという対応を考えなければならない。[4]

　産業構造の激変が生む諸影響は、学校という価値の生産と再生産装置へと連動しているが、フォーク・アートの概念・性格を教育媒体に転送するためには、ボードリヤールの消費社会論と同様に、記号として教育現象を読み解き、「擬制としての学校」を捉える視点が必要となる。

　そして、「手渡す贅沢な教育のシステム」としてイメージされる「工芸による教育」が、蟷螂の斧に転落しないためには、柔軟にして変幻に満ちたその概念の広がりを認識し、次に、具体的な「手でものをつくる」プロセスを媒体論として導き出す必要があるだろう。

50年も前の『消費社会の神話と構造』を再読し、ここに論じたのは、筆者が掲げる「擬制としての学校」、「手渡す贅沢な教育のシステム」、「教育媒体論」などのコンセプトを伝える手段として、現代社会を読み解くこの著作の接近方法を学ぶことが今も有効であると考えているからなのだが、教育という現象の多様化が進む現在の状況に棹さしての判断でもある。

　美術・工芸教育の理論研究には、イームズ夫妻の映像作品である《パワーズ・オブ・テン》（Powers of Ten, 1977）のように過去・現在・未来を一瞬にして駆け抜け、行きつ戻りつする思考の運動が必要である。そうした思考を追い求め、〈教育とは何か〉を、そして、〈工芸による教育とは何か〉を問い続ける研究のみが色褪せることなく、この先も訴求力を持ちうるであろう。

註

1)　J.P. メイヤーは、ドイツ生まれの著作者兼編集者で、トクヴィル（Alexis Tocqueville, 1805–1859）の研究者として有名。
2)　『消費社会の神話と構造』だけでなく、ボードリヤールの著作である『生産の鏡』（共訳者：宇波彰、法政大学出版局　1981）、『象徴交換と死』（共訳者：塚原史、筑摩書房　1982）、『記号の経済学批判』（共訳者：宇波彰・桜井哲夫、法政大学出版局　1982）を翻訳出版した。ルイ・アルチュセール（Louis Pierre Althusser, 1918–1990）の研究者としてもその名を知られている。フランス現代思想および社会思想史が研究領域であり、精力的に執筆と翻訳を行った。
3)　フランス現代思想および表象文化論の研究者であり、日本におけるボードリヤールの思想浸透に貢献。
4)　本稿における「手渡す贅沢なシステム」を工藝概念と関連させ包括的に論じたものとして、筆者自身の次の論文がある。本稿はその中から、特にボードリヤールの思想と擬制としての学校論に焦点を当てて、再考したものである。
宮脇　理「工藝概念の検討―教育媒体としての可能性」、「芸術研究報」（筑波大学芸術学芸系編）　No.13, pp.3–27, 1992
宮脇　理「教育媒体としての工芸―地域・制度・隠喩媒体」、「美術・工芸教育学」（佐賀大学教育学部美術・工芸科発行）No.2, pp.1–10, 1995

宮脇　理（みやわき　おさむ）
・1929（昭和4）年　東京都生まれ
・Independent Scholar ／元・筑波大学大学院教授
・博士（芸術学・筑波大学、1992年）
・宮脇　理『工藝による教育の研究　―感性的教育媒体の可能性―』建帛社、1993
・ハーバート・リード著、宮脇　理・岩崎　清・直江俊雄訳『芸術による教育』フィルムアート社、2001

・エルンスト・レットガー著、宮脇 理・武藤重典訳『木による造形 造形的手段による遊び』造形社、1973
　他著書多数
・受賞／瑞宝中綬章（叙勲伝達式／ 2016 年 11 月 10 日）

デザインの行方

伊　藤　文　彦

「人間は、人間本来の姿を変えたくないから、新たなモノや環境を創り出している。」[1]

逆説的にも聞こえるこの言葉は、文明を生み出した人間への警句であり、人間の尊厳を守るためにデザインという活動を続けていかねばならないという使命を感じずにはいられない。かつてない速度で変貌していく環境の中で、デザインは何を、いかに生み出しながら、どこへと向かうのだろうか……。

1. アップデートされるデザイン　〜価値観の問い直し〜

芸術分野を起点として発生してきたデザインという言葉は、現在では多くの他の専門分野においてもその使用は日常化してきた。このことで、本来のデザインの専門性は失われ、やがてはその役割を見失い、デザインすることの意味さえ曖昧になるような不安を感じている声も少なくない。

ところが、こうした状況は、デザインという言葉の意味する役割を再検討し、これまでの生活や社会のありかたについて、より多くの他領域の専門性との連携による地球規模での「問い直し」が始まっていることを意味するのである。元々は芸術から分化し発生したデザインではあるが、今やその狭い領域から解き放たれて、多くの異なった専門家たちや一般の人々とともに、今後求められる未来におけるデザインの意味を再定義する段階を迎えているのである。

デザインの対象は、モノからコトへ、さらにはコミュニティや社会へと拡張されてきていると言われる。このことは、様々なメディアを通じて、それらの対象

に「デザイン」という言葉が組み込まれ始めた今日の様相と呼応している。デザイン対象領域の拡張が意味することは、モノをデザインする段階が終わり、次の段階へとその活動を移行しているわけではない。デザインは、常に人間や社会が求める次の段階の対象に目を向け、それ以前の段階を内包しながら拡張していくのである。そして拡張された段階におけるデザインは、それ以前の段階の功罪を「省察」し、それまでの段階をフィードバック的にアップデートする役割を持つことになる。すなわちコトのデザインの発生は、物理的な要素に比重が置かれたモノのデザインに対し体験的な要素などを加味し、コミュニティ・社会のしくみのデザインへの拡張は、コトのデザインに共同意識などを加味するといった連鎖的な拡張が行われていくのである。

　こうしたデザインの変化する様相は、人間にとって真に必要なモノやコトやコミュニティ・社会のしくみとは何かを問い直すための「デザインの不断のアップデート」に他ならないのである。

　デザインの対象領域が拡張されることは、人間がデザインに期待するものの変化とも呼応し、そのあり方も様々な様相を呈してきた。

　近代の産業社会において機械による大量生産方式が生み出され、モノづくりの分業化とともに、職能としてのデザイナーが誕生した。多くの大衆は、モノを購入してつかう側になった。経済的に成長した消費社会においては、モノをもつことで生活の利便性を高め、生活する上での幸福感を追求していくこととなった。さらにより成熟した消費社会においては、次第にモノそのものの使用価値から個性を表現したり、他人との差異化を図ったりという価値観が標準となった。そして、実体そのものではなく実体が表す記号を消費し、実体とは遊離した欲望を享受する風潮へと転移していくことになった。さらに近年になると、モノそのものから遊離していった価値観は、さらに積極的にコト（体験）を消費することで得られる興味や関心へと加速度的にその眼差しを移していくことになった。

　人々がモノから離れ、コト（体験）に求めた興味や関心とはなんだったのであろうか。

　今日の若い世代がモノを購入しなくなった傾向を、単純に「モノ離れ」と称す

るだけではその本質を見失ってしまう。プロダクトデザイナーの深澤直人は「ものを選ぶということが、機能とかデザインとか値段といった『新しい製品』の定義だけからではなく、今までにずっと存在してきたもののすべてのものから選ぶという姿勢に変わったのである。古いとか新しいとかではなく、あるいは新品とか中古とかいうことでもなく、業務用とか一般消費者向けということでもない、存在するすべてのものから生活に合ったものを吟味して手に入れる時代がきたのである。」[2]と指摘した。このことがまさに、モノからコトへの拡張がもたらしたモノのデザインへの「省察」に他ならない。コトのデザインへの興味・関心は、それ以前の段階であったモノのデザインの本来あるべき姿の振り返りを含みながらアップデートされていくのである。

　さらに深澤はそうした事態を、「社会主義的ものづくりの現象とまでは言わないが、『自分のもの』としてのこだわりと、『みんなと同じもの』でいいという『共有所有的価値概念』の両立がはっきりとしてきている。」[3]とも予見した。

　これは、現代の若い世代の消費意識を看破した先見性のある指摘であったが、そのことはまた、これまでデザインの問題を考える上での基本的スタンスでさえあった「専有」や「独創性」というものが、「共有」や「共創性」といった新たな価値観へと移行しつつあるメッセージに他ならない。

　モノとの関わり方が変容してくる背景には、モノの選択肢が多ければ多いほど、モノによって他者との差異を生み出したり、逆に共感を生み出したりすることが容易ではなくなってしまったことがあげられる。そのため、若者たちはモノではなく、他者とのつながりの中で得られる体験の満足感を優先していくことになった。そしてさらに、モノを所有することでの不自由さにも気づき始め、レンタルやサブスクリプションによって自分を物理的に制約しているものから解放し、他者との自由な「つながり」（ソーシャルキャピタル）をもつという新たな豊かさ（ウェルビーイング）の価値へと若い世代の意識が大きく舵を切り始めたのである。

2.　デザインの新たな射程　〜共創と感動〜
　現代の若い世代が、膨大なイベントやサービスなどのコト消費を自在に享受し

ていく様相もまた、ある種の疲弊感を迎えている場面も少なくない。というのも、コト（体験）は個人が専有することだけでは、幸福感を自覚することが難しいといった性質をもっているからである。かつてのモノを占有することは、そこに客観的な対象として自らの満足感を投影したり、あるいはそれを他者に見せることで自慢したりすることが容易であった。一方、コト（体験）の満足感について自分ひとりだけでその価値を意識化することは、経験の数が増えれば増えるほどそれほど容易なことではなくなってくる。そのため、仲間と共有・共感することで、その価値や幸福感を確実に自らが意識化できることへと関心が向けられることになる。

　さらに次の段階としては、共感を享受するためには、コミュニティへの帰属意識も重要な要素となる。そのためには、自分よりも他者を尊重するような「利他的行動」への関心も高まって、やがては社会問題解決や社会のしくみを再考する段階へと、人々の興味・関心もデザイナーの役割も拡張し続けているのが、今日の様相といえよう。

　こうした意識の変化は、他者との「つながり」が重要な軸となり、デジタルネットワークの一般化に伴って、「共有」や「共創性」への意識の高まりは顕著なものとなった。サービスビジネスの分野を中心に、従来にはなかった「しくみ」が生み出され、デザインの対象領域がコミュニティから社会のしくみにまで拡張しつつある現実が、すでにわれわれの生活を変え始めている。

　1980年にA.トフラーが『第三の波』[4]で提唱した生産と消費の関係が融合するプロシューマー（生産＝消費者）的活動は、生産と消費の相互乗り入れやその循環という形で日常的なものとなってきた。

　ほんの一例であるが、フリマアプリサービス「メルカリ」、民泊ビジネス「Airbnb（エアビーアンドビー）」、配車サービス「Uber（ウーバー）・Uber Eats（ウーバーイーツ）」などのサービスは、長年にわたって分離されてきた生産（者）─消費（者）のしくみの再編成が行われたものである。こうしたプロシューマー的サービスのしくみは、一般の生活者（アマチュアとしてのユーザー）の社会参加意識を高め、「共創」による社会のしくみをデザインする活動が浮上している現実と見ることができる。

また、こうしたデザインの対象領域がコミュニティや社会のしくみへと拡張する様態は、日本で唯一の総合的デザイン評価として 1957 年に創設された「グッドデザイン賞」5) の大賞受賞の変遷からも、同様な傾向を見ることができる。2012 年度大賞の「テレビ番組［デザイン あ］」は、未来を担う子どもたちに、より良い社会を作るために「デザイン」が持っている役割に気づかせ、デザイン的な思考を育てることを目標に、現在もなおそのコンテンツは、様々なメディアを通じて発信し続けられている。2018 年度大賞の「おてらおやつくらぶ」は貧困問題を解決するために、お寺への“おそなえ”を“おさがり”として経済的に貧困な家庭へ“おすそわけ”するといった、「ある」と「なし」の関係の再編成が支援団体を通じて行われた活動であった。2019 年度大賞の「結核診断用検査キット」は、高度な設備や技能を問わない単純操作であっても、誰もが適正な結果を得られるデザインとして、プロとアマチュアの垣根を低くするものであった。いずれもが、従来のモノを中心としたデザイン賞の範疇からは大きく飛躍し、デザインそれ自体を再考し、しくみを再編成することで教育や社会の問題を解決することへとその多くの目が向けられている。

　以上のようにデザインの活動が、モノ→コト→コミュニティ→社会のしくみへとその対象領域を拡張させながら、その役割もアップデートされ続けてきたことを確認してきた。こうした状況において、職能としてのデザイナーはどう位置づけられ、その存在自体の立場や意義についても、あらためて振り返る時期を迎えている。私たちの生活のあり方や幸福感が、モノのデザインからコトのデザイン、コミュニティや社会のしくみのデザインへと移行する中で、デザイナーはどのような役割を果たしていけば良いのであろうか？

　須永剛司は、これまでのデザイナーは分業化によって、一般大衆から離れた客観的な立場からモノをデザインしてきたが、現在その形態にひび割れが起こっていると指摘した。そしてその理由を、「デザインの問題とその解が、プロダクトのような客体から、サービスやコミュニティのような私たちをその内側に包含するものへと変容したことにある。つまり、デザインの対象から『私たちの存在』

を分離できなくなり、『私たち自身のあり方』がデザインの対象になるという新たなデザインの様態が生まれているのだ。」[6]と述べた。コミュニティや社会のかたちづくりまでその対象領域が拡張した今、デザイナーは、自らも内包されるものをデザインする立場になったことに目を向けなければならないということである。

それは、デザイナー自身もまた「共創」のシステムの中に組み込まれることを意味する。デザイナーは、一般の人々の希望や夢を「共創」する協力者（媒介者）としての立ち位置となり、その活動を動かす触媒的な役割を担っていく使命を与えられることになる。そしてさらに「共創」においては、デザイナー自身が動くこと以上に、一般の人々を動かすことが重要なものになってくることにも注目しなければならない。

人の心を動かすデザインのあり方は「感動」がその鍵を握っていると指摘したのは松岡由幸である。初めて知る「驚き」と常識として納得できる「共感」といった、ある意味二律背反する関係のわずかな共通部分に、人の心が動く「感動」がある。これからのデザインは、そこをいかに見つけ出し、具現化していくかがポイントとなることを彼は述べた。[7]

「感動」とは、誰もが日常的な様々な場面で感じながらも、その心的なプロセスを明確に顕在化することは容易ではない。「驚き」と「共感」の相互作用から生み出される「感動」のプロセスとはどのようなものであろうか。M. ミンスキーが示した"ユーモア理解のプロセス"[8]と対照させることによっても、その端緒をつかむことができる。

人はまず、初めて遭遇した場面に対し、"それは、おそらくこういうもので、こうなるだろう"といった"暗黙のシナリオ"を描く。そしてその結果が予想通りであれば納得する。ところがそれが突然、予想とは違った状況に急転した場合に、人は「驚き」を感じることになる。さらに、その予想と不一致を起こした原因が、以前からもっていた常識に照らして解消できた段階で「笑い」が起こる。いわば、認識のズレとその解消によってユーモアを理解することになるというわけである。ここに示されたプロセスの中の、「笑い」の段階を「共感」に置き換えてみることは十分可能であろう。そして最終的な結果として、そのプロセスか

らより深い意味や価値を汲み取ることが出来た場合に、人は新たな洞察や「感動」に至るプロセスを経験できると言えるのではなかろうか。

このように考えてみると、「驚き・共感・感動」のしくみは、「笑い」と同じくらい人間が日常的に抱く心的な作用であり、モノやコトやコミュニティや社会との人間的で豊かな関わり合いにおいて、欠くことのできないプロセスといえるだろう。

デザイナーは人々がもつ「あたりまえの」意識や感情の中に、「思いもよらなかった」アプローチを加え「共創的な感動」を生み出していくことを、求められるのかもしれない。

3. これからのデザイン思考とデザインのチカラ

ここ 10 年以上前から「デザイン思考」という言葉を流行語のように様々な場面で耳にしてきた。冒頭から述べているように、このこと自体が、デザイン領域の拡張化傾向と相関的な関係にあるが、その言葉の表す本来のプロセスとこれから重要視すべき観点を見極めていく必要があるだろう。

スタンフォード大学の d.school [9] が 2005 年に提唱した「デザイン思考」すなわち、「共感―問題定義―創造―プロトタイプ―テスト」の 5 段階モデルは、様々な場面で活用されるようになってきた。中でも「共感」のプロセスに特に注目が集まったのは、従来のマーケティングのあり方が、生活者目線から逸脱していたことへの反省からであった。その結果、最初の問題発見から解決へのプロセスに、様々な方法を駆使した生活者目線への転換を組み込ませることになった事例が数多く見られるようになった。そこではまた「どう解決するか」から「何を解決すべきか」へと目標の問い直しも行われることが多くなってきた。

元来、デザイン思考とは、類推思考の多用、アイデアの発散と収斂の繰り返しといった方略がその根幹にあり、「問題発見」と「問題解決」双方のプロセスを往還するフィードバック型の思考プロセスといえよう。今日様々な分野で脚光を浴びているデザイン思考は、その前提として、現状の社会的、経済的課題などに向き合うものである。したがって、おのずから問題解決としてのデザイン思考に比重が置かれることになる。そこでは、生活者を巻き込みながら、様々な関連分

野の知恵を結集し、ありとあらゆるビッグデータの収集と分析を通じて、その問題解決への道筋を見出そうとする努力が積み重ねられてきている。

さて、こうしたプロセスにおける、特に芸術から発生したデザイナーの役割とは何なのであろうか？

それがもし、プロセスの中で、問題定義された内容やプロットタイプを視覚化したり、触知可能な媒体にしたりするだけの役割であったとしたら、ある部分で大変重宝なツールとして扱われるかもしれないが、デザイナーとしての本質を見失ったものになってしまうことが懸念される。デザイナーが企画の全般に参画することはもちろん奨励されることであるが、そこで求められる役割が結果を可視化し伝えるだけの役になってしまっていてはならない。そうではなく、むしろ問題解決に先立つ問題提起・発見のきっかけになりうるような「アイデアやビジョンを提案できる力」を期待したいのである。

これと同様な視点から、各務太郎は、問題解決型のデザイン思考の先を行くものとして 1936 年に設立されたハーバード・デザインスクールのメソッドを紹介した。そこでは、コンテクストの異なった対象を別の何かに「見立てる力」の重要性を掲げ、さらに「『個人の見立てる力』と『未来からの逆算力』。未来を現在の延長と捉えるのではなく、まず自分が個人的にどういう未来にしたいのか、という願望を研ぎ澄ましていくこと。……（中略）未来から逆算した時、現在、この世界に何が必要になるか。それがデザインすべき答えであるということ。」[10]といった姿勢をデザイナーに求めた。そこでは、異なった分野の横断的な連携が重要であるとしながらも、多くの場合、たった一人の個人の見立てる力が、先見性に富んだアイデアを生み出す創造性へとつながることも指摘された。

同様な思想をデザインに求める動きは、ロンドンのロイヤル・カレッジ・オブ・アート出身の A. ダンと F. レイビーの「スペキュラティブ・デザイン=speculative design」にもあった。彼らの著書の冒頭には「多くの人は『デザイン』と聞くと『問題解決』のことだと思うだろう。ところが他の可能性もある。ひとつは、デザインは『物事はこうなっていたかもしれない』と思索するための手段にもなり得ることだ。」[11] そこでは、スペキュラティブという言葉に"思索的な"という意味を込め、「人間と現実との関係性を定義し直す仲介役」をデザイナー

に求め、サイエンスフィクションならぬデザインフィクションを構築することがその目標にあることを示した。デザイナーの役割とは、「望ましい未来」のシナリオを提示することであり、未来に対して、これまでのデータから推測するのではなく、「どうあるべきか」を提示すべきことが重要であることが示された。

　こうした問題提起・発見型のデザインの重要性は、デザイナーはチームによる企画プロジェクトなどにおいて、視覚的な取りまとめや伝達役を担うことよりも大きな役割を見いだすことができる。それは、「ビジョンを視覚化する」ことではなかろうか。「共創」のプロセスにおいて、まずは仮説的なビジョンを共有し、それらを批判的に検討したり、論理的に検証したりするプロセスを経て、ビジョンはより現実的なものに醸成していくのである。これについても前出の須永は「やって・みて・わかる」[12]といったデザイナー特有の思考過程の重要性を示している。これは、「わかったことをやる」のではなく、「やったことでわかってくる」といった芸術デザインの展開プロセスを意味し、それは、わかったことを説明するために"絵"を描くのではなく、「創造のきっかけとなるビジョンを"絵"にする」ということなのである。

　これまでの考察を踏まえながら、私はこれからのデザイナーに求められるチカラとして次の3つの力を措定できると考える。
1. アブダクション（abduction）＝仮説力
2. シミュレーション（simulation）＝模擬力
3. カルティベーション（cultivation）＝涵養力

　アブダクションとは、思考を始める起点となる当て推量などとも訳され、いわゆる仮説形成力ということになる。個人個人が現実を別の何かに「見立てる」能力を使いながら、新たな現実の可能性を提起する。そこで提起された可能性に対し、同時に多くの他者の視点を柔軟に取り入れて共創的な創造行為を繰り返す。すなわち、望むべく「未来のビジョン」を描くプロセスの起点を生み出すチカラである。これこそは、ＡＩの導入が進んだ社会においてもそれらに代替されない真に人間的な行為として位置付けられ、デザイナーが発揮すべきクリエイティビ

ティの根幹に位置付けられるものと考える。

　シミュレーションは、現実の代替行為として安全かつ効率的に予測をする上で必要な模擬行為である。先述した5段階のデザイン思考においては、「創造」の段階で素早い仮説検証をする場合にも、また具体性の高まった「試作」や「評価」の段階でも求められる力である。コンピュータによるシミュレーションは今後も飛躍的にその精度を高めていくことが予想される。一方で、ロールプレイングなどの「なりきる」力を元にした模擬力などは、他者理解を深めたり、問題の所在を見極めたりする場面で必要となるきわめて人間的な方法である。これらは、「共感」、「問題定義」の段階にも生かされよう。共創的なビジネスにおいても教育においても「みんなで確かめ合う」この力を高めていく必要があるだろう。

　カルティベーションは、水が土にじわじわとしみこむように、自然にじっくりと何かを養い育てるという意味がある。つまり、急激な変化を求めるのではなく、ゆっくりと無理せずに、自然に養われるように仕向けるという概念である。これからのデザイナーは一方で瞬発的な力を発揮しながらも、一方で10年、20年先を見越した人間の未来に対し、より希望のある思索に富んだビジョンを同じ社会の構成員とともに築き上げていく力が求められるのではなかろうか。

4. 「新しい生活様式」とデザイン

　2020年の今、世界中が経験したコロナ禍は、今後の社会に大きな意識変革をもたらすであろう。私たちには、これまでの生活や仕事のあり方を見つめ直し、リセットやアップデートが必要なものが何かについて、考えるタイミングがやってきたのである。

　建築家の隈研吾は、「アフターコロナの鍵は、"箱"からの脱出だと思いますね。……（中略）なぜかというと、14世紀にペストの流行を経験して、不潔な場所から逃れるために、箱と大通りの都市をつくるようになったからです。……（中略）しかし、実は箱の中に閉じ込められるのが一番危険だった……」と語った。[13]

　デザイン評論家の柏木博は、1912年にアメリカで使い捨ての紙コップがデザインされたのは、コップを共有することで結核が感染する可能性が認識されたためだったと述懐した。そして、「自らの身体から環境にいたるまでを、いかに清

潔に保つかという価値観を中心に据えてきた。歯や顔や身体を洗い、爪を切り、下着や上着を洗濯し、部屋を掃除し家を清潔にし、庭、そして環境全体を清潔に保つ。」[14] ことが教育され、それをより効率的に実現するためのモノ（道具や機械や設備）をデザインしてきた。近代デザインは「新しい生活様式」を構想しようとするプロジェクトとしてあったのだと歴史を振り返った。

　「新しい生活様式」への提案は、すでに、近年のデザイン企画案の中にも、コロナ以後を予測していたかのような秀逸な事例が見られる。デザイナー原研哉が主宰した「HOUSE VISION」において、プロダクトデザイナーの柴田文江は「冷蔵庫が外から開く家」（2016）[15] といった新たな生活ビジョンを提案した。「毎日の食材や、クリーニング、常備薬の補充など、暮らしを支えるサービスが、安全で確実に物流のドアからやってくるイメージです。」とそのシステムを柴田は解説した。冷蔵庫というモノが住宅の設備へと変わり、宅配業者によって室外から庫内に届けられるシステムは、「モノ―住宅―物流システム」の見事な再編成によって「新しい生活様式」を先取りしたビジョンであった。

　一方、デジタルネットワークは、いち早く「一人一人が正しい判断をして、直接会えなくてもお互いに支え合える生活のあり方」をユーザーに提案することになった。例えば、外出することなく必要なものを受け取れるサービス。自宅の中においても充実した時間が送れるサービス。インフォデミック（ネット上での噂やデマなどの大量の情報が氾濫する状態）を防止し正しい情報を共有できるサービスなどは、「新しい生活様式」との適合性が高いサービスとしてこれまで以上に定着、発展していく可能性があるだろう。

　長い歴史を振り返っても「新しい生活様式」への転換は、ペストや結核の感染がそのきっかけとなったように、甚大な災害や疫病の蔓延など外的環境の急変が私たちの意識を大きく変化させてきた。

　これからのモノやサービスやコミュニティや社会のしくみにおいても、地球規模での新型コロナウイルス感染症の影響は、従来のイメージをはるかに超えて「衛生」や「健康」へのこだわりが増すであろうし、それに関する情報サービスはより広範囲に精度も高めていくことになるであろう。そして、コロナ禍以後の社会においてもっとも変容がもたらされるのが「人と人とのつながりとは何か」に対

する意識ではなかろうか。今後は、それらに向けて、これまでのすべてを省察した上での思索的なデザインが求められて来るはずである。

　本論考ではデザイン領域の拡張化傾向とデザインの行方について考察を進めてきたが、さらに未来のデザイン領域についてはどのような展開が予想されるのであろうか。コミュニティや社会のしくみを「省察」するための次の段階は、リアルな時空間までも超越した、「心と心の関係の中に生まれる新たな社会」のようなものなのであろうか……。そうした未来の望ましいあり方についてはまだまだ簡単には答えが見つからないが、デザインが人間本来の姿を失わないためのものであるとするなら、人間として生きるための普遍性こそが、それらを解く鍵であって欲しいと願わざるを得ないのである。

引用・参考文献 等
1)　出原栄一 "日米ジョイントシンポジウム：大阪芸術大学 1984 年" 講演より
2)3) 深澤直人「ふつうのもの、みんなのもの」『ふつう』所収　D&DEPARTMENT PROJECT、2020 年、pp.194-195
4)　A. トフラー『第三の波』日本放送出版協会、1980 年、pp.381-413
5)　グッドデザイン賞、公益財団法人日本デザイン振興会　https://www.g-mark.org/award/
6)　須永剛司『デザインの知恵』2020 年、p.188
7)　松岡由幸『モノづくり×モノづかいのデザインサイエンス』近代科学社、2017 年、p.10
8)　K.S. ウィルソン『ユーモア理解の過程』理想 No.617 理想社、1984 年、p.213
9)　スタンフォード大学、d.school　https://dschool.stanford.edu
10) 各務太郎『デザイン思考の先を行くもの』株式会社クロスメディア・パブリッシング、2018 年、p.99
11) A. ダン & F. レイビー『スペキュラティヴ・デザイン』ビー・エヌ・エヌ新社、2015 年
12) 前掲書、p.246
13)「隈研吾・西澤明洋が語るアフターコロナの建築とデザイン」建築倉庫ミュージアムによるライブ配信リポート　2020 年　https://www.homes.co.jp/cont/press/rent/rent_00810/
14) 柏木博「近代デザイン＝近代はいかに問題化されたか」嶋田厚　編『現代デザインを学ぶ人のために』所収　世界思想社、1996 年、pp.58-59
15) ヤマトホールディングス＋柴田文江　［冷蔵庫が外から開く家］ HOUSE VISION 2／2016 東京展、2016 年

伊藤 文彦（いとう ふみひこ）
・1958（昭和33）年 静岡県生まれ
・静岡大学教授
・修士（学術・筑波大学、1986年）
・伊藤 文彦「シミュレーション時代のデザイン教育」宮脇 理編『現代美術教育論』所収　建帛社、1985
・伊藤 文彦「デザインと情報ゲーム」　宮脇 理編『デザイン教育ダイナミズム』所収　建帛社、1993
・伊藤 文彦「ヴァーチャル、ネットワーク、表現」　宮脇 理編『緑色の太陽』所収　国土社、2000
・伊藤 文彦「デザイン知の射程」　宮脇 理監修　佐藤 昌彦　山木 朝彦　伊藤 文彦　直江 俊雄編『アートエデュケーション思考』所収　学術研究出版 / ブックウェイ、2016　他

習俗と「祈り」のアート＆デザイン
―ポスト3.11、COVID-19 に向き合って―

渡 邊 晃 一

「現代日本を美として捉える必要はない。日本美とか、既成の美術品は単なる参考品でしかない。それよりもこの世紀において、悲劇的であり、だが誠実である民族の生気にあふれ、こういう条件のもとに生きぬこうとするその気配から、新しい人間の生命力、その可能性を見とる。そこから新しい文化、芸術の問題がはじまるのだ。」[1] 岡本太郎

1．東日本大震災とオリンピック

　2011 年 3 月 11 日、国内観測史上最大規模の地震動と大津波が発生した。東日本大震災は、自然災害に加えて、東京電力・福島第一原子力発電所事故による甚大な被害をもたらした。広範囲な自然に放射性物質が飛散し、汚染水が海へと流された。大規模な帰宅困難地域では、先祖が培い、伝承されてきた文化が途絶えつつある。福島では風評被害が今も続いている。

　10 年を迎える今、世界中の人々は COVID-19 感染による見えない風に脅え、外出時は常にマスクを着用している。混乱の最中、直前まで「復興の火」とした聖火リレーの出発式が福島で計画されていた。[2] 街に掲揚された「東京オリンピック」の旗を見ながら私は 2011 年当時の記憶が蘇ってきた。

　震災直後、福島中に「がんばろう！日本」という標語の旗が掲げられ、避難所は同語を印刷した段ボールに覆われていた。【図1】

【図1】 福島市のあづま総合運動公園体育館の避難所。背景には、子どもたちと描いた「鯉のぼり」が掲げられた。

支援物資を運ぶ中で私は、子どもたちと一緒に「鯉のぼり」で空間を彩りたい思いが募った。端午の節供までの 55 日間、「鯉のぼり」を描き、福島の子どもたちに声援を送ろう。[3] 鯉は里の魚、里は「田（農地）」の神を「土（杜）」で祭る意味がある。震災後の活動を通して、福島の習俗に向き合いながら、柳宗悦の「民藝」と岡本太郎の「民俗学」が展開された時代にも想いを馳せた。

２．民藝運動 と「新しい芸術」

関東大震災の２年後の 1925 年に民衆的工芸を略した「民藝」という語は誕生した。世界はスペイン風邪が流行し、後の世界恐慌とともに、第二次世界大戦へと突き進んでいった時代である。

19 世紀末から 20 世紀初頭は、万国博覧会[4]や植民地博覧会が盛んに開催され、パリ万博（1867 年）を起点に披露された日本の庭園や建築、書画、工芸などとともに、江戸時代、陶磁器や漆器の包装紙としてオランダへ渡った浮世絵はヨーロッパで評判となり、「ジャポニスム」[5]のブームが引き起こされていた。

1880 年イギリスでは、ロンドン万博に出展された産業革命による大量生産の機械製品に対する痛烈な批判とともに、急激な近代化への反発から、中世ギルド的な手工芸装飾の復権を目指す「アーツ＆クラフツ運動」が誕生する。

アート（純粋美術）とデザイン（応用美術）の垣根を払う観念は「新しい芸術（アール・ヌーボー）」[6]とともに世界中の美術動向にも影響を与えていった。[7]

柳宗悦が「手仕事の美しさ」から日用品に美（用の美）を見出した「民藝運動」は、このような世界的な潮流やイギリスの「アーツ＆クラフツ運動」とも類縁性が語られてきた。しかし柳自身は、「民藝」は他国の「ジャポニスム」のような模倣ではなく、日本の「民族の独自性」を目指したものだと説いている。

３．縄文土器と太陽の塔

「縄文文化は、日本民族の始原を逞しく芸術的に彩っている。」[1] p179

東日本大震災の最中、東京国立近代美術館では「生誕 100 年岡本太郎展」が開催されていた。

岡本太郎の代表作に、大阪万博のシンボルとなった《太陽の塔》（1970 年）

がある。主催者側は、塔内に「人類の進歩と調和」というテーマに基づき、偉人（科学者）の資料を並べる予定であった。しかし岡本は「世界を支えているのは、無名の人たち」と説き、世界中の民族資料を並べた。パリの人類学博物館の収蔵品が、パリ万博の際、世界中から集められたように、大阪万博のコレクションは現在、国立民族学博物館の礎を築いている。

　岡本太郎は1930年から1940年、第二次世界大戦が激化する前の時期をパリで過ごしている。このころ始動したシュルレアリスム運動と接触し、1938年の「国際シュルレアリスム・パリ展」では、日本人として唯一人参加した。

　しかしながら岡本は同年、パリ大学でマルセル・モースの民族誌学の講義にのめりこみ、人類学博物館に足繁く通うようになる。モースは、近代化（欧米化）から民族文化の優劣を論ずるのではなく、一つの文化体系として「原始的な民族」と「本源的生命体」を重視した民族学者、宗教社会学者である。

　モースから得た視座は生涯、岡本の思想の根幹を成していた。

　岡本は日本人の原始美術と民俗学的視点から多くの論をまとめている。中でも東北や沖縄の「風土」に傾倒し『日本再発見—芸術風土記』『沖縄文化論—忘れられた日本』『神秘日本』の日本紀行三部作と『日本列島文化論』を執筆した。

　青森県の古牧温泉には、岡本太郎記念公園が設立され、東北の墓所として多磨霊園から分骨されている。古牧温泉を拠点に奥入瀬や十和田湖などの観光事業を展開した杉本行雄と意気投合した岡本は、37年間青森に通い続けた。

　杉本は、衣・食・住・信仰・山樵・農・漁の膨大な郷土民具を収集し、小川原湖民俗博物館を建設した人物である。[8] 杉本が秘書をした澁澤敬三は、柳田國男と出会い、民俗学に傾倒したことでも知られている。

4．東北の風と土

　「土の匂い、それを土台にして、かつては日本全土をおおっていた美意識が、この東北地方の人達のセンスにはまだ生きつづけている。」[1] p194

（1）東北の「民族学」と「民俗学」

　「日本人とは何か」と問いかけ、日本各地を調査旅行し、その源泉を東北に見出した岡本太郎の活動は、日本民俗学の第一人者、柳田國男の足跡とも重なる。

柳田國男は 1910 年、岩手県遠野に伝わる逸話、伝承などを記した説話集『遠野物語』を著した 10 年後、二ヶ月かけて東北を訪ね歩いた。その研究は、柳田民俗学の出発点となる。[9]

　なお岡本がモースから学んだのは「民族学（ethnology）」であり、柳田の専門は「民俗学（folklore）」である。「民族学」は諸民族の文化の特質を歴史的あるいは他文化と比較して研究する。「民俗学」は民間伝承の調査を通して一般庶民の生活・文化の歴史を探究する学問である。

（2）福島の「民藝」

　柳田國男が東北の民俗資料を採集したように、柳宗悦もまた東北の文化に傾倒し、「民衆的工藝品」を蒐集した。柳の『手仕事の日本』[10] には、福島の「民藝」について、会津塗や絵蝋燭（ともに漆の産物）、生漉紙、竹や藁、桐、大堀相馬焼や会津本郷焼などの土地出来の品について記載されている。

　ひび割れ、二重焼き、駒絵の特徴を有した大堀相馬焼は 1978 年、国の伝統的工芸品の指定を受けた。この頃は 25 軒の窯元があったが、東日本大震災後、原発近くに位置した地域住民は、避難を余儀なくされた。釉薬の原料、砥山石も採掘できなくなっている。

　震災復興祈念の幟旗「鯉アートのぼり」の活動は、福島に残る民藝の「絵幟」を典拠にしたものだった。[11]

　福島県では今も端午の節供に肉筆の「絵幟」が飾られており、伝統工芸品として受け継がれている。【図 2, 3】

　江戸時代、風雅な品を好む磐城平藩主、内藤義概公が“端午の節供には、どんどん幟を飾って町を華やかに飾るように”と御触れを出した。[12]

【図 2】福島の民家で飾られていた「絵幟」

【図 3】福島の震災復興祈念「鯉アートのぼり」

須賀川では白河藩主、松平定信公の御用絵師だった亜欧堂田善が、紙や布地に描いた「絵幟」が端午の節供に武家の庭先で風をはらませてなびいて人気を博した歴史が残されている。

　「絵幟」は、染物業などの職人、浮世絵師や専門の絵師たちに加えて、絵心のある農民も農閑期を利用して描いた。武士たちの武者絵、鍾馗などを描いた「絵幟」に対抗し、商人たちが美々しい「吹き流し」と一緒に飾った「絵幟」の「鯉の滝昇り」の画が「鯉 幟」の発祥とされている。[13] 鯉を墨で和紙や木綿に描いた「鯉の滝登り」を元に、江戸末期頃、吹き流しの「鯉のぼり」が生まれた。

（3）「絵幟」と節供

　晩春の青空にたなびく「鯉のぼり」は現在「こどもの日」の風習となっている。旧暦は今の6月、梅雨期にあたり、雨に逆らう「鯉の滝昇り」の姿が見られた。

　5月5日は避邪の行事が行われる「端午の節供」にあたる。陰陽五行思想では、奇数を陽日とみなし、陽日が重なる季節の変わり目の「節句」を供物で祝う「節供」の伝統行事が、日本の農耕（旬の植物から生命力をもらう）風習と合わさった。端午は午の刻の端（南）に一致する。「端午の節供」は「菖蒲の節供」とされ、「菖蒲」は「尚武（勝負）」と同じ読みであること、また菖蒲の葉が剣形を連想させることなどから、男児の立身出世を祈る行事となる。またこの日、武士の家庭では、虫干しをかねて先祖伝来の「旗指物（家紋を染め抜いた 幟 旗）」を飾る風習があり、それが後に鍾馗や金太郎を描いた「武者 幟」となった。

（4）地震と「鯉のぼり」

　「鯉のぼり」は、風水、陰陽五行説や節供の他にも、真鯉（黒鯉）と黒竜との関連から、地震とも結びつけられる。

　『古事記』雄略天皇条の少子部地昼には、稲妻（雷）が蛇の形をもって出現する。鹿島神宮の建御雷神（武甕槌大神）が要石で封じ込めたのは当初、黒竜であった。地下に横たわる竜が地震を起こすとされていた伝承は、江戸時代から「水神」の属性をもつ竜に代わりに、黒い口ヒゲを持った大鯰となる。

　安政の大地震の資料編纂を行った歌川国芳は、大鯰が地下で地震を発生させるとする民間信仰や大津絵に習い、災いから身を守る 鯰 絵の護符を描いた。

　国芳はまた巨大な黒鯉をつかみ、滝に逆らって立つ金太郎を描く。風水で東北

の鬼門、北の黒竜と対極に位置づけられる南の赤竜から生まれたとされる金太郎。竜が「地に潜った黒鯰」に対する地震封じの意味合いで「天に昇る黒鯉」と金太郎が描かれたとも推測される。[14]

　「鯉のぼり」はこのように民間伝承で、自然と付き合いながら生活を営んできた日本人の文化の証ともなっている。日本各地に残された風習、習俗は、自然災害に向き合った歴史が記されてきた。

５．民藝と藝術

　ここであらためて「鯉のぼり」と重ねながら、柳宗悦と柳田國男、岡本太郎の思想的な相違を捉えたい。その後、彼らに通底する日本文化に対する思想の芯を探っていきたい。

　柳宗悦と柳田國男が「民藝と民俗学の問題」をテーマに対談した記録がある。[15] 柳は民俗学と民藝に共通する話題を見つけようとするが、柳田は過去の歴史を正確にするのが民俗学であり、民藝運動が提起する「将来のことはわたくしどもの学問の範囲ではない」と繰り返す。

　「鯉のぼり」から例解すると、柳田國男は「鯉のぼり」が生まれた習俗的背景を、節供や絵幟、鯰と地震など、神々と交信してきた民間伝承から拾い出す。一方で柳宗悦は、和紙で漉かれ、木綿や絹で縫製されてきた「絵幟」の手仕事を敬愛し、その技術を後世へと引き継ぐべく未来に「用の美」を托してきた。

　岡本太郎と柳宗悦の見解の相違も伝えたい。それは、アートとデザインの立ち位置にあろう。問題提起をするアートに対し、デザインは問題解決（用）を必要とする。太郎は《坐ることを拒否する椅子》や《岡本太郎の鯉のぼり》制作したが、柳は「近代美術」のような特権的な個人の産物、天才や美術家のような概念を斥け、無名の工人がひたすら凡夫として日々繰り返す仕事を評価した。

　ここに岡本太郎が民藝について語った言葉も残されている。

　　「私はかつての民藝運動の功績を否定はしない。地方の工人達がまったく自覚せず、持ち伝えて来た豊かな自然を、曳下して捨て去っていく。それを待ちなさい、君たちにはこういうすばらしさがある、と自覚に高めて伸ばして行くという運動は、まさに正しい。悲劇はその指導者たちが、芸術家ではなく、"芸術主義者" ディレッタントだっ

たところにある。…（中略）作家、芸術家という幻影を抱きはじめ、自分の作っている
ものは価値あるものだと自負しはじめたとたんに、新鮮さがひっこんでしまい、民衆芸
術の素朴さを失って、彼らの指導者と同じように、エセ芸術家になってしまうのである。
民芸運動の全面的な失敗はそこにある。それはあらゆる土地で、純粋な民衆芸術を生か
したようで、実はほろぼしている。」[1] pp.157 ～ 158

6．文化と文明

　岡本太郎と柳宗悦の「美術」に関する意見は食い違っているかのように見られ
る。しかしながら二人の「藝術」は、豊かな日本の自然によって育まれた「文化」
に対する見解において、その根幹は共通しているのではないか。

　柳宗悦は「風土に育つ民情が、器の美をさらに区別する。何人も自然に叛き人
情に逆らって、器を作ることはできない。（中略）都会人にどうして農民の工藝
ができよう。」と語っている。[16]

　「文化（culture）」とは、耕作を意味するラテン語 cultura を語源とする。育て
る（cultivate）、農業（Agriculture）に連なり、自然に手を加える試みを示す。
類義語の cult は、手入れ、敬うというラテン語 cultus から転じ、崇拝を意味する。
田畑を耕して得られた恵みは神の恩恵から得られる。各々、異なる土地に住む人々
の習俗は、自然と向き合う中で様々な「文化」を生み出してきた。

　一方「文明（civilization）」は、ラテン語の都市（civis ／ city）を語根とする
18 世紀の造語である。文明開化は啓蒙（enlightenment）や西洋化（Westernization）
と同義で捉えられる。電気によって昼夜、季節は関係なくなる。同じ温度や湿度、
照度に管理された均質な都市空間はその典型であろう。石炭、石油から引き継が
れた原子力発電所や太陽光の自然エネルギーも然り。資本力を持ち、経済的な強
者によって、自然（風土や気候）は支配、排除され、普遍化の状態を希求するよう
になる。そのことは、東日本大震災後、福島の自然を覆い隠す太陽光パネルが物
語っている。疫病を封じる妖怪アマビエを商標登録出願する発想も文明的である。

　なお高村光太郎が「ほんとの空」[17] と「緑色の太陽」[18] を往来したように、
文化と文明、ナショナリズムとグローバリズム、フォークロアとモダンは今日、
簡単に切り離すことはできない。

「芸術に対する唯一無二の原理なるものを、手工とか民芸かそれとも機械工業と現代主義かという対立のいずれか片方にのみ認めようとするのは、極めて非芸術的であると思っている。」[19)] とブルーノ・タウトも述べている。

　岡本太郎と柳宗悦の共通項は、日本に近代以降、翻訳された「美術」という言葉と日本古来からある「藝術」という語の眼差しの葛藤としても受けとれる。

7．生きた藝術

　「芸術は芸術から生まれない。非芸術からこそ生まれるのだ。」[1)] p19

　「美術」という語は、日本政府が初めて万博に参加した 1873 年、ドイツ語 Kunstgewerbe（英 Industrial Art）、Bildende Kunst（英 Visual Arts）の翻訳語として採用されたのが初出とされる。この時「美術」は「西洋ニテ音楽、画学、像ヲ作ル術、詩学等ヲ美術ト云フ」と記されていた。

　一方で「藝術」という語は、続日本紀（797 年）の頃から「藝はワザ、術はスベ、諸般の技藝道術」と記されている。「藝」の字源は、若木や草苗を土に植える形象を表している。「術」は、異族が大きな道（十字路）で出会い、互いの邪霊を祓う儀礼を意味する。「藝術」は、自然（土）と共生する「文化」の如く、精神に豊かな教養が芽生え、花開く意味を示している。

　柳宗悦は『工藝文化』の上篇、造形芸術の中で「美術」が発生し、その限界が生じてきた近代文化の特質について、「神性と伝統と信仰との宗教的時代」と対角的性質を見せる「個性と自由と批判と結合した美のための美術」について論じつつ、「これが健全な美への理解を齎すだろうか」と疑問を呈している。[20)]

　柳宗悦の処女作に『科學と人生』（1911 年）[21)] がある。その中で彼が関心を向けていたのは、個人の人智を超えた（ゲーテやブレイクを例えながら）宇宙法則や心霊現象、自動記述や媒介（霊媒）者であり、そこには「民藝」に通底する思想が示されている。

　実はこの時代、「美術」の世界では、第一次世界大戦を機に既成の秩序や常識、「美術」の概念自体を否定するダダイスム運動が起きている。フランスの詩人アンドレ・ブルトンはその後、ダダと決別し、フロイトが創始した精神分析を取り入れ、新たな芸術運動を展開した。彼は 1924 年「シュルレアリスム宣言」の起草によ

って自動筆記による詩作を実験している。何か別の存在に憑依されて肉体を支配されているかのように、無意識から表出されるとする超現実の世界は、柳宗悦が若い頃に関心を向けていた自動記述や媒介者に通じるものであり、その後の「民藝」の見解とも連ねられる。

「無心の美が偉大であるのは自然の自由に活きるからである。この自由に在る時、作は自ら創造の美に入る」[22]

柳の研究は、霊魂の存在に関心を抱いた神秘主義的な宗教、哲学、科学を発端にしていた。先祖の声を聴くかのごとく「私なき無名の人」は最終的に「民藝」の世界に帰着したとも言える。あたかも近代文明を象徴する電気、電灯や電話、映画を発明したエジソンが、死者の声を聞く構想を練っていたように、科学にとって、先祖の霊魂との交信は積年の願望であり、それは「文化」から本来の「文明」が拾い出すべき課題だったのではないか。

柳が伝統的に残されてきた「民藝」を能う限り維持しようとする努力に、甚深の敬意を評しつつ、私はもう一方で岡本太郎が唱えたように「新しい文化、芸術の問題」として向き合う必要性も感じている。岡本太郎は、既成の「日本的」という観念よりも、日本に生きている人の生活、その喜怒哀楽のすべて、生きる意味に立脚した「新しい美術」をこそ展開すべきと提言していた。

ここで東日本大震災前後の活動をあらためて振り返りたい。私は柳の民藝でも語られてきた会津本郷焼を起点に 2007 年から 4 年間、伝統的な会津本郷の土を用いた「風と土の芸術祭」[23]を企画してきた。【図4】

また福島県立博物館において開催された「岡本太郎の博物館・はじめる

【図4】「風と土の芸術祭」チラシ
　　　　会津本郷の土を用いた作品が多数展示された。

視点」[24]において、《太陽の塔》の内部に岡本太郎が展示した企画「いのり」に則して、私は東北地方の考古・民俗資料を集め《県博版・東北の太陽の塔》を構成した。

2010年、福島県立博物館の企画で開催された「会津・漆の芸術祭」においては、会津の漆職人の手型《Life Hands》とともに、会津漆を円鏡に描いた作品【図5】を制作した。

福島の自然環境・歴史と文化に根ざしつつ、「新しい美術」の創造と向き合う必要

【図5】「会津・漆の芸術祭」
出品作　渡邊晃一「漆版」、2012

性から、震災後の「福島ビエンナーレ」[25]では、会津漆や上川崎和紙、白河だるまなど、福島の民藝と現代美術の橋渡しをしている。【図6～8】

「鯉のぼり」は、強い風が来ると、自然の力を巧みに利用して、生き生きと大空を泳ぐ。震災後、COVID-19の渦中で私たちは「自然（人間の力ではどうにもならないもの）」や「文化（長い時間をかけて引き継がれたもの）」と美術はいかに向き合ってきたのかを問われている。[26] 今後とも福島という土地に住み、「生きた文化」を引き継ぐには、習俗と「祈り」、生命の尊厳を色濃く反映させた「新しい藝術」のアート＆デザインが希求されるであろう。

「願わくは之を語りて平地人を戦慄せしめよ」と『遠野物語』の中で柳田國男は語ったように。

【図6～8】「福島ビエンナーレ・重陽の芸術祭」智恵子の生家での展示風景
左　小松美羽（上川崎和紙の灯篭）2016、中　清川あさみ（紙による刺繍）2017、
右　福井利佐（切り絵のオカザリ）2018

【註・引用文献】

1 ）岡本太郎『日本再発見』新潮社、1958 年、p273。以後、本文中の岡本太郎の引用は頁のみ記載する。

2 ）COVID-19 の感染拡大が懸念される最中、政府は「聖火リレー出発式」を 3 月 26 日、福島県楢葉町、広野町で予定通り実施する方針だった。そのため、式場の設営などに地元では尽力してきたが、2 日前に急遽中止された。

3 ）図画工作教科書に記載（日本文教出版、開隆堂）。詳細は HP 参照 http://wa-art.com/koi/

4 ）国際博覧会条約によると、万国博覧会は、公衆の教育を主たる目的とし、「文明」に応ずる手段または人類が達成した進歩、将来展望を示すものである。以後、本文では万博と表記。

5 ）日本趣味のこと。万博がその一役を担った。一方で 1900 年のパリ万博で明治政府は、古美術、黒田の油彩画や日本産のビールなどを出店したが、輸出振興政策に失敗する。そこからデザインの必要性が認識され、雑誌『図案』等が発行されるようになる。

6 ）1895 年パリで開かれた装飾美術品店「ラール・ヌーヴォー L'ArtNouveau」に由来。日本趣味推進者として名高い画商ジークフリート・ビングは、東洋美術に加えて、ガレやミュシャなどの工芸品や室内装飾を紹介した。

7 ）ヴェネツィアでは万博を模範にして 1895 年「第一回国際芸術祭」を挙行。当初は主に装飾芸術の「ビエンナーレ（隔年開催の美術展）」であったが、その後のモダンアートを先導してきた。ドイツの「ユーゲント・シュティール（若い芸術）」、「ウィーン分離派」などの総合的藝術活動、ロシアでは 1910 年前後にルポーク（民衆版画）を支柱に掲げた芸術運動が起こり、メキシコでは 1920 年から民族主義的な「壁画運動」が推進された。

8 ）本館には国の有形民族文化財など旧南部藩領内の民具 1 万 8 千点が所蔵されていた。現在では、古牧温泉ホテルは、星野リゾート青森屋に代わり、小川原湖民俗博物館は 2015 年に廃館。旧蔵資料は弘前大学などに寄託されている。

9 ）1937 年には柳田初の「日本民俗学」と題した講義が東北大学で行なわれている。

10）柳宗悦『手仕事の日本』靖文社、1948 年

11）北村勝史、尾久彰三ほか著「特集日本の幟旗」日本民藝協会『民藝』2007 年 4 月号。

12）佐藤孝徳「磐城の幟の歴史と現況」、「民具マンスリー」第 31 巻 2 号、1998 年

13）北村勝史「江戸期の絵幟」絵手紙株式会社、1999 年

14）拙著「震災後の＜風と土＞のなかで、美術教育と日本文化をめぐって～ Koi 鯉アートのぼり日誌から～」『教育美術』第 72 巻第 6 号（828 号）、財団法人教育美術振興会、pp.54-59

15）1940 年 3 月 12 日、駒場の民芸館にて『月刊民芸』1940 年 4 月号および池田敏雄「柳宗悦と柳田国男の「不親切」」『民芸手帖』通巻 260 号昭和 55 年 1 月号より。

16）柳宗悦『工藝の道』講談社学術文庫、2005 年、p 86（初出は 1927 年）

17）高村光太郎『智恵子抄』白玉書房、1947 年、「あどけない話」より。

18）『スバル』初出、1910 年。のち『美について』（1967 年）に収録された。

19）ブルーノ・タウト著、篠田英雄編訳『忘れた日本』創元文庫、1952、p146

20）柳宗悦『工藝文化』岩波文庫、1985 年、p 55

21）柳宗悦『柳宗悦全集 第1巻』筑摩書房、1981年より。『科学と人生』による新しい生命科学の思想は、後年の民藝を生む源流となる。本著は西欧の新しい美術、藝術、科學・宗教に関わる論考で構成されている。

22）柳宗悦 前掲書16）、p88

23）2007年、会津本郷町、会津高田町、新鶴村と合併して会津美里町となった記念に、会津本郷の窯元と協同で「風と土の芸術祭」を2007年から4年間企画監修し、開催してきた。（http://wa-art.com/misato/）

24）福島県立博物館企画「岡本太郎の博物館・はじめる視点」2009年10月10日〜11月23日。当館の館長だった赤坂憲雄は、「東北学」を提唱した民俗学者。前年に著書『岡本太郎の見た日本』で芸術選奨文部科学大臣賞を受賞。本企画で私は監修者の一人として参画。展覧会では他にも岡本が撮影した東北の縄文土器や祝祭、習俗の写真や常設展示室を活用して、世代の美術家が郷土の歴史を紐解く企画も開催された。

25）福島大学芸術による地域創造研究所では、福島の地域住民と協働で「福島ビエンナーレ」を福島市、須賀川市、湯川村、喜多方市、二本松市、南相馬市、白河市などで開催してきた。（http://wa-art.com/bien/）

26）『渡邊晃一作品集 テクストとイマージュの肌膚』青幻舎、2010年。養老孟司や田中英道との対談で、美術と自然、文化と文明との関係について語っている。

渡邊 晃一（わたなべ こういち）
・1967（昭和42）年 北海道生まれ
・福島大学 教授、芸術による地域創造研究所 所長
　ペンシルバニア州立大学客員研究員、ロンドン芸術大学客員研究員（2001〜2002年）、エコール・デ・ボザール客員教授（2018年）
・芸術学修士（筑波大学大学院芸術研究科・洋画専攻、1992年）
・渡邊 晃一『テクストとイマージュの肌膚』青幻舎、2010年
・谷川 渥監修、小澤 基弘、渡邊 晃一編『絵画の教科書』日本文教出版、2001年
・主な美術活動／個展（川口現代美術館、田中一村記念美術館、Century Gallery London、Sway Gallery paris など）
　グループ展（「現代日本美術展」、「VOCA展」など国内外の企画展等）
　『福島ビエンナーレ』（2004〜）企画監修 http://www.wa-art.com
・受賞／第30回教育美術・佐武賞（論文部門・「生命形態と美術教育〜三木成夫の解剖学からの接近〜」）教育美術振興会 1995年

普通教育におけるデザイン思考の視座としての 総合的な見方

山田一美

1．個人的な欲求と願望

（1）先進産業社会とテクノロジー

　本稿は、美術教育の発想・構想を検討するなかで、デザイン思考の特質をどのように捉えたらよいかを探るものである。その検討材料として、阿部公正の『デザイン思考』[1]を取り上げ、その理念・原理に通底する「総合性」の意味を描く。

　ヘルベルト・マルクーゼは、著書『一次元的人間』のなかで、高度に工業化された資本主義社会、つまり「先進産業社会」のありようをこう批評する。

　「(*先進産業社会では、)生産機構は社会的に必要な職業、技能、態度だけでなく、個人的な欲求や願望をも決定するほどまで全体主義化する傾向がある。生産機構はこのようにして私的生活と公的生活、個人的欲求と社会的欲求の間の対立を消し去ってしまう。」[2]

　この洞察によれば、先進産業社会の全体主義的相貌に取り込まれると、テクノロジーそのものは、その使われ方に支配され、伝統的観念にあった「中立性」を保てなくなるというものだ。そうであるならば、テクノロジカルな社会は一つの体制であって、この体制はすでに技術の概念と構造のなかで支配されている、と考えねばならない。テクノロジーは、これまでよりも有効で快適な新しい社会統制と社会的結合の形態を創りだす装置となる。そして、この先進産業社会や思想形態は「二次元的」な対立・拮抗・緊張を欠くことから、「一次元的」な全体主義的管理社会を形成するという。こうなると、既成的現実への埋没から脱出することも、人間解放のための「もう一つの選択の道」も閉ざされてしまう。こうした状況への回避は、「否定的思惟」という批判的思考のなかにのみ開かれるとい

う³⁾。

　では、先進産業社会、すなわち生産機構が個人的な欲求や願望を決定してしま
う全体主義的な傾向をもつ社会のなかで成立した「デザイン」について、われわ
れはどのように批判的思考力を発揮し、デザインの可能性を理解することができ
るだろうか。以下、阿部公正のインダストリアル・デザインとヴィジュアル・デ
ザインを思考の軸とするデザイン論を手がかりに、この問題をまとめてみたい。

（2）インダストリアル・デザイン

　まず、インダストリアル・デザインは、1920 年代末のアメリカにおいて、経
済恐慌のなかで成立していた。しかも、インダストリアル・デザインは、ヴィジュ
アル・デザインとともに、1920 年代の先進産業社会のイデオロギーと密接に結
び合うものであった。その社会の生産機構は、個人的な欲求や願望をも決定する
ほどまでに全体主義化する傾向にあり、そこに「虚偽の欲求」と「真実の欲求」
の二つの欲求が混在していたとする。となれば、「多くの人びとの欲求にこたえ
るのがデザインだ」と単純に割り切ることはもはや適当ではない。阿部は、産み
出された形がそのどちらの欲求であるか、デザインの質のなかではっきり見極め
られなければならないと主張する⁴⁾。

　そこで、日本のデザインの展開に目を向けてみよう。戦後 20 数年、わが国の
消費水準は右肩上がりをみせ、市民生活の消費財は、物的に充足していった。デ
パートには多種多様な商品が陳列され、消費財メーカーはさらに増産に拍車をか
けた。こうしたなか、消費需要は所得の増大によって変化し、消費者の関心は必
需品からぜいたく品へとシフトし、需要は景気の好況・不況にかかわりなく上昇
をつづけている。所得の向上、技術発展、価値体系や分配構造の変化、余暇の増
大などの要因から、日本経済は強大な消費エネルギーを産出することが予測され、
その消費傾向は 1965 年以降、10 年間で約 2.1 倍、20 年間では 3.5 倍程度に膨
れ上がると想定されている。

　ところが、この生産・消費機構とデザインの動向のなかに、一つの大きな問題
点が顕在化している。それは、消費構造が、消費者の直接的欲求によるものでなく、
ほとんどが「つくられたもの」であったことだ。つまり、自動車のモデル・チェ
ンジ、アパレル産業、化粧品業界、デパートの協働参画によるカラー戦略、電気

製品のスタイル改革など、すべてがデザインを通して消費者に訴求し、購買意欲を誘引し、需要を生み出す生産・消費システムとなっていたのである。ここでは、消費者の思考・判断は商品の機能性よりもむしろデザインによって決定されている。このことは、デザインが価格を決定し、さらには新規のマーケット開発を誘発する働きをしていたことを物語る。すでに当時、デザイン戦略は、過剰なダンピング競走によって市場を獲得するよりも、デザインが演出する"夢"を売って市場を拡大していくヴィジョンに支配されていたのである[5]。

（3）グラフィック・デザイン

　一方、グラフィック・デザインの動向はどうか。その指標は、1950年代に始められた日宣美展にあった。当時、グラフィック・デザインは、デザインの代名詞とされ、国内外を問わずあらゆる場面で使用されていた。当時の一般家庭のテレビの普及率は十分でなく、エディトリアル（編集）とデザインとのつながりは弱かった。デザイナーたちはグラフィック・デザインの手法を軸に、他分野からのデザインの要求に応えていく方法で間に合わせていたという。

　しかしその後、社会経済の急速な発展や輸入製品の自由化を受け、企業は変化の激しい社会情勢への対応策として、自ら思考していくデザイン戦略をとりはじめている。具体的には、商品開発や広告にデザイナーを参画させ、マーケットリサーチ・モニタリング技術者などを組み合わせ、現代広告の理念と構造をつくりはじめていた。この手法は、出版社にも影響を与え、デザイナーを編集に加え、エディトリアル・デザインという新しい領域の開拓がはじまっている[6]。ここでも、インダストリアル・デザインの生産・消費システムと同様に、個々人の欲求や願望を飛び超えて、生産・消費システムが個人的な欲求・願望を支配してしまう全体主義的傾向のなかで、デザインの質や形がデザイナーたちの資質・能力によって産み出されている。

（4）「真実の欲求」と「虚偽の欲求」の区別

　ここで、マルクーゼのいう先進産業社会の「欲求」とデザインの関係について、もう一度考えてみよう。彼はこう述べている。

　「『虚偽の欲求』とは、個人を抑圧することが利益になる特定の社会的勢力が、個人に対して押しつける諸欲求である。それは苦役、攻撃性、窮状および不正を

永続させる欲求である。この欲求をみたすことは、個人にとって非常に楽しいかもしれない。…（中略）…その場合に生じるのは、不幸のただなかにおける病的快感にほかならない。広告にあるとおりに休養し、遊び、ふるまい、消費したい、また他人が愛し、憎むものを、自分も愛し、憎みたいといった、広くみられている諸欲求は、たいていこの虚偽の欲求のカテゴリーに入る。」[7]

　この主張は、デザインやデザイン教育の価値形成につながっていく。デザイナーが企業にとって、因果関係の説明を隠す魔術師的存在となるとき、またその方向に「創造性」「アイデア」を発揮するとき、これは「虚偽の欲求」に奉仕するものとなる。では、デザイン及びデザイン教育は、だれのために、だれによって操作され、産み出されるべきか。

　この問いに対して、一つの手がかりは、宮坂元裕の「子どもの不在論」に見出せるのではないか。当時、宮坂は、小学校におけるデザイン教育の問題点の所在について、デザイン教育が生産機構の欲求に従うばかりで、子どもの欲求が置き去りにされていることを取り上げている[8]。マルクーゼの言葉を借りれば、デザイン教育における「真実の欲求」と「虚偽の欲求」を区別しなくてはならないはずである。その判断や価値意識を抜きにして、普通教育におけるデザイン教育は成り立たないからである。

2．デザインの本質
（1）イデオロギーとユートピア

　さらに、この問題は、阿部の指摘にあるように、ユートピア論と関係している。「デザインは、一方では芸術制作にも似た自由な操作を意味すると同時に、他方では現実化へむけての制約された操作を意味する。しかも、それはつねに生産の諸関係のうえに成り立つ。」[9]

　この認識から、阿部は、デザインを基本的に「イデオロギーの一形態」とみなしている。それをデザイン発生当時の1920年代のデザイナーや芸術家たちの表明した造形観、デザイン観から読み解けば、デザインの本質は「ユートピア」（空想による世界）というよりも、むしろ「ユートピア的なもの」であったと総括することができるだろう。問題は、「モンドリアンの造形観」（将来における社会の

均衡状態に期待をかけつつ、芸術の中でそれを先取りした造形観）や、ヴァイマル文化のなかで、バウハウスのなかで、なぜデザインが強力なものになりえなかったのかという点にある。この論点に対して、阿部は「デザインがユートピアであるがゆえにたどるべき当然の道だ」という通念を再検討すべきだと訴える。その結論として、バウハウスのデザイン思想にかかわる「芸術と技術の統合」という理念を再評価すると、その理念の性格はむしろユートピア主義的思考であったと読み解くのである。なぜなら、イデオロギーやユートピアは、両者ともに「存在超越論的なもの」であるがゆえに、その表象が行為のなかに具体化されるとき、その意味内容は歪められてしまうことを、阿部は指摘する。

（2）「具体的ユートピア」思想の上に

　ここまで、阿部は議論をすすめてきて、デザインにとって重要なことは、「抽象的なユートピア主義的思考ではなく、むしろ現実化の可能性を含む『具体的ユートピア』の思想」をもつこと、つまりデザインを「具体的ユートピア」思想の上にのせるべきだと主張する[10]。思考方法をこのように転換することによって、二つの困難を回避できるというのだ。

　①抽象的なユートピア主義的思考へ陥ることからの回避
　②単なる二元論的見方へと解体される思考方法からの回避

　こうして、阿部の結論として、イデオロギー批判及びユートピア批判という二重の批判的操作（思考）のフィルターを通すことで、「具体的ユートピア」の立場から倫理的要請を考え、①デザインの社会的批判による倫理性の獲得と、②技術論・家政論を取り込んだ人間学的なアプローチによる理念の追求が可能となるのだという。デザインは、単なる美術的ないし技術的領域のものとしてではなく、「諸領域が互いに関連する、開かれたもの」（つまり、総合的な見方・考え方）として捉えるべきものとして定位されていく。

（3）「環境形成」に向けた総合的な見方への改革

　デザイン思考を環境形成に向けて、総合的な見方へ変えていく動向は、旧西ドイツのデザイン教育に見出せる。課題に対応して、必要な学問・技術が限定される場合もあれば、それとは対照的に諸領域の協働によってはじめてデザイン操作（活動）が具体化されることもある。専門的に分化・分断された見方・考え方で

はなく、統一的な（総合的な）見方が必要なのだ。戦後、日本のデザイン教育は、旧西ドイツの教育がもとにあると言われている。松岡忠雄によれば、戦後日本のデザイン教育は、アメリカの動向のほかに、西ドイツのウルム（Ulm）造形大学のデザイン教育の影響を強く受けたという。その後、1956年に高等学校学習指導要領美術・工芸編の改訂により、分野「デザイン」が新設される。1958年、小学校図画工作科内容に「デザインをする」が、同年の中学校美術科の改訂では、「美術的デザイン」（デザイン・物の配置配合）が示され、それまでの1世紀にわたる「図案」教育の上に、新しいデザイン教育がスタートしたのである[11]。

3．普通教育とデザイン
（1）普通教育では「デザイン」をどう捉えたか

　普通教育におけるデザイン教育の誕生期について、小池喜雄の「美術工芸」観からそれを捉えてみよう。終戦直後の虚脱状態から、昭和22年の教育方針の大改革がスタートした。特に、昭和33年小中の改訂、昭和35年高等学校の美術工芸の改訂、これにより小中高校の一貫した方向が示された。ここに至る戦後の美術工芸教育の前身は、「図画」「手工」であった。小池は、その内容領域の特質をこう振り返る。

　「関連ある一般社会に行われている領域中から、生徒の心身の発達を考慮して、基礎的なものを取りあげ、指導方針も易から難へのいわば1本道にて教材の組織が考えられ、これによって相当期間、学校の教育は進められてきた。」[12]

　これらの内容領域は、戦後の教育改革によって、「普通教育は、特殊な部門や専門化された大学における教育以外の、国民の大多数を対象にする教育」へと転換し、いろいろな方面にすすむ可能性をもつ生徒の現在・将来を考慮した教育に重点は移っていた。そこで、小池は美術教育の根本的な問題として、「美術教育において何をどのように教育すれば、大多数の生徒の必要を満たすことができるか」[13]を問い直し、次の二つの考えを示している。

　①生徒が美術工芸以外の教養でえられない「知性と感性の融合」による、「具体的な素材や対象に働きかける学習の過程を尊重すること」によって、「創造性の育成」を目指すこと。

②造形的処理能力を身につけること、加えて「生活全般における思考力を確かにし、人間性の円滑な発達などに寄与しようとする」ところに、「普通教育における美術工芸教育の進める価値」を認めること。

つまり、「学習における創造の場を設定し、他力本願をすてて、<u>思考し、計画し、実践し、時に試行錯誤の過程も繰り返すことをもおそれず、計画を実現させるような、真の意味の経験を生徒にさせるような指導が必要になる</u>」¹⁴⁾という戦後の美術教育の新構想である。

（２）「計画的な表現」から造形思考を考える

小池は、普通教育の表現指導を、一般美術界の動向・潮流に立脚する「思考感情表出」「新奇造形表現」の二元論的見方で捉えるのではなく、子どもの造形思考における資質・能力から捉えようとする。この観点から、美術工芸教育の表現指導において「表現」「表現活動」を考えるとき、常に次の点が問題となる。

①主観的純粋表現

②計画的な表現

前者①は、「美術的方面」の表現であり、「感じ方」「考え方」が強調されるが、一方で「見方」「表し方」を阻害してはならないとした。②の「計画的表現」とは、美術教育にも工芸教育にも当てはまる観点である。「主観的純粋表現」の「計画的」とは、「主観的感情方面が主体となり、何を感じ、考え、どのような美を表現しようかとするところに表現の主体をおく」ものであるが、それに対して、「工芸的」の「計画的表現」とは、「生徒を取り巻く環境中に表現の条件を設定し、この条件下の計画的表現を主体にするもの」¹⁵⁾が中心をなすと位置付けた。

この思考・表現は、「計画段階」が極めて重要であり、「客観的取り決め」「表示方法」「素材への基礎的・常識的な知識・理解」「これらの一体化した計画」ならびに「これを客観的に他に伝えるデザイン表示」を重視するものだとする。また、高校段階では、「感覚・感性」の過剰な尊重よりは、「デザインにおける個々の条件をいちいち検討して、これに基づく表現の指導」の必要性を説く。ここでは、デザイン教育については、「トータルにとらえる」視点はまだみられていない。とはいえ、②の「計画的な表現」は、「思考方法」の資質・能力の視点から捉えた見方であり、阿部の「デザイン思考」に深く関わっていく論点である。

4．デザイン思考の本質

（1）「デザイン」をトータルなものとして捉える考え方へ

　前述のウルム造形大学は、1953年開学するが、財政的問題から1968年に閉学した。その期間に、バウハウス教育を科学・量産・技術と産学システム等の観点から導入し、最新のデザイン教育・研究機関として世界49ヶ国からの留学生を集め、デザイン教育の内容・方法のプラットフォームとして最先端の影響力を示していたという。この過程で、旧西ドイツでのデザイン教育の特徴が、「環境」との諸関係を考慮した全体的な見方へと変化している。それまでの従来の工芸学校のもつフォルム観は分野ごとの孤立化した見方・考え方に支配されていた。

　すなわち、グラフィック・デザイナーは、フォルムをコミュニケーションの手段として捉え、プロダクト・デザイナーや建築家は、フォルムを機能的・技術的アプローチの所産とみなし、芸術家は、フォルムを神秘的・主観的アプローチの成果であるとみなしていたからである。旧西ドイツでは、こうした孤立化された見方・考え方を変革し、環境形成に向けて統一的・全体的な見方へと改革をすすめている。つまり、「デザイン」という概念をトータルなものとして捉える見方・考え方へとシフトしていったのである。

　こうした動向に対して、阿部は日本での高等工芸学校が大学へ移行する際の問題点を指摘する。日本では、専門学校から大学への移行と、美術大学におけるデザイン科の新設が比較的容易であったにもかかわらず、その一方で、現状は「手工作と工業生産の問題、および専門的に孤立化された問題が、未解決のままで残されている」[16]ことを問題視する。工学教育が基礎工学（Engineering Science）を根付かせ、学問体系を組み替えようとするように、デザインにも同様にこれらの変革は要請されるべきだとし、「学力を解析・設計・総合に発揮させる」ための思考方法と感覚が必要であり、デザイン教育の体系化には、第一に要求されることだ、と阿部はいう。

（2）デザイン思考とデザイン・プロセス

　同時に、デザインは、教育を通して、「価値論的把握」を伴うものでなくてはならないとする。つまり、「その形やプロセス、システムが人間にとって、本当に価値ある文化要素となっているか」という側面の判断である。このことが最も

大切であり、①学際的なアプローチ、②デザインの基礎確立、③デザイン現象についての価値論的把握をともなう、「デザイン思考」があってこそ、「デザイン」「デザイン教育」の理念を基礎付けていくことになり、同時に具体的カリキュラムを決めていくことになる、というのだ。

　そのデザイン思考がはたらく過程の条件として、
①背景として、科学技術の発達、社会科学の発達、新しい視覚の展開に呼応し、②人間の思考方法や視覚をデザイン操作（活動）に集約して思考し、価値論的判断を伴って、具体的な文化要素を形づくる（表現する）ことが必要なのだ、と阿部は結論づけている。

（3）産業社会へ隷属するデザイン教育の課題

　『デザイン思考』がまとめられた 1970 年代、当時の教育制度改革は、高等教育のつくり変えが主眼であった。この動向は、美術系大学、美術家養成に大きな影響を与えた。そのなかで、デザイン教育は、一般大学と共通根拠をもつことが望まれた。デザイン系の私立大学は、たえずカリキュラム改革をし、その改革方法は現実に変動していくデザイン現象に対応すべく、部分的にカリキュラムを手直ししていくやり方をとっていた。そこでの重要な視点は、デザインと社会とのつながりを密接にしていくことよりは、むしろ現実に振興する産業のなかへデザインを隷属させていくものだ、と阿部は批判する。この動向の文化論的価値は、デザイン教育の進歩ではなく、デザイン教育の理念の欠如を物語ると断定する。

（4）環境形成としてのデザインから「総合性」へ

　「デザイン」の本質を、「デザインを全体的なもの」としてつかまえること、及び「その可能性をユートピア的なもの」と見なさないこと、現実化の可能性を含む「具体的ユートピア」思想の上に乗せること、それがデザイン教育を教育改革のなかで、ふたたび脱落させないビジョンである、とする [17]。

　阿部は、こうしてインダストリアル・デザインとヴィジュアル・デザインの双方に、承認すべき独自の内容を受け入れつつも、両者ともわれわれにとっては「中性的なひびき」を与えるものとして特徴づけている。そしてその原因の所在は、デザインの定義が内包する現実の諸矛盾にあるのではなく、むしろ「次の時代におけるデザインのあり方に期待をかけようとする姿勢から生まれたもの」[18] と

する。阿部は、この「次の時代におけるデザインのあり方」として、「技術時代の環境形成の問題」を視野におく。この問題は芸術か非芸術かというデザインの定義論を超えて、文明・文化との関連で捉えることの必要性を提起するものである。

　一般に問題点として、デザイン研究の理論的成果は、美術史や美学、建築に関する学的研究に比べ、十分に固まっていない。それを裏付けるように、用語「デザイン」は、20世紀前半に、多種多様な使われ方がなされてきている。その状況を踏まえて、なお阿部は、生産に関するもの、情報伝達に関するものに絞りつつ、応用美術的側面ではなく、社会的、経済的、その他多くの側面から考察し、デザインをこう定義している。

　「デザインとは、生産されるものの形態の仕組みを、構造や機能との関係において、あらかじめ決定することをいうのだし、しかもそのようにしてできる技術的所産による環境に対する人間の関係を考慮にいれながら、個々の課題解決を行なってゆくという、そういうプロセスのことをいうのだ、とみたい。」[19]

　そしてここには、マルクーゼの指摘する「真実の欲求」に応えていくデザイン思考が欠かせないのである。

〔注〕
1）阿部公正、1978、『デザイン思考：阿部公正評論集』、美術出版社。
2）マルクーゼ，H.、1974、『一次元的人間 - 先進産業社会のイデオロギーの研究 -』、生松敬三・三沢謙一（訳）、河出書房新社、p.13。引用文中の（）内は、執筆者による。
3）同上書、p.285。
4）前掲書1）、p.213。
5）著者不詳、1967、「デザイン時代きたる」、朝日新聞夕刊、1967年6月8日付。
6）中井幸一、1967、「デザインに科学性を　専門化が進む社会に応えよ」、朝日新聞夕刊、昭和42年9月28日付。
7）前掲書2）、p.23。
8）宮坂元裕、1970、「図画工作における思考過程」、『教育研究』、25（11）、pp.26-29。
9）前掲書2）、pp.215-216。
10）前掲書2）、p.216。
11）松岡忠雄、2004、「デザイン教育創始期寸言」、『美術教育連合ニュース』、No.110、p.1。
12）小池喜雄、1960、「美術工芸」『中等教育資料』文部省、IX（10）、p.3。
13）同上書、p.3。

14) 前掲書 12)、p.3。引用文中の下線は、執筆者による。
15) 前掲書 12)、p.4。
16) 前掲書 1)、p.183。
17) 前掲書 1)、p.190。
18) 前掲書 1)、p.16。
19) 前掲書 1)、p.210。引用文中の下線は、執筆者による。

山田 一美（やまだ かずみ）
・1955（昭和 30）年 山梨県生まれ
・東京学芸大学教授
・教育学修士
・「発想・構想過程と表象書換えモデルの関係性」『日本美術教育研究論集第 53 号』、2020
・「美術教育の意義」『図工・美術科教育』、一藝社、2015
・"Evolution on Qualitative Factors Used to Evaluate Japanese Students," *The Journal of Aesthetic Education*, University of Illinois Press, 37(4), Winter 2003.

アニメーションから地域おこしまで
―教室で生まれるデザイン教育―

直江俊雄

教室で生まれるデザイン教育

　本稿では、独自の調査から、全国の中学校美術科でどのようにデザインが教えられていたのかを考えていく手がかりを提示したい。これは、教師が実際に用いた題材とその指導に関わる認識を集積することによって、その時代における美術カリキュラム編成の集団的動向を明らかにしようとする研究の一部である。

　筆者は東京都内の公立中学校で指導した経験から、「カリキュラムの実施が事実上一貫して教師個人の責任範囲にあり、外部からの大きな干渉が少ない状況下では、カリキュラムの実施過程に影響を及ぼす要因の中で、教師個人の特性と生徒たちの状況という二つの要因の比重が大きくなってくるのではないか」という着想を抱き、「教師の立てる指導計画が生徒の活動と一体になる時に実際の適用過程が計画そのものを調整しながら最終な形へと進行していく」[1]様相を把握する手法を作り出し、現実の美術カリキュラムを日々創造する教師たちの取り組みを、その時代の証言として残すことはできないかと考えた。筑波大学大学院で宮脇理教授のもと、美術教育研究を開始した頃のことである。

　宮脇は当時、ハーバート・リードと小野二郎を引用しながら、芸術創造の過程と教育の過程との一致が、社会のあらゆる場における過程に重なっていくことの意義を繰り返し説いていた[2]。その説を筆者が正しく理解したかどうかはわからないが、それが一つの触発となり、芸術が社会のあらゆる場の基底となりうるのであれば、授業で取り組む芸術活動の過程に内在する特質が、その教育活動においても基底となり、活動そのものの性質に作用するのではないか、というこの研究の発想につながったのではないかと、今では思っている。

1991年、元勤務地としてのつながりから、東京都内の8地域を選び、その公立中学校美術科の研究組織と連携して同地域の全美術科教諭に調査を依頼し、156名の回答（全数の53.1％）を得て、前年度に実際に行った題材の配列と関連する事項を分析した。例えば一年間で実際に指導した題材を分野別にとらえて時間配分の比率を算出し、教師が指導に意欲や困難を認めている題材や、題材に対する生徒の関心の高さなどとの関わりを考えたり[3]、教科書出版社の提供する指導計画案との比較を試みる[4]などの手法を用いたりして、美術教育の一つの実態を明らかにしようとした。

　宮脇理編『デザイン教育ダイナミズム』（1993年）では、「教室から見たデザイン教育」の章を担当し[5]、回答者の指導する中学校美術科では、デザインや工芸の題材に実際の指導時間数が多く配分された傾向が見られること、その現象の背景には、当時の学校教育現場において、これらの分野の活動そのものの中に、教師・生徒の相互理解と秩序回復を促す働きがあり、それが教師による題材選択に影響しているという説を提示した。絵画や彫刻などが個の尊厳と解放を、デザインや工芸などがコミュニティや関係性の構築を指向するとすれば、両者は個と社会との間を往還する有機的な芸術の過程を教育の過程にもたらす両面をなしているのではないか。

　その後、英国における美術カリキュラムの実態調査などを行った経験なども踏まえ、知的批評を基準とする傾向の強い英国に対して、「情緒に基づく職人技」への愛着とも呼べる観念が日本の美術教育における実践の基底を形成しているとの説明も試みている[6]。

　これらの研究を継続・発展させる上で、調査対象の全国化は不可欠と考え、2012年、全国の中学校総数10,710校（当時）から系統抽出した1,162校を対象として郵送等による質問紙調査を行い、228校の回答（19.6％）を得た。1991年の調査では回答者が主に担当した一つの学年のみについて対象としたのに対し、この調査では3学年全てについて報告を求めており、単純計算で4倍を超えるカリキュラム資料が収集された。その一覧をまとめたものをウェブで公開し[7]、また言語活動に関連する調査結果の一部について当時リサーチアシスタントを務めた佐藤絵里子が発表したが[8]、それ以外の調査結果については、『デザイン教育ダ

イナミズム』のような形では公表する機会をもたなかった。

　1991年から2012年へ約20年の時が移り、また東京から全国へ対象を拡げた結果から、教室から生み出されるデザイン教育について何がわかるのか、本章だけですべてを明らかにすることはできないが、まずはその一端を示したい。

1991年から2012年へ

　1991年と2012年の二つの調査の概要を表1に示す。時期の相違による変遷のみに焦点を当てて調査するのであれば、1991年と同一地域で行うことが考えられるが、2012年は全国に対象を拡げているため、両者の結果を単純には比較できないことに留意する必要がある。また、1991年調査は筆者の勤務経験から、教師個人の裁量が大きい東京でのカリキュラム編成状況を背景に仮説を立てたが、20年後の現場での状況、また全国各地のカリキュラム編成に関わる慣行や環境などの多様性にも注意すべきである。

表1　東京調査（1991年）と全国調査（2012年）の概要

調査名称	中学校美術科におけるカリキュラムの実施に関する調査（1991年　東京調査）	全国調査　中学校美術科のカリキュラム創造力（2012年　全国調査）
調査期間	1991年3月～6月	2012年5月～6月
調査対象	東京都内から選定した8地域の全公立中学校美術科教諭294名、156名回答（53.1%）	全国中学校総数10,710校から1,162校を抽出、228校回答（19.6%）
調査方法	郵送による質問紙法	郵送による質問紙法（一部オンライン）
調査内容	前年度に所属する学校の一つの学年で行った美術科の題材及び関連事項	前年度に所属する学校の全学年で行った美術科の題材及び関連事項

　本調査は教師によるカリキュラム作成の主体性と生徒との相互作用を重視するものではあるが、制度の変更による大きな枠組みの変化は無視することはできない。念のため確認しておくと、1991年調査が対象とした1990年度（平成2年度）の授業実践は、「中学校学習指導要領（昭和56年4月施行）」のもとにあり、美術科の年間授業時数が第1学年70時間、第2学年70時間、第3学年35時間を標準としていた。2012年調査が対象とした2011年度（平成23年度）の授業実践は、「中学校学習指導要領（平成20年3月告示）」の移行措置期間（2012年度より完

全実施）であり、年間授業時数は平成14年施行より第1学年45時間、第2学年35時間、第3学年35時間を標準としている。学習指導要領の内容等の相違については、ここでは省略する。

　両調査の回答者の属性に関する情報から、採用後の指導経験年数と、大学等における専門分野を例に取ると、図1と表2のとおりである。指導経験年数については、1991年の東京においておよそ5割を採用後10年までの教師が占めていたが、約20年後、2012年の全国では、経験21年から30年の教師がおよそ4割となっている。大学等での専門分野について、55％から56％台を絵画が占める状況は、いずれの調査でも不変となっている。2012年におけるわずかな相違としては、現代美術などを専門とする例、大学院進学に伴い専門が複数となる例、そして他教科の教師が一定数回答している点が挙げられる。

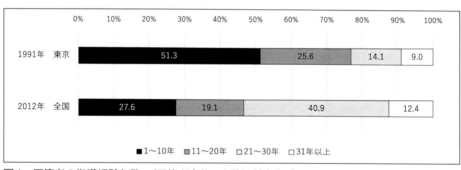

図1　回答者の指導経験年数　（回答者全体の人数に対する％）

表2　回答者の大学等での専門分野　（回答者全体の人数に対する％）「その他」には複数の分野を記入した例を含む。

	絵画	彫刻	デザイン	工芸	美術理論	現代美術	教育	他教科	その他
1991年　東京	56.4	12.8	11.5	3.2	3.2	0	11.5	0	1.3
2012年　全国	55.6	11.7	12.6	6.3	1.3	1.8	3.6	2.2	4.9

中学校美術科のカリキュラム創造力

　調査では指導の多様性を把握するために記述式を多く採用したこともあり、その回答を分類し、分析する観点も複雑になりがちである。ここでは焦点を絞るた

めに、1993年の『デザイン教育ダイナミズム』でも注目した、教師が指導に意欲を認めている分野と困難を認めている分野、教師から見て生徒が高い関心をもった分野とそうでない分野を記述してもらい、回答をいくつかの分野に分けてその頻度を比較した結果を用いたい。なお、ここでは過去のデータと比較するために「絵画、彫刻、デザイン、工芸、鑑賞、その他」の分類を採用しているが、本稿はこうした分類を、将来の制度において維持または復活することを主張するものではない。ただ、現行学習指導要領でも表現の領域の中に「絵や彫刻など」と「デザインや工芸など」の内容を並立させている点を考えると、カリキュラムの中の題材の性質を捉える上で参照できる指標の一つではないだろうか。また、日本の美術教育の特質の一つとして従来指摘されてきたように、心象表現と生活造形の関係性を考える上でも [9] 一つの視点となりうると考える。

　図2「教師が特に力を入れて研究している題材や分野」において、2012年の全国調査では、1991年の東京で顕著であった工芸の題材への集中的な言及が見られず、鑑賞に関する研究意欲の件数が高い点が特徴的である。

　図3「教師が指導に困難を認める題材や分野」において、2012年で唯一、困難が増加しているデザインの題材については、時代とともに求められるようになった映像の学習、特にコンピュータを用いた指導に対する認識を反映している。彫刻への言及が1991年に比べて低い点については、さらに調査する必要がある。

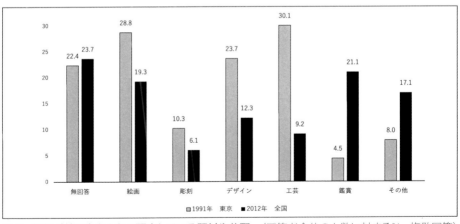

図2　教師が特に力を入れて研究している題材や分野　（回答者全体の人数に対する%、複数回答）

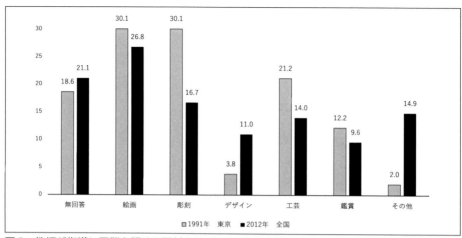

図3 教師が指導に困難を認める題材や分野 （回答者全体の人数に対する％、複数回答）

　過去3年以内に指導した題材の中で生徒が特に高い関心を示した分野を集計した図4では、20年を経ても傾向がほぼ変わらず、工芸の学習が生徒からの強い支持を得ていることが示されている。標準授業時数が削減されたにもかかわらず、表現の学習に時間を要すると思われる工芸に高い関心があることは注目される。

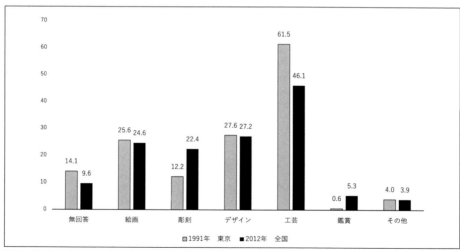

図4 過去3年以内に指導した題材で生徒が特に関心を示したもの （回答者全体の人数に対する％、複数回答）

同様に、生徒が特に関心を示さなかった題材を分類した図5についても、二つの調査の間で、ほぼ変わらない傾向を示す結果となった。彫刻の分野に関する関心の低さが2012年でいくらか改善されているように見える点が唯一の変化だろうか。ただし回答件数が少ない分野での比較は、より慎重に検討する必要がある。

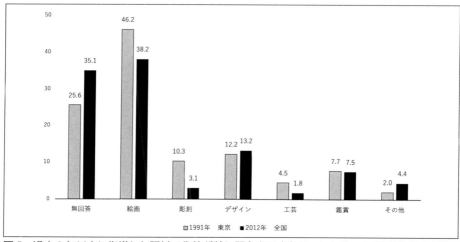

図5　過去3年以内に指導した題材で生徒が特に関心を示さなかったもの　（回答者全体の人数に対する%、複数回答）

アニメーションから地域おこしまで

　このように、分野別の題材に対する教師と生徒の意識については、両調査間で相当程度の共通性があることが明らかになり、学習指導要領や我々の生活における視覚文化環境が変化する中で、こうした面がカリキュラムにおける選択にどのような関わりをもっているのかが次の焦点となりうる。

　『デザイン教育ダイナミズム』では、デザインに関わる題材の種類と実施件数、教師によるそれぞれの題材実施のための教材研究への努力（5段階評価）と、題材の目標の達成度（5段階評価）などを集計し、それらの背景や要因などを考えた。同様の手法によって調査を行った2012年の結果と合わせてまとめたものが表3である。

表3　中学校美術科において実施されたデザイン題材の分類一覧

1991年の調査における件数の多い順。2012年の調査結果のみにある題材は、その件数の多い順。「比率」は各調査における全デザイン題材数における件数の％。「研究」はその題材実施における教師の研究努力を5（非常によく研究した）から1（あまり研究しなかった）の5段階で回答したものの平均値、「達成度」はその題材実施による達成度を5（ほぼ完全に達成された）から1（ほとんど達成されなかった）の5段階で回答したものの平均値。件数が5件未満と「その他」の題材は「研究」「達成度」を表示しない。「色彩」に関する学習はすべての分野に共通するが、1991年調査における分類との継続性から、ここではデザインの題材として集計する。2012年の調査結果においては、特に「生活用品」のデザインについて他の領域との分類整理にさらに検討が必要なため、数値は暫定とする。

題材分類	1991年　東京				2012年　全国（暫定）			
	件数	比率	研究	達成度	件数	比率	研究	達成度
文字	76	26.5	3.1	3.8	265	23.8	3.5	3.9
ポスター	43	15.0	3.2	3.5	132	11.9	3.3	3.5
平面構成（立体感）	27	9.4	3.2	3.6	66	5.9	3.5	3.8
色彩	26	9.1	3.7	3.8	169	15.2	3.5	3.8
平面構成（抽象形）	23	8.0	3.2	3.8	24	2.2	3.6	4.0
平面構成（自然物・人工物）	16	5.6	3.5	3.6	60	5.4	3.6	3.9
イラストレーション	11	3.8	3.9	3.8	19	1.7	3.5	3.7
平面構成（その他）	11	3.8	-	-	52	4.7	-	-
CDジャケット	8	2.8	3.5	3.8	11	1.0	3.4	3.7
生活用品	7	2.4	3.7	3.8	50	4.5	3.8	4.0
マーク	6	2.1	3.2	4.2	22	2.0	3.8	4.0
カード	6	2.1	3.8	3.5	35	3.1	3.4	3.8
立体構成	5	1.7	3.4	3.6	12	1.1	3.8	3.3
カレンダー	3	1.0	-	-	2	0.2	-	-
ブックデザイン	2	0.7	-	-	14	1.3	3.3	4.0
絵本	1	0.3	-	-	8	0.7	4.1	4.1
映像	0	0.0	-	-	45	4.0	3.6	3.8
パッケージ	0	0.0	-	-	14	1.3	4.1	4.1
漫画	0	0.0	-	-	14	1.3	3.6	3.4
環境・建築・空間	0	0.0	-	-	11	1.0	4.4	4.1
キャラクター	0	0.0	-	-	11	1.0	4.1	3.5
ピクトグラム	0	0.0	-	-	9	0.8	4.4	4.3
文様	0	0.0	-	-	9	0.8	4.0	3.9
地域プロデュース	0	0.0	-	-	6	0.5	3.4	3.6
その他	16	5.6	-	-	53	4.8	-	-
デザイン題材数の合計	287	100.0			1113	100.0		

1991年の調査では、文字のデザイン（レタリングや絵文字など）とポスター、そして平面構成で、実施されたデザイン題材の大多数が含まれることが明らかになり、例えば「漫画」「アニメーション」「絵本」などは教科書に掲載されていながらも、調査対象地域での実施は皆無であった。2020年調査においては、実施件数上位の傾向に大きな変化はないものの、1991年調査にはほとんど見られなかった種類の題材が一定数報告されており、デザインの学習に対する多様化が徐々に進展している状況が明らかになった。

　例えば「映像」に含まれるものには、アニメーションの基礎としてのゾーマトロープ、フェナキスティスコープ、パラパラ漫画などの他に、写真、フォトコラージュ、そしてごく少数ながらクレイアニメやプロモーションビデオなどの動画撮影に取り組む例も見られた。

　「生活用品」と分類した題材には、設計や実用などの点で専門性が高く、中学校における題材として採用する上で難易度が高いと思われるプロダクトデザインをモデルとした学習の例も含まれるが、2012年調査ではこれらが一定数増加している。すべての人が使いやすいデザインという概念が社会でも拡がり、デザインされた製品への使用者からの視点の重視が、この動向を後押ししているのではないだろうか。デザインの真の目標は心の平和であるとして、日常生活においてそれを妨げる知覚的な不快を正しい設計によって緩和することを説いたレイモンド・ローウィーの理想[10]は、教室で生まれるデザイン教育の中に、ようやくその足場を見出したのかも知れない。

　「キャラクター」や「ピクトグラム」のデザインなどは、以前からある「マーク」や「ポスター」などと目的は類似しているが、現代における視覚環境の変化に対応したものとも考えられ、実施した教師による教材研究や達成度の評価は高い。また、「パッケージ」、「環境・建築・空間」「キャラクター」「地域プロデュース」等の間には、例えば生徒の住む地域の特徴や産物の魅力を発信する企画立案など、共通する課題設定の例が見られ、社会的な関わりを作り出していくデザインという一つの指向性を拡げていく可能性がある。

　本稿ではデザイン題材の実施傾向について、いくつかの全体的な集計結果をもとに明らかにしたが、関連して、例えば（1）授業時間数削減の中で、各分野・題

材の実施時間やその方法はどのように変化したのか、(2)教科書等に示唆されている題材や指導計画例と、実施されたカリキュラムとの関係、(3)それら現象を動かす背景となる状況や意味、などを考えていく必要がある。そして、日本の美術科教師が各自の専門性をもとに、独自の美術教育の文化と、現場に即した新しい試みを作りつつある歴史への認知を高め、そのカリキュラム創造力を明らかにするための研究をさらに目指していきたい。

注

1) 直江俊雄「中学校美術科における『実施されたカリキュラム』研究：その目的と概要」『藝術教育学』第4号、1992、p.116、p.120。
2) 宮脇理『工藝による教育の研究―感性的教育媒体の可能性―』建帛社、1993年、pp.501-502。
3) 直江俊雄「採用された教材から見た中学校美術科の一側面について」『美術教育学』第14号、1993、pp.241-250。
4) 直江俊雄「中学校美術科における教科書指導計画案と実態との関係について」『藝術教育學』第8号、1996、pp.43-56。
5) 直江俊雄「教室からみたデザイン教育―データが明かす学校教材としての実像」宮脇理編『デザイン教育ダイナミズム』建帛社、1993、pp. 139-164。
6) Toshio Naoe, "Japanese Arts and Crafts Pedagogy: Past and Present," in Richard Hickman (ed), *The International Encyclopedia of Art and Design Education*, John Wiley & Sons, 2019, pp. 1261-1274.
7) 「全国調査 中学校美術科のカリキュラム創造力　公開資料：中学校美術科において実施したカリキュラム一覧（平成23年度授業、全国228校分）」(https://www.geijutsu.tsukuba.ac.jp/~naoe/pages/creativeJ2011.html)
8) 佐藤絵里子「中学校美術科における言語活動の実態と意義：2012年全国調査の結果を基に」『芸術学研究』19号、2014、pp.59-68。
9) 松原郁二『人間性の表現と教育』東洋館出版社、1972年。
10) レイモンド・ローウィー、藤山愛一郎訳『口紅から機関車まで』鹿島出版会、1981年、p.422。

直江 俊雄（なおえ としお）
・1964（昭和39）年 愛知県生まれ
・筑波大学芸術系教授
・博士（芸術学・筑波大学、2000年）
・「図画工作科・美術科とはどのような教科か」日本教科教育学会編『教科とその本質―各教科は何を目指し、どのように構成するのか―』、教育出版株式会社、2020、pp.116-121.
・An Organic and Multilayered Conception of Art: Dialogues Between Read and Art Educators, in Glen Coutts & Teresa Torres de Eça (eds), *Learning Through Art: Lessons for the 21st Century?*, InSEA Publications, 2019,

pp.92-104.
・Barrier or Catalyst: Cross-Cultural and Language Issues for Doctoral Researchers in Japan, in Anita Sinner, Rita L. Irwin and Jeff Adams (eds), *Provoking the Field: International Perspectives on Visual Arts PhDs in Education*, Intellect, 2019, pp.225-234.　他

美と感性とプロダクトを見つめるエッセイ

カイ・エドモンド

　初めて美しいという感覚を覚えたのは、10歳頃だと記憶している。

　父親が毛筆で文章を書いているのを、近くで見ていた記憶がそのころに当たる。特に何かを教わるとかは全く無かったが、ただ近くにいることで安心感に浸っているような、内気で消極的な子供時代だったようである。思い返せば担任の先生から、毎回通知表に消極的とかかれていたので、その通りだろう。

　硯で墨を磨ると、その匂いが湧き出て部屋中に広がるのである。あの墨の独特な匂いは、その場に遭遇するとすぐ昔を思い出す。背筋が伸びた姿勢から腕に伝わり、真っ白な紙に、筆の先から文字に変わる様子や筆が流れていくサマに、何気なく見入っていた。今思えば、そこから生まれる、ひらがなや漢字が美しく見えたのである。美に対する特別の感覚、ここが原点であると意識したのは、何年も後になるのだが。

　何気なく美しいと思っていたことが、美的意識の芽生えにつながったのは、14歳位だったか？　美術の先生が教科書や絵画などの実習から教えてもらったことと、自分の思い浮かべている美しいことの憧れが、結びついた時だった。先生から褒められたりしたからその気になったみたいである。そして、美術の魅力と美的感覚に飲み見込まれていった。ミレーの落ち穂拾いの模写を何回も繰り返していたころだ。

　美術と同じくらい没頭したのが文学、それも純文学の特定の作家を追い回して読んだ。受験勉強もそっちのけで……好きな作家だけを図書館や書店通いを繰り返していた。お金もない年ごろ、書店で気に入った本を探しあててから、図書館に行って借りてくる習慣が身についたようだ。日本の作家は夏目漱石、外国の作

家ではアーネスト・ヘミングウェイを特別に好んで読んでいた。小説が気に入っているのは、自分でその空間を独占できるところである。偏見の見方で申し訳ないが、両人とも表向きと違って、内面が弱いところに共感を得たのかもしれない。

　この後、10年間は専門知識を習得するための習得期間になる。

　生産技術部で自信満々に仕事していたころは（若気の至りである）、Japan as Number One（エズラ・ヴォーゲル）がベストセラーになっていた時期に一致する。高度経済成長の真只中、効率化・効率化と突っ走っていた時代。自動化設備の設計製作を担っていたころである。

　自動化された設備がずらりと並ぶ風景がなんと美しいのかと思えた。毎日遅くまで残業し自分が手掛けた設備が、完成した時の壮観さに沸き起こった感情である。

　その反対に、自動化イコール省人化を意味する。当時日本が高度成長を突っ走っていたころ、夢中で省人化を推進していた。個人が思う感覚より、効率・効率が幅を利かしている世界は、美的センスを考える余裕もなかった。効率化は量産化に繋がり、少しずつ人間性を失われる始まりではなかったか？　以後20数年経過したときには、バブルの崩壊が始まる。

　自動化設備はヨーロッパが一歩先に行っていたため、機械設備の根幹はヨーロッパで作っていた。会社から設備機械の見本市が開かれる、ヨーロッパに行く辞令を受けて、ドイツ、スイス、フランス、イギリスに派遣された。関係業界人の20社程を大塚商会のコーディネータで数週間のスケジュール。当社は専務、部長、課長2人と私の5人参加。ツアー全員45歳以上で私だけ25歳のカバン持ち。毎日スケジュールがぎっしり詰まっていたが、私の我儘を通し、何とか滞在地のパリで1日フリーの許可をもらい、ルーブル美術館へ出かけた。前日、長年憧れていた美術館に行けることになって、期待感と緊張と何か不思議な感覚に襲われ寝付けなかった。

　40年以上前のことゆえ、大部分忘れている中で、モナ・リザだけは鮮明に覚えている。ガラスの奥にそれほど大きくないが周りから独立したケージに人物画を見つけ、2時間ほどその場所から動けず現物を見続けた。その時間には3から

4人が見ていった程度の人ごみであった。近くに背のない長椅子が置いてあり、座ったり見たりの繰り返しで離れがたい心境だった。7時間位見学した後、モンマルトルの丘に行きサクレクール寺院も見たことを思い出した。道中たくさんの画家が絵画の販売を行っており、日本人の人から勧められた寺院の絵を買って持ち帰った。将来有名になったら知らせてほしいと言い残したが、連絡はない。

　小学校時代が芸術の興味が生まれたスタートだとすれば、中学生時代が第2期、第3期がルーブル美術館に触発された時だろう。

　小さな時に5感を刺激する何かがあれば、その興味は廃れないのかもしれないと思うのは、私だけでは無いと思っている。

　ある電気会社では優れた技術と美的センスが、特に兼ね備えていると言われている。

　自然界の美しさ、生活の必要性から生まれた工芸の美しさ、人間の際立った才能から生まれる製品の美しさ、人の心の中に生まれて感じる美しさは、人間だから感じることが出来る。

　美しさを表現するのは、感じることと別次元になる。感じることが出来ない人はいないだろう、人により感じ方が違うだけである。それを俯瞰的に評価される必要が出てくる。

　製品に美しさを追求するという事が重要。ある製品に、出来るだけ小さくする要求が出たら、業界では設計や各部品等、構造を全て見直します。それには、今までに常識が通用しない、新しい画期的な創造力を働かせることになる。手触りや見た目、近くから見たときやその逆、光の反射や重厚感と全てにおいて、どこをどのようにすれば良いか議論が伯仲する。

　当然、携わる人の感性だけでなく、技術的な要素、原価、サプライチェーン等々、水平垂直展開の能力も含まれる。そして重要なのは想像力である。

　原価は最も重要な要素の一つである。

　製品がどんなに良くても、原価が高い場合売れない。その製品の市場価値が決めることになるのですが、人気商品は高くても売れる。しかし人気を出すために

は、お客が欲しいものを作る、必要なものを作ることになる。当たり前のことを実践して効果を出すために、どれだけの時間を費やすことか!!! 企業は市場調査やあらゆる媒体を駆使して、この製品はこんなに良いと、宣伝するのである。ここで、良いものが売れるわけでも無い。お客の要望は、限りなく満たしてあげることが売り上げにつながる。その要望を自分の製品に誘導し、満足させてあげるのだ。

　高度経済成長期に世界を凌駕した日本製品。より良いものを、より品質の良いものを作れば売れる時代が長く続いた。繁栄の後には衰退が見えてくるのはいつもの時代も同じであった。日本の製造会社の衰退である。消費者が望む以上の価値を、限りなく進める製造業。価格もうなぎのぼりの挙句、消費者に逃げられていく。芸術的に素晴らしいものを作ってきた業界が多くあった。もちろん、伝統に基づいた製品や、生活から生み出された工具など、匠と呼ばれる製品群は高度成長時にもあったが、控え気味な存在だったと記憶している。量産化がもたらした負の遺産か？

　バブルの崩壊がもたらした不景気は中々抜け出せない、大量リストラの始まりである。時代の変革に切り替えた会社が生き残る時代である。このころから個性や独創的な発想が更に見直しされてきた。どのジャンルでも個性や独創的な発想は魅力的である、製品を作る場面では、アッと言わせる物はどうして生まれるのか？ やはり創造性とタイミング、社会情勢にフィットしているか、世の中から期待されているかが重要かもしれない。

　私自身、芸術に関して専門ではありませんが、美術館に行くのが楽しい。

　その時代背景……例えば、レオナルド・ダ・ビンチであれば、本人の出自や生い立ち、パトロンや教皇との関係等。幼少の頃の不遇や父親から後押しを受け、ヴェロッキオの工房で才能を磨かれた事や、30歳頃ミラノ公ルドヴィーコ・マリーア・スフォルツァへの自薦状に見入ってしまった。

　自薦状（1482年）

　（1）小生、きわめて軽く、頑丈で携帯容易な橋梁の計画を持っています。それによって敵を追撃することもできますれば、時には退却することもで

きます。

（7）同じく、堅牢で攻撃不可能な覆蓋戦車を制作いたしましょう。それは砲
　　兵をのせて敵軍の間に突入しますが、いかなる大軍といえどもこれに出
　　会って壊滅せざるはありません。

（9）大砲の使用が不可能なところでは、投石機、弩砲、弾石機その他在来の
　　品と異なり、驚くべき効力のある器械を組み立てるでしょう。

（10）平和な時には、建設や水道工事の才能を生かして建物を作ったり、大理
　　石やブロンズの彫刻を作ったり、絵画も書くことが出来ます。

　『アートをもっと知りたくなるライフスタイルメディア　CASIEMAG』から引用

　職業推薦状のようなものだが、軍事経験も無いのにハッタリをかます所は、現在にも共通する。10項目の内9項目が軍事上の事。芸術家としての能力を発揮するには、状況に合わせてインパクトがあるのにこしたことは無い。当時イタリアは戦争中だったので、芸術家で売り込むより、軍事技師としてアピールする事は必然だったのだろう。

　芸術では作者が生存していて有名になることは稀であると思う、知っている限りではピカソがその内の一人である。芸術家がいかに食べていくに苦労しているかと思わずにいられない。

　レオナルド・ダ・ビンチの書いた岩窟の聖母はパリのルーブル美術館と、ロンドンのナショナルギャラリーが所有している。最初に書かれた作品をめぐっては長き裁判沙汰となってしまうが、レオナルド・ダ・ビンチという奇才の指せる業か？

　システィーナ礼拝堂の天井画はミケランジェロ・ブオナローティが教皇から依頼されたが、これも、散々もめて、何度ももめて完成させている。彼の意見を尊重したからこそ、歴史に残る結果になったのだろう。しかし、教皇がいなかったら目にすることすら出来なかった。両名とも変わり者と言ってしまえばそれまでだが、天才と言われるものが誰にも邪魔されず一心不乱に取り組む姿だからこそ、後世に残せる何かがあったのではと考察する。私が見たミケランジェロを描いた映画の中では、教皇から何度もいつできると聞かれた返事が、毎回 "完成したら"

ミラノ、スカラ座前のレオナルド・ダ・ビンチ像

ミラノ、サンタ・マリア・デッレグラーツイエ教会の最後の晩餐　レオナルド・ダ・ビンチ

フィレンツェ、ウフィツィ美術館の『トンド・ドーニ（ドーニ家の聖家族)』　ミケランジェロ

と答えるところが面白い。神の手と評されたのもこの作品であった。レオナルド・ダ・ビンチもミケランジェロも、……また、多くの名もなき芸術家も、その時代に才能を表現できるフィールド、パトロン……が違った意味で確保されていたら？

　製造業で生産される製品には、必ず品質と安全が加わる。

　品質について日本は、世界に誇る日本版品質管理が行き届いている。日本でものづくりに関わる人の多くはデミング博士を知っているのではないか？　1950年6月15日ウイリアム・エドワーズ・デミング博士（アメリカ）が日本科学技術連盟から招待され来日し、東京神田駿河台の日本医師会講堂で、博士による「品質の統計的管理8日間コース」のセミナーが行われた。博士の貢献により日本科学技術連盟は、デミング賞の制度を設立したのが始まりであったと書いてある。デミング博士は産業界の経営者、管理者、技術者、研究者に統計的品質管理の基本を教えた。その考えが日本の高度成長と良いものを作る環境を得て、経済発展を遂げた一因と思っている。社内でデミング賞にチャレンジした経験があるが、事務局の責任者が極度のストレスを抱え継続が不可能となり、非常に残念なことになった。それほど賞を取るのが難しい。

　1983年、縁があって品質工学の創始者である田口玄一博士のタグチメソッドを学んだ。会社から派遣されたのであるが、毎月月曜日から始まって金曜日までの1週間を青山大学で講義を受けた。日本全国から会社の品質管理部門の担当者が集まった。講義中次々質問が飛んでくるので寝ている暇はない、突然指名され前に出て黒板に答えを書かなくてはならない。解らない場合は解らないといえば、直ぐ放免され次の人が指名され、実に子気味良いテンポで進む。週末の金曜日の16時から理解度テストがあり、結果が会社に報告される。その後、次月までに実証するテーマを与えられ調査レポート作成の課題を持ち帰るのである。会社に成績が報告されるので全員必死であった。高い入学金や出張旅費が会社負担のため当然であるが、それを半年間繰り返した。担当だった先生は誰だか忘れてしまったが、非常に厳しくもユーモアがあった。今でも品質工学の重要性はヒシヒシと感じており、学んでおいてよかったと思う。

　統計的品質管理の考え方は、その後の実務を行う上であらゆる問題解決の基礎

となっている。

　バブルが弾けた後の会社でもこの手法は、いまだに有効かつ重要な場面で活躍している。工場の生産現場での品質管理に、なくてはならない手法と認めている。統計的品質管理は統計学から品質管理向上の手法として定着しており、トヨタ自動車とその関連企業は、早くからこの手法と小集団改善活動（QC サークル）を品質管理に生かし実践してきた。トヨタだけではないことも、ここに追記しておく。

　安全神話

　電気設備に長年携わってきた技術者として、安全神話は夢物語としか見ていない。設備は何時か故障する運命にある。ただ、日本の生産工場では、故障を最小限にする技術や未然に抑制する技術は、世界でも一級品と自負していた。しかし、東北地方太平洋沖地震によって原子力発電所は地震による津波の影響により炉心溶融など、原子力事故が発生した。いくつもの要因により炉心を冷やす冷却水装置の電源喪失により失われ、大事故につながったのは記憶に残っている。原子力という絶対起こしてはならない設備が、想定外の大地震により起きてしまった。自然界の想定外の出来事に太刀打ちできなかったのは、想像できなかったか？　いや、想定できたことを暗に避けていたのか？　ここは専門家に任せるとして、私自身技術者として何度も原子力発電所を見学し、説明を受け信頼していた。これは深く反省しなくてはならない。想定外ではなく想定するのをしなかったのだと思うようになった。あってはならないことに立ち向かうときは、あるであろうと想像できるような教育ができないかと意識も大きく変わった。

　義務教育は、その後のあらゆる分野での教育を受ける基礎能力を養うものと考えている。あらゆる分野で何が必要かと問いただした時、最も重要なのは教育であると、最近特に感じる事が多くなった。私が在籍していたところでは、設計部門の残業が度を越していた時期があった。朝4時頃まで仕事を続け、自宅に戻り9時頃の出社時に、居眠り運転で事故を起こした。当たり前のような環境が支配しており、精神的にも追い込まれていたが、それは特別ではない状況であった。ある人から技術者が仕事に打ち込んでいるとき、文化や、芸術がそれをいやしてくれると聞いたことがある。文化や芸術が精神のバランスと取ってくれる、

そのような側面があると信じる。世界を見渡しても何処の家庭や学校、レストラン至る所に芸術作品が無いところはない。ポスター、カレンダー、書籍の表紙、額縁に入った絵画、陶器、カーテン、アパレル、広告等、あらゆる芸術作品に囲まれて生活しているのである。

　素晴らしい芸術に感動するのはなぜだろう？　文化、芸術は無くても差し支えないと考えることもできる。しかし無いことは、なんと空虚な世界になるだろう。人間だけが持つ特別なものを失う感覚だ。

　芸術は無限である。その無限性があるからこそ、想像力を醸し出す。

　私は、何をもって作品にしたかに興味がある。見方、とらえ方は無尽蔵であるので、自分勝手に思いを寄せることも出来る。その創造性を養うのは教育ではないかと長年思い馳せていた時期に、美術館で出会った人から強烈な影響を受けた。

　教育とは限りなく与えるものであると！

　初めてこの言葉を聞いた時、衝撃を受けた。

　教育の重要さ感じ取り、芸術を愛し、体験を通してどこまでも追いかけて行く将来が楽しみである。

カイ・エドモンド（かい・えどもんど）
・1954 年 7 月 2 日（昭和 29 年）生まれ
・トヨタ系列会社の生産技術部出身　電気会社の ISO 環境管理責任者・労働安全衛生管理責任者・危機管理責任者
・第 2 種電気主任技術者　大気関係第 4 種公害防止管理者等の国家資格免状
・会社及び病院関係の経営及び業務コンサルタントとして、東京都、神奈川県、埼玉県をメインに活動継続中

岐路に立つ人間存在の未来とものづくり
—創造的人間性の恒久的確立に向けて—

東條吉峰

1. 逼迫する世界情勢

　私はこのごろ人類史は大きな一つの転換に立っていると思う。そして、その人類史を根本的に反省しなければならないと思う。人間は何万年もの間、狩猟採集生活をつづけた。そして、その富を背景に人類のいわゆる文明なるものが生まれた。そういう文明は農耕牧畜生活を始めることによって、人類が蓄えた巨大な富の余剰から生まれたのである。そして、また二百年ほど前から人類は別の文明を生んだ。工業文明である。工業文明は農耕牧畜文明人たちが考えられぬほど、豊かな文明を生んだ。そして、今や人類は、とくに先進国の人たちは、かつての人類が夢にすら見ることができないような豊かな富を所有している。しかし、この文明には、すでに危険な兆候が表れ始めている。さまざまな危険があるが、最も大きな危険は環境の破壊である。農耕牧畜文明は、すでに人間の自然への征服ということを、その文明の根幹にしている。人間は神によって与えられた理性をもち、その理性をもって人間はすべての動植物を支配することができる。それはキリスト教でも説かれている思想でもある。そういう確信によって人間は、とくにこの二百年来、世界を支配し、世界を改造して来た。つまり、彼らは自分の支配に邪魔な動物・植物をすべて破壊し勝手な自分の王国を建てたのである。しかし、それによってどういうことが起こったか、今やっと、ここ二、三十年ほど前から、人類はその恐ろしい運命に気づき始めたのである。地球の砂漠化、環境の破壊、いまだこの危機は一丁目であるが、やがて二丁目、三丁目が到来する。気づいたときには、すでに遅かったということになるかもしれない。できるだけ早い時期に手を打たねばならない[1]。

これは古代縄文時代を起点に我が国の文化の源流を探し求め、独自の視点と常

識に捉われない鋭利な解釈によって近代以降の人間中心的な西洋哲学・西洋文明を批判し、理性的人間の在り方を常に問い糺すことで、亡くなるまで一貫して我が国の新しい哲学的倫理観や倫理的人間像を模索し続けた、哲学者の梅原猛が 1994 年に記した言葉である。彼のこの主張が全て正しいと言うのではない。1994 年以降、私たちは何度も自然災害や人災による大きな危機に直面しており、今こそこの言葉の本質的意味とその情念に込められた思いを各々が真摯に受け止め、可能な範囲で然るべき行動を起こす時であると強く思う。そしてその行動とは単純に、過去の無垢な状態（イノセント）へ回帰することを促すものではないことを記す。

　この原稿を執筆している 2020 年 7 月現在も、世界中を巻き込み猛威を振るい続けているコロナウィルスによるパンデミック、コロナ禍による全世界的経済の停滞と悪化、日本各地で頻発する異常気象が齎す集中豪雨による河川の氾濫や土砂災害、利益の追求と民族浄化を目的とした中国共産党による他民族への不当な侵略と米国による世界秩序を保つという口実の正当化の行使に伴い激化する米中の対立など、私たちの今を取り巻く留まることのない未曾有の負の地政学的状況によって、誰もが先行き不透明な心理状態にあるのは言うまでもないだろう。

　このような情勢を目前に、現在小学校図工専科の教員として教職に当たっている私に何が書けるのか、今も尚自問自答中であるが、学校生活の中で子供たちと向き合うことを通して思う事や教職に就く前に陶土を用いて食器などをつくる轆轤（ろくろ）職人であった経験から、図工・美術教育者の目線だけではなく、一人の人間の眼差しとして、これからのものづくりや社会づくりの在り方について微力ながら意見を投じたい。

2．近代文明による「個」の肥大化が暴く課題と通底する普遍的原理
⑴炙り出された近代化の幻想と再掘される「個」の権利

　宮脇理は『美術教育学』（1997）の中で、美術教育と個について論じているが、「美術教育は、分割されない個（individuality）への（過大）な思い入れから始まっている。そのためでもあるのだが個への介入を極力避けているのが普通であり、したがって「個」は他者からの侵入が少ないことをよいことにして甘やかされ、「自己拡大」へと進む図式は最近よく見られる。」[2]と述べ、図工・美術教育が長ら

く慣習的にそして無意識的に礼賛してきた、（自己）表現主義や個性主義的立場から脱却することの難しさについて綴っている。

　初等教育の図工専科の教員である筆者自身も常にこれに類する事案と向き合う宿命にあるが、児童だけでなく教員の中には、「図工は自由な表現のためにあるもの」、「好き勝手に表せば他のめあては達成しなくていい」、「個性を優先するのが図工の目標だから」、などと考える慣習を当たり前のように認め疑わない者もいる。正にこういった習慣は、長い間我が国の図工・美術教育が目指してきた教育制度や教育文化が造り出した幻想の一部分であろう。

　しかし宮脇は決して「個」を否定するために個に纏わる諸問題を引用したのではないということを強調しておく。あくまで、図工・美術教育という造形活動や芸術活動を重んじてきた教科は、現代（大衆）民主主義時代において、個人が＜個がもつ固有の権利の行使＞と＜個が存する社会や組織の中で果たさざるを得ない義務の履行＞の両方の価値に気付き実践するための、カリキュラム作成と指導に専念してきたのかを問い、教科のもつ価値を＜無節制な個の権利の行使と保障＞にのみに見出すならば、この教科の存在意義は一層不透明になるだろうという警鐘を鳴らすためであった。

　確かに制度として確立した教育（美術教育を含む）が、無教養なる自我の放任を許容し黙認することは問題であるが、この論述によって見えてくる宮脇の洞察は、個を重んじてきた近代美術教育の枠組みを超え、近代教育そのものの在り方を疑うものであったのではないか。彼はルソー（Jean Jacques Rousseau, 1712-1778）の思想などによる自然権・生存権の拡張がそれ以降の教育思想に絶大な影響を与えたことを指摘し、「個」の権利の行使の絶対性は、21世紀の現在に至るまで教育や社会制度の中に脈々と浸透し保障されてきていることを明かしている。

　そして、例えば第二次世界大戦終結後の国連総会で採択された「すべての人間は、生まれながら自由で、尊厳と権利について平等である。人間は、理性と良心を授けられており、同胞の精神を持って互いに行動しなくてはならない」と個の保障の重要性を訴える「世界人権宣言」（1949）などの理想的制度と、理想に逆らって深刻化する新自由主義的資本主義社会体制の無節制で自壊的な自由の欺瞞

性を対比し、その両者の間で不断に軋轢が生じ続けていると矛盾を突いている。

　私見を交えてこれらの主張を纏めると、近代文明は社会や国家に包摂され得ない存在として、「個」の権利を尊重することを唱ってきたにも関わらず、資本主義に根ざす市場優位型の社会は、既存の社会制度である国家や教育制度の方針と＜個の権利の絶対的行使の尊重＞を直線的に結びつけることで、慣習的に「資金力を有する個」や「稼ぐことを第一に尊重する社会の権利」を重視し、教育制度を通して、＜個に固有の権利を保障するべきであるという理念＞よりも＜既存の社会や組織の維持と発展のためにのみ個はその義務を履行するべきであるという理念＞の方を無批判的に優先させる＜「強者の論理」に追従する現状＞を暴くものであると言える。そしてその論証は、個性主義や自己表現主義に価値を還元してきた美術教育の脆弱性の露呈だけに留まるのではなく、既存の社会制度や教育制度そのものの脆弱性と欺瞞性を露呈する。

　紙幅に限りがあり、今回社会制度の歴史の変遷とそれが教育制度に与えた影響などについて詳細に述べることは省略するが、「社会制度である国家や教育制度が、個の権利と自由を希求する権利を保障するのは当然である」と信じてやまない大衆の他力本願な体質が、本質を置き去りし曖昧にしてきた我が国の美術教育や教育を造り出したと言うこともできる。こうした原理は、近代社会や近代教育が孕む知の脆弱性を表しており、制度の欠点を放任し許容する社会を生み出すのに加担する＜既存の制度に安住する個の無自覚性と無理解＞にその発端が見出されるだろう。

　個が＜権利の行使＞と＜社会の中で果たさざるを得ない義務の履行＞の両方を自らのために自覚的に・批判的に行えることこそ、民主主義時代の理想社会の最重要条件だと論ずるならば、常にまず「義務の履行」は、何に生かされるべきかを熟考することから始めなければならない。我々が既存の社会制度や教育制度を改変していくことのできる世界に存していると信じるならば、再度「教育」の機能を最大限用いるべきであろう。個人の自由と生存する権利を希求してきた近代文明の歩みは幻ではなく、動かぬ事実である。個の権利の保障のために自己が存する既存の社会や制度の咎を黙認せず見直し、改良する方法を研究・模索・開発・試行してきた不断の歴史こそ、人間が普遍的に希求する叡智の顕れと教育の存在

意義の証ではないか。その真理は、造形活動や芸術活動を通して人間を育成する美術教育の理念と重なるどころか、同一視できるものだと指摘する。

(2)教科主義・専門化主義の功罪とものづくり教育の核心

　＜「個」によって媒介・統合される人文科学的知の総合が浮き彫りにする普遍的真理＞と＜今後予期される教育制度の改変によって保障・再認識されるべき普遍的教育理念＞は、近代的教育が生み出した前提的制度である「教科」や「専門性」という枠を再度見直すことを要請しながら、近代教育以前から人間が希求してきた人間の理想像への過程をより強化する働きを担うだろう。その制度の見直しと改変のためのダイナミズムを生む起動力なるものが、造形活動や芸術活動を通して人間を育成する「ものづくり教育」の根幹であると主張する。

　なぜ我々「個」は、既存の制度や形式に甘んじる慣習を生み出したのか？その理由は近代教育を温め奨励し続けてきた近代社会の慣習、即ち、＜社会参画が、教科主義や専門性に偏重する分業的知性主義によって否応なく推し進められてきた原理＞の内に見出される。既に1960年代には、分業化された専門的知識主義によって全体を統合し洞察する人間の能力が失われてきていると痛烈に批判していたバックミンスター・フラー（R.Buckminster Fuller,1895-1983）は、「子供は誕生したときから、総合的な能力と、自分を取りまくさまざまな要素とうまくやっていくための 調 整 力（コーディネーション）を備えている。また、かなりの量の情報を扱い、一連の変化や差異などを識別する力もある。」[3] と言い、インターネットテクノロジーによって情報社会が深化していくフェーズの中で、人間は生まれながらに備わる心（マインド）の超越性を駆使して、バラバラになった人間の知識を再統合し、行き場を失い散り散りになっている情念の燻りの原因を解明しながら、母体である自然と我々の「存在」の維持・発展に寄与しなければならないと訴えかけている。

　既存の社会制度である教育は、自らその存在意義と存続のための理由を既存の制度という権威付けされた閉塞性の中に見出そうとすればする程、人間をその盲目性の袋小路に追いやってきた。確かに人間が、社会という変動を原則とする共同体の中で、自己の権利と安息の法を勝ち取るためには、秀でた専門的機関を綿

密に構成し系統だった教科性を秩序立てることを重視するのは必然的だっただろう。また、専門性を媒介にした職業の安定化と細分化によって社会的地位を築くことを当然としてきた歴史も偏に間違いだったとは言えない。

　しかし、美術教育の歴史的脆弱性や資本主義社会体制に安住する無理解な個の無責任さや無関心などの例を筆頭に、人間は権利の保障と義務の履行が齎す最大の恩恵である自己実現の術を、分業的専門主義に陥落することにのみ、見出そうとしてきたのではないか。既存の社会体制の一例である＜効率主義に支配された資本主義＞や＜実質的には独裁主義や封建主義を生み出すことにもなる共産主義＞という狭い枠組みに包摂されることで、「偽装した法の下の支配」を絶対視し、機械的な「需要と供給」という無尽蔵な欲望喚起装置を賛美することによって、大量生産と大量消費による自然摂理の破壊を深めただけでなく、唯一「限定的社会体制に許諾された労働」によって責任を果たすことで、個の知的社会参画義務の履行を限定的な範囲に留め、盲目的従順性と欺瞞の自由を蔓延させた。

　これは、＜自己を生かす教育＞が脅かされ、蔑ろにされた結果だと言わざるを得ない。フラーが訴えるように我々には元来環境という既存の形式（もしくは先行する形式）から働きかけられる要素に、身体の感覚全てを通して触れ合うことで、自己や他者の欲求や要求を総合しながら形式を調整していく能力をもち得ているはずなのだが、既存の制度が民主主義や理想社会をトップダウン式に未来永劫提供してくれるはずだという錯誤に囚われた、個の集団的無自覚によって機能不全を誘発することにもなる。

　この腐敗と荒廃を招く図式を断ち切るためには、自らの＜果たすべき社会参画義務の履行＞は、＜既存の社会構造全体の修復・改善・発展に主体的に関わることで、個の存在に基づく「権利の保障」を一層強化することに直接的に寄与する＞ことを知らしめ、この図式が作動する社会こそ健全な社会であると訴え続けなくてはならない。どんな構造を対象化する場合でも、＜個と全体にかかる相対性のメカニズム＞を理解する必要があろう。そのためには、「ものづくり教育」を通して我々が得る恩恵の核心について分析することが不可欠だと主張する。

　では「ものづくり教育」を通して得られる普遍的な恩恵の中でも特筆すべきものとは何か？私はそれを、人間の思考や行いが形づくる既存の制度や体制を普遍

的に超越する自然の摂理が、一貫して示唆し希求する＜神性に鑑みる人間の霊性の維持と発展＞であると指摘する。人間主義の潮流は、華々しいルネサンス文化を生み、それが以降近代文明の代名詞と呼べる産業文明や工業文明を興す嚆矢となることで、自然科学にみるような物性原理の解明の尊重や物質による豊かさの追求を、現在に至るまで人類の最高峰であるかのように尊んできた。しかし同時に、その態度は＜自他の「存在の保障」よりも「物や概念の操作性の優先」＞を尊び、自己や自然の驚異を慕い敬う気持ちを忘却することで、あたかも人間は自然を超越した存在であるかのように驕り高ぶり、自ら辛酸を嘗めてきた。

　私が何よりも重視する「ものづくり教育」は人文科学の原点であり、その本質は、＜自己活用の研究と熟練＞に位置付けられると考える。人間の深層心理に貫徹する情緒や認知機能の働きを理解するだけでなく、社会と自己との関係を問い糾し、習慣や文化、行う全ての振舞いを顧みる＜創造的人間性の育成＞を総合的に目指す営為である。自己とは即ち、＜存在の一義性＞を示すものであり、元来人間が後天的に備えた概念操作に基づく知性主義や能力主義に覆されるような定めではない。ルネサンス以前の中世ヨーロッパにおいてキリスト教の教義や神学に基づく哲学的思想によって体系化されたスコラ哲学を研究する山内志朗は、＜私＞という存在と＜他者＞という存在には、コミュニケーションによっても完全に共約できない「共約不可能性（incommensurabilitas）」が内在しており、他の誰によっても、何によっても代替もしくは共有できぬ、共有不可能な実態、即ち共通性のない深淵な断絶が存在していると指摘する[4]。

　換言すれば、それは実存主義的立場と類似した思想かもしれないが、スコラ哲学は古代ギリシア哲学の代表の一人であるアリストテレス（Aristotle,384-322 BC）の思想に修正を加え、トマス・アクィナス（Thomas Aquinas,1225頃-1274）やヨハネス・ドゥンス・スコトゥス（Johannes Duns Scotus,1266-1308）らによって発展したものであり、近代に入って多様な解釈によって再構築された実存主義の主張と全く同様だとは言えない。ただ共通するのは、私や他者という「個」なるものには、入れ替え不可能で我々が侵犯できない暗黙の絶対領域が存在することを告げる。互いの溝を互いに認め埋め合うことで、親和性を築いていくものがコミュニケーションの起源であり、文化や言語の真価ではなかろうか。そのことを

強く深く学ぶ手段が「ものづくりによる教育」であると論じる。

　ここで言う「ものづくり」とは、決して＜自己表現主義や商業主義、または専門分化した芸術や美術という教科主義に陥ったジャンル＞を指すのではない。それは有限なる自己を何に（何を犠牲にして）どのように乗せるか（念写するか）という、絶え間ない問いと鎮魂を前提とした往還的不滅の儀式的・複合的プロセスの総和である。人間と呼ばれる存在は、「ものづくり」の過程を通して、今まで一度も、この世界に在る存在＜材料だけでなく道具となる材料も、自分自身をも含む全ての存在＞を無から創造したことがないという事実を悟るに至る。

　換言すれば、創造神である自然の根源の中心から派生し創造された＜被造物＞であると同時に、他者を犠牲にしその身体や性質を拝借することで自己の内的メッセージを外的に示し表す主体、即ち＜在りて在るものの分身（分霊）＞であることを身体の知覚を通した霊的感性によって感得できる存在であり、認知機能を獲得した人類という種における「個」は、ものづくりによる内省というプロセスを増大させることで、創造神の希求する姿に自ら近づくことができるのである。

　構造主義の祖とも呼ばれる、人類学者のクロード・レヴィ＝ストロース（Claude Lévi-Strauss,1908-2009）は、著書『野生の思考』（1962）の中で、既存の構造を尊重し順応するための超越的唯物史観なる見方を提起することで、近代西洋文明を後押ししてきた人間中心的な概念偏重的態度と共に、当時の実存主義哲学の代表であったジャン＝ポール・サルトル（Jean-Paul Charles Aymard Sartre, 1905-1980）の主体偏重的思想を強烈に批判し、構造主義ブームを巻き起こしたが、その思想は大きな欠点を内包していたと言わざるを得ない。

　確かに構造主義の功績は、存する全ての存在が＜根源的に同一源的な存在＞であることを明かし、一神教的見方に立ち返らせる働きを担ったことで、客観的概念形成に基づく人間中心主義や個人主義によって齎される自然や他者との乖離について反省する態度を養う理由を知らしめたことなどだろう。しかし同時に、「自然」や既存の構造・制度なるものに自己の存在の価値を強制的に一元化するべきだという「機械的・唯物論的見方」の奨励の増長は、霊性を備えた個の普遍的「存在の一義性」が齎す有限なる機能と価値を置き去りにし矮小化した、罪過の面も甚だ大きかったと批判する。

かなり急ぎ足で進んできたので、強引な主張に思える部分もあるだろうと承知するが、どんな条件や場面においても、私たち被造物には本来穢すことが許されない＜「存在」の神聖性＞に触れる「ものづくり」のプロセスを通して享受される恩恵は、既存の構造が担う機能とその弱点を顕在化させるだけでなく、物質の不毛な浪費と存在の無駄な殺傷に起因する破壊活動などを停止させ、全体という枠組みとの関係を恒常的に問い、その関係性を改善する働きをも請け負う。この世に生を受けた瞬間から、我々が絶えず続けている一連のものづくりという宿命的過程を経ることで、自己の存する世界の全てが、自己との関係の内部で起きている事象であると見抜く力を強固にし、ものづくりのメカニズムは全ての既存の形式の分析と改良に応用できることを理解する。そしてものづくりは、自他の霊魂の修復と研鑽の両方を促す全ての教育の親であり、神性に鑑みて自己の神性を自覚・顕現させられる知的動力を普遍的に有すると結論付ける。

３．古来の伝統文化からサイバネティックスまでを顧みる
⑴自然の中で紡がれる叡智を獲得・継承するための普遍的力学

　コロナ禍の収束が未だ見込めない中ではあったが、この執筆のために以前より訪れてみたいと思っていた場所へ足を運んだ。近畿地方の滋賀県東近江市、奥永源寺の君ケ畑にある小椋谷と呼ばれる集落である。君ケ畑は、滋賀県の緑豊かな鈴鹿山脈と、流れる水が清く美しく透き通っているのが非常に印象的な渓谷に囲まれた閑静な集落である。平安時代の 859 年頃に文徳天皇の第一皇子だった惟喬親王が隠棲した際、法華経の巻物の紐を引くと巻物の軸が回転する原理から光明を得て轆轤を考案・発明し、その技術を里人に伝えることにより木地師発祥に繋がったという伝説が残る。木地師たちは緑豊かな自然の中で、職人としてのノウハウを養いその巧みな技能をもとに全国へ散らばって行ったとされる。

　私の母の旧姓も小椋で、元々木地師の流れを汲んでいたらしいと言う母の話を聞き、以前から小椋姓や惟喬親王に纏わる話についてリサーチしていたので、勝手な親近感をもっていた。何の予約もせず何か有意義な取材ができるだろうという淡い期待だけをもち体一つで赴いたのだが、本当に幸運なことに、現在木地師としてこの君ケ畑で工房を構えていらっしゃる小椋昭二さんに出会い、貴重なお

話を伺うことができたのだ。小椋さんは元々お父さんのされていた製材所の仕事を手伝っていたが、その仕事をお兄さんに任せ、製材業で培った経験を生かし、してみたいと思っていた木地職人に転向されたようである。

乾燥中の木片の在庫の一部

　工房に入ると、木の香りが充満していて、削られるのを今か今かと待つ無数の木片たちが出迎えてくれる。タモ、カエデ、クス、スギ、サクラなど、様々な種類の木から切り出され、あちらこちらに所狭しと積み重ねられている。小椋さんは、長く使用出来る器をつくるためには、乾燥させることで生の木の中にある水分を抜きながらうまく歪みを起こす必要があると語る。十分に歪みが出て、削るタイミングになるのは、およそ二、三年後だと聞き、木の状態を観察して最適なものを選ぶ鋭い観察力や乾燥の進行具合を読む経験に裏打ちされた判断力と計算された途方もない下準備が必要なことを知って心から驚いた。

　江戸時代の頃までとは異なり、現在使用されている轆轤は電動式であるが、轆轤を使って削る時の小椋さんの眼差しは真剣そのものである。木を削り出す時に使用する刃物であるカンナは当然自身で磨き、磨き具合を微調整するが、回転する木にそっと刃先が触れる程度に当てることで、カンナが折れたり木が割れたりするのを抑えられるし、器の表面も美しく仕上げられると言う。カンナを掴む右手の角度や力加減と、刃先を安定して木に当てるために固定する左手の指の動かし方や力加減の絶妙な連携によって、削りたい深さやスピードを調節できるようだが、常に危険と隣り合わせであることがその眼差しや姿勢から伝わってくる。

　江戸時代末期に君ケ畑から木地師職人がいなくなった後、約二百年ぶりにこの

地で小椋さんが唯一初めて、木地師を再び始めることになったと言う。若者は山を越えた開けた町で就職し、山の中で暮らすことを選択する人は少ないと話すが、小椋さんは、故郷ののどかで豊かな自然に囲まれた環境に身を置き、自分のペースを保って一つ一つの品物に思いを込めながら製作に携わっている。使用する木の多くは、広葉樹の種類で密度の高いものを主に他府県から仕入れてくるようだが、木は三、四十年もあれば立派に育つし、土や水の中に何千年も前から眠っているような神代（神武天皇即位以前からという意味）の木々の丸太から切り出された材料なども、うまく乾燥させることで非常に値打ちのある品物ができると、目をきらきら輝かせながら話してくれた。

轆轤を使って器を削る小椋昭二さん

品物の表面を削るカンナ

　縄文人たちは森の破壊がどんなに自分たちの生活にひびくかを知っていたと思う。一本の木でも切ってしまえば、生態系に大きな変化を起こす。生態系に変化が起こると直接、彼らの生活にひびいてくる。彼らは動物でも、その種を根絶しないように注意深くとり、植物にしても生活に必要最小限の植物しか採集しなかった[5]。

　梅原猛が上述するように、人間が自然から変わらぬ恩恵を享受するためには、自然という有限なる世界に通底する聖なる戒律と秩序を見定め、畏怖の念にも相当する謙虚な霊性を、文化・慣習・言語などの人間に普遍なコードに刻印し媒介することで恩寵を次世代に継承する以外に選択肢はない。この営為は、人間の内に累積する徳性や感性を引き出し貯蔵することでのみ維持され、緩やかな文化の発展に寄与するための新しいインスピレーションを生む嚆矢にもなる。

小椋さんが選択した道は、競争による生産の効率化と大量消費による資本力の増大や欲望の無尽蔵な喚起を奨励する資本主義体制下では非力に見えてしまうかもしれない。確かにお金という資本を優先するストラテジーは掲げていない。しかし、「足るを知る者は富む」という老子の言葉が示すように、超古代から現代、そして未来の彼方にかけて永遠に、我々人間が胸に刻み込んでおくべき教えの真髄を小椋さんは体現しているように思う。これからも先、人間が当たり前に、当たり前の幸福で知的生活を永続させていきたいと願うならば、人間の生の根幹と歩んできた歴史の蹉跌の原因を問い、全体の摂理である自然の脈動に直接手を加えることで自然を管理し、自らの存在の脈動を律していく努力を怠るわけにはいかない。決して生ぬるいものではないが、できないはずはない。

タモの端材を活用してつくられた団扇

器の裏面に押される印章

⑵デザインの改良を促進する教育の使命
〜普遍と高度テクノロジー工学文明の折衷の間で〜

　これまで「ものづくり」と「教育」の普遍的関係について検証してきたが、ものづくり教育を通じて得る知恵は、「デザイン」という概念を生み出し、これまで絶え間ない改良を重ねてきたと言える。大泉義一はデザインの定義について、その対象と性格が時代の変遷と共に変化してきており、現代ではその意味の盛んな分析と再構築が一層進められているとしながら、歴史的変遷を遡及する過程の中で、「デザイン教育」が再び注目され、大きな役割を担うだろうと指摘する[6]。

　既存の社会制度やそれに基づく教育という枠組みの見直しと改変を行う人間の意識革命の変容を追えば追う程、自らの権利の保障と社会参画義務の履行の両

立のために自ら生み出した「制度としての専門性や教科性」は、その異化過程に逆らい、人間の知性の充満に伴う高度な自己達成欲求の要請に従って、限定的な格子として分節化された知の系統性に由来する絶対性を誇る機能を崩しながら、再統合するに至ると推察する。そしてそれは偶発的な歴史を誘発・再現する動きではなく、最も大きな既存の形式である「自然という根源」が常態的に希求する＜人間の霊的本能の保障と拡張のための知的過程＞を意味する。人間に内在しているこの力学の全てを「デザイン」と位置付け、「デザイン教育」が担う使命は、その力学の活用と拡張ではないかと問う。

　ヴィクター・パパネック（Victor Joseph Papanek,1923-1998）は、『生きのびるためのデザイン』（1971）を通して、「大学やデザイン学校が哲学的、道徳的に破綻状態にある理由の一部は、現実には幅広い＜水平的な＞万能の人（ないし総合者）が要求されているのに、そこでは幅狭い＜垂直的な＞専門家養成の教育がますます強化されている点にある」[7]と主張し、分化した系統性に由来する専門性の範囲内で行う分析と更なる専門性の追究へ慣習的に賛同することこそが、理想的人間のあるべき姿であり、理想社会を実現するのに繋がると唱う、盲目的な教育観に縛られた教育制度の常習性を徹底的に批判している。

　彼は全ての人を「デザイナー」と位置付けつつ、同時に、

　　デザイナーはその社会的、道徳的責任を自覚していなければならない。というのは、デザインというものは、それでもって人間の使う生産品や人間の環境やさらには人間自身をも形づくるという、これまでに人間に与えられた最も強力な道具であるからである。デザインによって、人間は過去を分析すると同時に、また人間の行動によってできる予見しうる未来の結果をも分析しなければならない。この仕事は、アメリカの場合のように、デザイナーの生活全体が、マーケットや利益追求の方に向かっているような仕組みによって制約されているところでは、いっそうむずかしい。このような巧みに操作される価値から徹底的に離れるというようなことは、なかなかむずかしいのである[8]。

と述べ、人間が造り上げた既存の形式を超越して、それぞれの個が希求する理想を実践することの難しさについても触れている。確かに先を急ぎたいからと言っ

て、今まで伝統的に築き上げてきた城郭を一気呵成にわざわざ攻め滅ぼして、味方を敵に、敵を味方にするような無秩序で独善的な刹那主義を教育に据えるわけにはいかない。より開けた新しい地平へ向かうためには、時間を十分にかけて他者の意見を照合・総合し、社会の要請に伴う慎重な熟議を経て改革する謙虚な姿勢と洞察力を養い維持することも、デザイン教育が齎す教えの本質なのだ。

　私は、デザイナー兼教師として＜いったいどのようにしてわれわれはデザインをよりよくすることができるのか？＞と自らに問わなければならない。〔中略〕デザイナーやデザイン学生は多くの他の分野に精通するようになり、そうした知識をもととし現代社会に対するデザイナーのあり方をあらためて明らかにするのでなければならない。社会科学、生物学、人類学、政治学、工学技術、行動科学その他の知識が、デザインのプロセスを支える基盤となるのでなければならない[9]。

と指摘する彼の見解は秀逸である。フラーが予見していたように、我々は高度情報化社会を経験しインフラとして定着した情報社会の内部で、散りばめられた情報という原石を拾い集め、自らの行動の抑制と促進に繋がる知の統合の渦中にある。その中では、自らが社会を生き抜くために選択した専門性の枠を超えて、限定的ではあるが個人が発信する情報を自由に手に入れ、磨き上げることで新しい価値を創造し、自他のために活用することもできる。
　心の働きから生命や社会の機能までを一貫した有機的・動的制御システムとして捉えようとしたノーバート・ウィーナー（Norbert Wiener,1894-1964）が提唱した「サイバネティックス」という概念の導入と拡散により、情報理論の整理・発展が加速すると共に、通信工学と人間の生物的欲求の知的充足が爆発的に結び付くことで、人間のライフスタイルは一変した。その歴史的革新は、「人工知能（AI: artificial intelligence）」を駆使した人工頭脳学を体系化し、日夜新境地を開拓し続けているが、フラーやウィナーなどの先駆者たちによって、インターネットテクノロジーを介した情報の高度なやり取りは実現したと言える。
　サイバネティックスは、「オートメーション（automation）」という一つの概念の導入と安定化により、一層高度で効率的な生産性を計画的に維持・供給するこ

とで、生活スタイルの水準の段階的な向上を可能とすると説く。安定的な情報の活用と蓄積によって、機械による持続的なフィードバックシステムの構築・再構築を実現し、人間の手を介さずにでも自動的に「人間の欲望」を叶えてくれる夢の箱だと賞賛する者も多いが、反対にその機械的な振舞いに対して危険性を訴える見方も多い。どちらにせよ我々が生きる現代情報社会はこのような普遍性と革新性の間で、飛躍と模索を繰り返しながら、心が照らし出す方向へ確かな道筋を付けようと挑戦し続けているのだ。

　テクノロジーがどれほど高度に進化したとしても、人間のデザイン思考の原理や人間の原理を変えることはできない。「人間の原理」とは、自然が運命付ける生の有限性とそれを多様な形で記録・保存し意味付けようと模索・抵抗する人間の本能の間で展開される「善性の追究」の過程だと言える。私は、このような高度なテクノロジーを介する現代社会の中にあっても、「知」を超越した信仰にも類するような「聖なるものとの対話」の重要性を普遍的に自覚することで、人間の未来を一層解放できる能力をもつ存在に自ら成長できると信じる。情報社会が窺わせる理想社会を実現させられるかどうかは、「デザイン」と「教育」の使命を理解し、その機能を最大限引き出し活用する我々一人一人の心がけと行いに委ねられる。

4．終わりに

　人間が夢の箱の中から、自己に内在する怪物を召喚し、物質的な見せかけの豊かさを追求することで、悪辣な破壊活動を強め、死に絶えるまで、自らの首を絞め続けるような未来を選択する可能性は非常に高い。その懸念から派生する否定的な想念によって心的イメージは歪み、正に今我々の心と身体を蝕む根本的な要因をつくり出している。子供たちの笑顔を勝ち取るためにも、未来に納得できる世界を残すためにも、「日常生活・労働・生の価値など」を既存の社会体制や教育制度の中だけに再帰的に見出そうとするのではなく、何度も自身の尊厳と意味を問い、生き方を更新し続けていく必要があるだろう。

　今回のリサーチと論述によって顕在化させようとしたテーマは、「ものづくり」やそれによって齎される教育原理の核心であったが、同時にそれは＜愛＞で

もあった。エーリッヒ・フロム（Erich Seligmann Fromm,1900-1980）は、「愛は、人間のなかにある能動的な力である。人をほかの人びとから隔てている壁をぶち破る力であり、人と人とを結びつける力である。愛によって、人は孤独感・孤立感を克服するが、依然として自分自身のままであり、自分の全体性を失わない。」10) と言う。ものづくりを通した教育が促すのは、「物」や「制度」などという既存の概念を操作する力だけではない。生を受けた全ての「個」に、固有の魂と物質（質料）の差異を見極める洞察力を授け、それを生かす力と愛へ向かう力を育成するのを促すのだ。

　人類は、グローバルな視点で市場中心の新自由主義的資本主義を尊び、この世界に憎悪と荒廃をも齎した。最早、現在の情報社会の中を往還する我々の思念たちは、この枠組みが宇宙の原理原則からはみ出した道理であり、改変されるべき多くの欠点を孕んでいることに気付いている。「真の民主主義」を不動のものにするためには、＜権力による恣意的感情の行使とそれに伴う社会支配＞や＜物質の測量とそのデータの蓄積によって構築される概念主義的学問体系＞に依存するのではなく、論証以前に存在する深淵な世界と自らの神聖な一義性・不可逆性を互いに認め、有限なる存在の意義や理由の探究を通して永続的に知恵を再分配・再統合し合える社会を築き上げようとする気概をもつしかない。

　我々は、ものを消費することで自らの生を維持しようとする＜生命存続の残虐性＞に直面し、同時に「生命の存在」の有り難さと「存在の創造と存続」の痛みを学び、自己の行いを顧みる能力をもつ。生命に附された「時間」の意味と対峙することで、質料の膨張によって進行する分化過程（異化過程）に伴う「身体の顆粒化」に反して、過去の過ちの理由を暴く「考古学的実践（アーキオロジカル）」、個の直感と洞察を念写し残す「記録・保管的実践（アーカイビング）」、物質と魂を操作する能力の向上によって自己変容を推し進める「錬金術的実践（アルケミカル）」という３つの実践の乗算により認知的・情動的遡及過程を強化し、自他の霊性を昇華することも可能なのだ。その中で、愛は温められ、一層高められる。自己を苦しめる三毒「貪（とん）・瞋（しんち）・癡」の克服や不毛な破壊的慣習の放棄などを自ら行う、恒久的な創造性というフィロソフィアをもち得るべきは人間であり、その育成はアカデミアの唯一不変の使命であろう。

注

1 ）梅原猛『日本の深層＜縄文・蝦夷文化を探る＞』集英社、1994、pp.282-284。
2 ）宮脇理・花篤實編『美術教育学』建帛社、1997、p.118。
3 ）R・バックミンスター・フラー著、金坂留美子訳『バックミンスター・フラーの宇宙学校』めるくまーる、1987、p.111。
4 ）山内志朗『天使の記号学』岩波書店、2001、pp.23-24。
5 ）前掲『日本の深層＜縄文・蝦夷文化を探る＞』p.279。
6 ）金子一夫編『美術教育学叢書 2 －美術教育学の歴史から』学術研究出版 / ブックウェイ、2019、pp.138-149。
7 ）ヴィクター・パパネック著、阿部公正訳『生きのびるためのデザイン』晶文社、1974、p.214。
8 ）前掲『生きのびるためのデザイン』p.81。
9 ）前掲『生きのびるためのデザイン』pp.119-120。
10）エーリッヒ・フロム著、鈴木晶訳『愛するということ（新訳版）』紀伊國屋書店、1991、p.41。

主要参考文献

・ヴィクター・パパネック著、阿部公正訳『生きのびるためのデザイン』晶文社、1974 年
・クロード・レヴィ = ストロース著、大橋保夫訳『野生の思考』みすず書房、1976 年
・トマス・アクィナス著、山田晶訳『神学大全』（Ⅰ・Ⅱ）中央公論新社、2014 年
・宮脇理・花篤實編『美術教育学』建帛社、1997 年
・宮脇理監、佐藤昌彦・山木朝彦・伊藤文彦・直江俊雄著『アートエデュケーション思考 -Dr. 宮脇理 88 歳と併走する論考・エッセイ集 -』学術研究出版 / ブックウェイ、2016 年
・宮脇理・山口喜雄・山木朝彦著『＜感性による教育＞の潮流 - 教育パラダイムの転換』国土社、1993 年
・R・バックミンスター・フラー著、金坂留美子訳『バックミンスター・フラーの宇宙学校』めるくまーる、1987 年

東條 吉峰（とうじょう よしみね）
・1985（昭和 60）年 大阪府生まれ
・2009 年 ロンドンゴールドスミスカレッジ卒業後、日本にて陶芸に従事
・2015 年 鳴門教育大学大学院（修士）芸術系コース（美術）修了
・同年より 神戸市にて小学校図画工作科専任教諭として勤務

満州鉄道沿線地域の高等小学校と旧制中学校における作業科手工教育の実態
—『満鐵教育たより』掲載手工関係記事の分析から—

齊藤暁子

1. はじめに

　民芸・農民美術とのコントラストとして、近代工業化に対応する作業科手工教育が進められた満州の実態を本稿に寄せたいと考えた。そして、特に満州学制発布前後の作業科手工教育の独自な発展について紹介する。[1]

　満州における作業科手工教育の特徴について、原正敏「『満州国』の技術員・技術工養成をめぐる若干の考察」[2] の中に著されている。日本内地では実現しなかった「中学校教育における実業教育の強化の様子」として、「普通教育だけの中等学校の設置を認めない特異な制度があった」と書かれている。満洲新学制において中等普通学校教育に作業科を必修として位置づけていた。

　取り扱い資料として、満鉄教育研究所[3] 発行月刊誌（1934 年 9 月～ 1937 年11 月、全 39 号）『滿鐵教育たより』[4] において作業科手工教育にまつわる記事の収集調査を行った。主に 1926 年から 1937 年満鉄教育研究所や満鉄沿線附属地で進められた研究実践・論考の紹介となる。

2. 満州における「実業教育重視」の背景

　1934 年までは、満州では主に初等普通教育の普及とその教員養成を行い、満鉄は、鉄道沿線の都市部、殊に南部の興業発展地域において一定の初等教育の義務化達成をみることが出来てきた。[5]

　当時の満州の初等手工教育は、日本国内のそれに準じて、図画と並び生活に密着したものづくりが主であった。手工科が初等教育に定着してからは、中等教育をどのように展開し、「満州国」を工業立国に成長させるか。そのための公民教

育としての体系を模索していた。また、日本の植民地施策として、鉄道や産業と等しく特徴ある教育も世界にアピールする一つの要素であった。諸外国からの南満州の実業教育学校の視察、日本国内の校長会の諸学校見学や研修旅行等の誘致、その折の満鉄乗車、大和ホテル滞在等の記録も残っている。[6]

1938年奉天第二中学に第一学年で在籍した宮脇理は「教科書はなかったが、全てが整った工作室で、製図・旋盤・塗装まで一貫して一人で制作し、木製計算機を完成させた。」と記憶している。普通科の中等学校に本格的な作業科が位置づき、日本内地の視察から得られた工作室を満州で実現していたことも分かった。宮脇は翌年日本に引き揚げ新制中学校に学んだが、「日本内地にはそのような設備は勿論、新制中学に作業科という科目も無かった」という。「当時は多くの日本内地の実業家、海外の視察団が満州の産業や交通、教育を視察しにきていた」と記憶している。「『満洲国』が招いていた」当時の様子を取材することができた。満州在住日本人の中学校、初期中等普通教育の中に職業教育の基礎としての手工科・作業科が積極的に位置づいていたことがわかる。

米田俊彦「近代日本中学校制度の確立―法制・教育機能・支持基盤の形成」[7]に著された日本の実業教育と中学校制度の確立において、「明治学制発布以降広く国民に初等普通教育が施され、そのための教員養成に力を入れてきたことにより、次に発生してくる大衆の中等教育への要望に、実業学校令によって実業学校の増設、更には実科中学校を構想していた」[8]とある。この案は中学校の普通教育による高等教育の予科としての確立を望む全国尋常中学校校長会議に批判され採択されなかったという。[9]

満州では、単線型の高等学校の予備とする中学校において、実業教科を学ぶことでより教育の実際化を進め、現地中国人で初等教育を受けていなかった年齢層に対しての普通教育や日本語及び支那語教育推進、満州での将来の技術者を育成するべく甲種実業学校の普通教育化も成り立っていこうとしていたのではないか。それは満鉄株式会社の企業内教育としての普通教育に付加される実業科という要素、初等教育における手工教育定着時にみられたケルシェンシュタイナーの「公民教育」の思想を汲む教育課程の実現という要素、そして民国時代の施策によりデューイによるプラグマティズム教育学から満州地域で広がった実験学校の

実践を積む中国人教員との協働から実現した要素とがある。教育体系が確立途上であった黎明期と考えればそのどれも存在したと考えるのは自然であろう。

　次に、満鉄教育研究所を中心とした機関誌に残る作業科手工教育に関わる記述を全て時系列で追っていくことで変遷を追っていくこととする。

3．『滿鐵教育たより』にみる初等手工科・中等作業科における教育の研究実践

　1934年当時、『滿鐵教育たより』掲載文書から、満鉄は邦人の他に、満人、支那人（漢人ママ記載）、蒙人、露人教育（日本語教育を行って以後批判を受けるが）、訓練要目、複式教育、養護學校（盲聾唖）、図書、體育教育、衛生指導、綴り方、映画、女子教育等其々研究を進めていた。中等教育から次第に高等教育機関の設立を行っていた。「内地にて高等教育を」という関東庁の考えとは異なり、「満州で高等教育を施し満州国のリーダーを育成しなくては」という考えが強かった。満鉄が考える「現地適応主義の郷土教育」の解釈からくるものであろう。

（1）満鉄教育研究所における「滿鐵初等教育研究會手工（工業）研究會」及び「作業科研究委員會」の活動

　『滿鐵教育たより』（以下省略）1934年創刊號（九月二十日発行）には、「作業科研究委員會報告」とあり、満州鉄道沿線の公學校（中国人教育）の作業科・手工科の教材及び時間配当決定が記載されている。研究会では、園芸、工業、そして手工の教材の各教科の連絡やその材料、用途による分析、模作と創作の区別から見た教材配当、共同製作など多岐にわたる研究報告がされている。

　1935年第五號（一月十五日発行）には、「滿鐵初等教育研究會報告」として、手工科研究委員會が瓦房店公學校で行われ、新制手工教授要目の決定と工業科教授要目の決定が報告されていた。更に瓦房店公學校において手工科公開授業研究發表會が行われたことが掲載されている。日本語教育に力をいれていた公學校が、手工の研究に力を入れていく様子が垣間見られる。この発表会では、満鉄教育研究所の鈴木定次[10]の「授業批評」で締めくくられており、この時日中の訓導が共に研究し、満鉄附属地外からも参加している記載があった。民政権下デューイの実験学校の導入が行われていた地域の中国人教員も多く、手工教育研究は受け

入れやすかった。

　民政権下の教育施作で、1922 年「学校系統改革令」により、中国教育界は、それまでの日本式からアメリカ式学制を採用したという。[11] 先んじて北京大学長蔡元培がデューイを招き、プラグマティズム教育学を広め、それまでの経済不振等を教育によって打破しようとする「教育救国」主義者にも歓迎されスムーズに受け入れられていったという。2 年間、中国各地でデューイの講演・普及活動は行われたそうである。それは、「少数の特権階級の為の教育でなく、民衆のための教育であり、学校の課程が社会生活での実践に有機的に結びつくもの」であったとする。その影響を受けた蔡元培、黄炎培による職業教育運動が興り、民国政府の新学制における中等教育に影響を与えたとされる。具体的には、6 年生の職業学校の導入などがある。[12]

　1935 年第六號（二月十五日発行）には、満鉄教育研究所にて「滿鐵初等教育研究會」手工（工業）研究會が行われ、在満日本人の各小学校の校長や訓導が出席した。研究所所長八木壽治と研究員鈴木定次が講話し実技を実際に講習した。継続して具体的に各学年の教材を検討し、細目を作成していることもわかった。

　1935 年第十號（六月十五日発行）の頃から「現地主義を基盤にした郷土教育の推進をする」といった文言が増え、当號に『滿鐵中等教育研究會報告』として、「作業科實地授業研究會」「郷土科研究會」「作業科研究委員會」がそれぞれ教材配列等を掲載している。当初、主に初等教育を担っていた満鉄が、その範疇で行っていた手工を、中学校教育の推進の中で労作教育の研究の中で更に推進し、作業科を位置付けた中学校を附設した。内地の教育体系を推め、普通教育と実業専門学校を分けて考える関東庁官吏と違う独自の教育体系を模索する様子がこの頃見られた。

（2）満鉄教育研究所所長八木壽治の日本内地視察による「高等小學校の實務化」の満州教育への導入分析と鈴木定次の手工教育考のずれ

　1935 年第十一號（七月十五日発行）では、八木所長の前年 10 月に内地視察した報告が掲載されている。ここには「高等小學校の實務化に就て」視察からわかる満洲での実現性と対応策を論じていた。

　大正期の自由教育風潮の強い時代から落ち着きを取り戻した内地の教育情勢

（本人の文調のママ）を分析し、「教科及び時間配當に就いて」（ママ）各自の熱心な研究から新学制に向けて進めるといった、満州開国初期の風潮からより統制のとれた恒久的な機構を目指す様が見て取れた。それまでは二分して進めてきた教育体制も 1934 年からは、駐満州国全権大使が大使館内においた関東局が監督し一本化するようになっていた。[13)]

　八木は視察する高等小学校を、尋常小学校の延長と捉え一般陶冶を主とする関東地域よりも職業化を図っている関西地域を中心に視察し報告している。

　　「大阪、神戸等の高小では僅かな普通學級を残す外多くは入學當初より實業學級に編成し、法令の許す最大限度に實業を課し、尚之を多くの分科に分けて專攻させている處もある。廣島市も此の高小の實業化を高唱し、近年各尋小に併置してゐた高等科を設備等の關係から獨立させて乙種實業學校以上と思はれる位に工業等の設備を整へ、實務化より一歩職業化迄進んでゐる。神戸市で高小は悉く獨立させ、中でも兵庫高小、楠高小等は實務化の模範的なもので文部省でも職業教育の研究學校として指定してゐる。大阪市でも略同一方針で高小を職業化すると共に育英商工學校の如き二ヶ年の實業學校を作り、又大阪實業學校と稱し三ヶ年の實業學校を設置してゐる。何處も卒業生の需要は數倍に達し本人は勿論家庭でも社會でも喜ばれてゐる様である。…満洲にある高等小學も一層實業科を徹底させ職業科したらと考えられるが、私は此等高等小學の實狀及び環境の社會状態から考察して、満鐵では再考すべきものがあるやうに考へた。」

としている。

　関西の当該地の生徒も家庭もそこで学ぶことに自覚もあり、卒業すれば直ちに就職できる商工大都市で、社会の実情に合っている。満洲では家庭も地域の状況もそうではない。比較的豊かな家庭の生徒にそこで学ぶ目的も自覚もない上に、高等小学校を職業化してもそこを卒業したからといっても就職がない。大連市早苗高等小学校の状態が物語っていると実情を鑑み、満鐵教育調査會が三ヶ年の実業學校を適切と認めたが、八木は高等小学校はそのまま残し内容をより現地の社会にあったものにし、中心都市に高等小学校卒生を収容する三ヶ年制の甲種程度の実業學校を多く配置することが実情に即していると分析している。

尋常小卒業後の三ヶ年の実業学校や高等小学校の職業化は理論で成立してもその生徒の社会との連携もそこで学ぶ自覚も現実には成らないというのだ。

また、法の秩序をもって冷静に履行し改正したり、実験研究したりして行くべきで、思いつきや検討のない新思潮によって変更すべきでないと満鐵教育における統制の不徹底による問題のあることを指摘し、様々な種類の学校の存在、多くの児童のいる学校それぞれも一律に改正できるよう吟味し地方部長の認可を受けるべきであるとしている。

1935 年第十三號（九月十五日発行）には、鈴木の「手工教育五十年記念を迎ふ」が掲載されていた。日本における手工教育の発展の様を丁寧に讃えつつも、満洲における手工はその理想を上手く果たせていないことを嘆いている。教育研究所の中でもより工業化を考える同僚からの批判や誹謗中傷を受けている旨が記述されている。（その後は関東局よりロシア国境地域の佳木斯師範学校学校長として赴任し、初等教育教員養成に尽力した。）鈴木が入植初期に展開した初等教育における総合科も含めた手工論の理想と、満洲の産業や環境、児童の実態の分析から進められようとした手工教育との間には齟齬があったことが窺えた。鈴木は、より実業に傾斜した作業科手工教育を想定していなかった。

４. 満州新学制への中等教育における作業科の手工の提案
（１）望月兼吉の日本国内の中学校における作業科の視察
1935 年 12 月第十六號と 1936 年 1 月第十七號にわたり、奉天中學校教諭望月兼吉による視察報告として、具体的に学校設備や組織教科制度の調査報告を掲載している。

第一廣島高等師範學校附属中學校 作業科の工作教材選択について、教授方法と各学年の年間教材配列とそれぞれの教授事項と重要事項などがまとめられている。第二 兵庫縣立明石中學校で行われている作業科の精神と教授上の留意点、掲載はないが授業配列や備品状況、設備の資料を収集してきた旨記載されていた。第三 愛知県中學校作業科（工作）実施案として教室設備概要と予算、共用及び教師用工具の種類と数、経費を具体的に調査していた。第四静岡縣立見付中學校における作業科の位置づけと作業分類学覧、各組織・制度、実施された作業の概

要等が記載させていた。第五 滋賀縣立長濱高等女學校における家庭手工科設置の趣旨が紹介された。

それらに書かれていることを参考に『手工工業系統案』がつくられた。

（2）在満日本人教育調査委員会における「中等教育における実業教育推進」と『満鉄教育たより』終刊

1935年6月二十二號で満鉄教育研究資料紹介の中に『手工工業系統案』が紹介され同年4月鄭家屯小学校で発表された。29枚からなる冊子の概要は、

「小学校令施行規則第十二條による手工教授を挙げ、現代手工教育の體系として低學年（一二年手指期）中學年（三四年工具期）高學年（五六年技能前期）高等科（技能期）の四期に分けて各期の工作心理・指導の着眼點・指導上の注意を夫々數項に亙つて列挙し、次に鄭家屯校系統案作成上の方針を掲げ、郷土的特色を配合せる高粱細工等を加味せる後、各學年別にその題材準備指導要項等について具體的に表示せる細表を詳記してゐる。」

と記されている。[14]

同年7月二十三號で、満鉄中等教育研究會には、教育制度調査研究會が組織され、研究所所長八木を筆頭に實科中學校構想を発表している。視察の折八木が考察していた通り、当該地の中學校卒業後進学する三年制甲種實業學校に当たる。またそこでは日満両国の設立の場合両国の学生を共学させたいという願いを出すとも書かれている。

1936年1月第二十六號に、8月満鉄初等教育研究会において作業科研究委員会より公學校における作業科の教授細目についての討議の結果が報告された。初等中等教育の作業科の中に手工・園藝・作業と区分され、各学年において細かく配分され年間に位置づいている。満州国新学制発布直前、中等教育における作業科について関東軍に進言する提案を求められていた文面も認められた。

1936年秋、在満日本人教育調査委員会が設置された。構成員は関東軍、関東局、満洲国、満鉄、在満洲国日本人大使館。委員長は板垣征四郎関東軍参謀長。それまでの在満日本人学校のような都市部の学校から、多くの開拓地入植者の学校の対策を焦点とした時期を迎える。[15]

1936年12月第二十八號には教育研究所鑒見清が「手工教育の刷新」を寄稿

している。

　「…只單に或るものを製作せしめたと云ふに過ぎない結果の指導が多かった
のではないかと思ふ。」16) と反省し、「今日の教育思潮を見るに公民教育、勞作
教育、體驗教育の主張、創造教育の高唱、職業教育、郷土教育より、教育の実
際化、生活化を計り、知行合一の陶冶を主張して勤労作業を重要視するに至つ
た。…手による教育、自發活動の進展を計る教育となり手工的の作業價値を認
むに至つた。即ち高等小學の手工科を必須科となし、中學校令を改正して作業
科を基本科目として、一年より五年に課せられ、又高等女學校の家事、裁縫の
時間を増加して作業を尊重せしむるが如きは、全く作業による教育の主張によ
つたものである。」17)
と、この時点で中等教育に実業を必須とすることを明言している。

　手工を職人風の物を作る制作技能の陶冶だけでなく、いずれの教科の中でも生
活化させ計測や構成、考案工夫の思考訓練、鑑賞批判の生活指導等、頭の訓練と
していくこと。さらに模倣製作ではなく、創造的作為を尊重するところに手工教
育の革新があるとしている。

　同年 10 月に開催された満鉄初等教育研究会の教科制度調査委員会に提出され
た毎週教授時数表の中に尋常二・三・四年に郷土科が位置づき手工は尋常一・二・
三年と四年女子、高等科一・二・三年に週 1 時間、尋常四・五・六男子に週 2 時
間位置づいた。尋常五・六年女子の手工は裁縫三時間に含まれた。尚、作業科は
ない。

　1937 年 4 月第三十二號に、2 月教育研究所において八木所長と鑒見講師を中
心に手工教育研究会で細目体系案が提案され、尋常一年から高等二年までのもの
は順次印刷配布する運びとなった。また、高等小学校工業化について草案を作成
する予定とした。

　1937 年 7 月第三十五號に、6 月に 2 回教育研究所において手工教育研究会を
開き、研究会に所属する七名の訓導に、手工及び工業科の尋常科手工、高等科手工、
高等工業科工作、同科製図、同科工業大意、沿革と別れて研究報告を行ったと記
されている。1937 年 5 月満州国新学制発布されてから、各教科の細目がより細
かく規定されていった。体系化が進む半面、徐々に南満州鐵道附属地行政権の移

譲調整が進み、満州醫科大學、南満州工業専門學校等を除き、ほとんど全て満州国もしくは在満日本官廳に移管となった。そして、『満鉄教育たより』は1937年10月第三十九號を以て終刊となった。教育研究所の八木壽治は「終刊の辭」に三年余りの教育の研究の醸成を称え、「満州の独立性から日本国との親密さの増した今、鉄道と電信電話を奪われ、その中だからこそ研究所は必要であり考慮されるべきであると思う」と述べている。

5. おわりに

　1935年から教育研究所では、より統制のとれた教育体系の中で手工の位置付けを試みていた。中等教育の内地視察においても、より職業化している関西地域の実業科の組織・設備・予算・教育課程導入を進め、この頃から満州における「中等教育の職業化」は現実味を帯びてきたといえる。教育研究所所長八木を中心に、高等小学校はそのまま残し中心都市に高等小学校卒生を収容する三ヶ年制の甲種実業學校を多く配置することが主張された。尋常小卒業後の乙種実業学校や高等小学校の職業化は理論で成立しても現実には成らないといし、手工教育は「中等教育における実業教育推進」により普通教育の中に位置付くことになった。

　地域のニーズとして中學校卒業後進学する三年制甲種實業學校が必要で中等教育程度の乙種のそれでは卒業後の仕事もなく、邦人の入学希望者が望めないという満鉄側の熱心な提案は新学制後の高等国民學校（工科）に反映されたと思われる。満州国の国民高等学校制度の、普通教育だけの中学校は認めず、作業科・実業等の学習科目を必修としていたという点は、満州新学制前の満鉄沿線附属地の中等教育機関以上であっても必ず作業科・実業等の学習科目があるという制度が継続していたことが明らかとなった。然も、男女双方の初等中等教育機関への進学率の高さが記録されており、実業教育に力点を置く施作の中での基礎学習として、受け入れられ、位置付いていたといえる。[18]

　満州人民の為の教育の必須として「現地適応主義の郷土教育」の理念は貫かれたのかもしれない。

1) 植民地における図工・美術教育に関わるものは、外国扱いとしていて日本の近代教育史の中に明確に位置づいているものは少ない。しかし、現状は戦時下中国及びアジア地域からの日本への留学生は一定数存在し続け、高等師範学校卒業生の就職先として、植民地の教員養成諸学校があり、民国がアメリカの教育制度を採用するまでは、清国等の中心的師範学堂に多くの講師陣を定期的に高等師範学校から派遣していた。このことから、今後日本の近代教育史の変遷の中にも、植民地での日本人教育をはじめ諸教育について位置付ける意味はあるのではないかと考えた。

2) 原正敏「『満州国』の技術員・技術工養成をめぐる若干の考察」名古屋大学技術教育学研究第 10 号、1996 年 3 月 29 日、pp.1 － 17 参照

3) 1913 年に作られた満鉄の教員講習所を前身とする教育研究所（1915 年改め）が 1924 年設立満洲教育専門学校の付属機関となり、1933 年同校廃止後再び満鉄独自の教員養成機関となった。

4) 「満洲国」教育研究会監修「満洲國」教育資料集成Ⅱ期『滿鐵教育たより』第 1 巻、第 2 巻、第 3 巻、株式会社エムティ出版、1992 年 10 月参照

5) 齊藤暁子「満州鉄道沿線地域における『実業教育重視』推進の実態―初等教育『手工科』の定着を、『南満教育』掲載手工関係記事の分析から考察する―」参照

6) 「満洲国」教育研究会監修「満洲國」教育資料集成Ⅲ期『「満州・満洲国」教育資料集成 1 教育行政・政策』、株式会社エムティ出版、1993 年 5 月 pp.377—535 参照

7) 米田俊彦「近代日本中学校制度の確立―法制・教育機能・支持基盤の形成」東京大学出版、1992 年、pp.63 － 69

8) 井上毅文部相による創設実科中学校制度を基に、菊池大麓が文部次官時代に起草したという。同上、p.60 参照

9) 日本国内では 1899 年から 1924 年までは、中学校進学者をより限定し、そこに行かれなかったものを実業学校に誘導し、実業学校卒業者は当初高等学校（大学予科）へ進学できなかった。その後高等教育に進学できる体系に改正されるのではあるが、1928 年の文政審議会に諮詢された「中学校教育改善ニ関スル件」によって「中学校の学科課程の改革を通して中学校教育の性格改造を狙いとしたものであり、学科課程の形成的側面に関しては、教育における『画一打破』『地方化』『実際化』が、内容的側面に関しては『国体観念の涵養』『公民的陶治』『勤労愛好ノ態度』の形成が、改革原理として採用されていた」と、日本国内の教育の実際化が主張され、第一次世界大戦後経済の混迷において広まったとする。（「技手の時代」小路行彦、日本評論社、2014 年、p.65 参照）

10) 鈴木定次 すずきていじは、1897（明治 30）年 5 月 1 日岩手県盛岡市生まれ、岩手師範学校卒業後、東京高等師範学校で、図画手工を研究。岩手師範学校教官の後、1927 年春から 1929 年 4 月まで、欧州各国を視察し、美術教育を調査研究した。1928（昭和 3）年（31 才）には、パリの官立美術学校に留学し、同時期ジュルアン絵画研究所、アカデミー・グラン・シアンミセルでのデッサン等にも通っていた。また、ドイツミュンヘン大学に於いてケルシェンシュタイナーから労作教育の講義を受けた。1931（昭和 6）年東京高等師範学校教授嘱託・旅順高等学校（師範学校）教官・関東庁視学官を務める。1934（昭和 9）年奉天

満鉄教育研究所（教育専門学校）教授となる。1940（昭和 15）年ロシア国境近く満州国三江省桂林斬（チャムス）初代師範学校長となる。同時に軍の指示により、宣撫班としての任務も負う。

11）高野 仁『「満州国の教育」に関する一考察―実業教育重視と民国教育のかかわりを中心に―』佛教大学院紀要 文学研究科篇 第 40 号、2012 年 3 月、p.40 参照

12）朴雪梅「上海市における工業化と職業教育―1910 〜 20 代上海市中華職業学校の特徴に関する中間報告―、2019 年 12 月参照

13）『別冊環 12 満鉄は何だったのか』藤原書店、2006 年 11 月、p.217 参照

14）満鉄教育研究所発行月刊誌『滿鐵教育たより』第二十二號、満鉄教育研究所、1936 年 6 月 15 日発行、p.39 引用

15）『別冊環 12 満鉄は何だったのか』藤原書店、2006 年 11 月、p.217 参照

16）同上、月刊誌 第二十八號 満鉄教育研究所、1936 年 12 月 15 日発行、p. 7 引用

17）同上、p. 8 引用

18）皆川豊治『満州国の教育』建国読本第六編、満洲帝国教育会 1939「満州国」教育研究会監修『「満州・満州国」教育＿資料集成全 23 巻 14 教育論』、株式会社エムティ出版、1993 年 5 月、pp.377 － 657 参照

齊藤 曉子（さいとう ときこ）
・1968（昭和 43）年 岐阜県生まれ
・岐阜県公立学校教諭（図工・美術専科）
・名古屋大学教育発達科学研究科博士後期課程在籍
・齊藤 曉子「農村更生とともに発展した木工による工作教育の歴史的検討」（7 頁）
　監修：宮脇 理、編著：佐藤 昌彦　山木 朝彦　伊藤 文彦　直江 俊雄、『アートエデュケーション思考』、学術研究出版ブックウェイ、2016
・齊藤 曉子「昭和初期手工教育の実際 ― 加茂農林学校における木工による手工教育を探る ― 」
　名古屋大学大学院教育発達科学研究科技術・職業教育研究室報「技術・職業教育学研究室　研究報告　技術教育学の探究第 9 号」、2012
・富岡 卓博（元岐阜大学）齊藤 曉子共著、「昭和初期岐阜県に於ける木工による手工教育の実際（Ⅰ）（Ⅱ）」岐阜大学教育学部研究報告＝人文科学＝第 59 巻 1 号・2 号、2010

第3章

地域に深く根ざした伝統の"今"

―民芸・工芸と教育―

近藤康太

畑山未央

和田 学

笠原広一

碇 勝貴

西九州の陶磁器
―大甕とお遍路をめぐって―

近 藤 康 太

1 相知の大甕
（1）肥前の大甕

現在、西九州と呼ばれている肥前地域は、古窯である唐津焼、日本初の磁器生産地の有田焼や鍋島藩窯の伊万里焼、波佐見焼、三川内焼と古くからの陶磁器の産地。個々の産地が関わりを持ちながら現在まで生産が続けられてきた。

唐津と総称される陶器の窯は、旧唐津藩領から天領、佐賀藩領まで点在している。磁器は、佐賀藩領では有田皿山を中心に内山、外山、大外山と周辺部に広がり、藩窯の大川内山、大村藩領の波佐見、平戸藩領の三川内と多くの窯が開かれた。

西九州の陶磁器関連地図

唐津焼は 1580 年代に開窯されたと考えられ、茶器、日常雑器の印象が強い。江戸時代に入ると唐津藩の御用窯（中里家）と民陶の武雄古唐津（黒牟田、多々良等）を中心に生産されてきた。その中で、肥前の大甕と総称される水瓶や貯蔵用の大甕も生産されてきた。肥前の大甕は、柳宗悦が「多々良の雑器」（「民芸」

第84号、1959年12月1日）の中で「本当の美しさ」と称賛した多々良の大甕が代表されるが、それ以外でも、黒牟田（武雄市武内町）や相知（唐津市）、塩田（嬉野市）などでも生産されていた。特に、相知では幕末から明治にかけて大量に生産され、昭和53年（1978年）まで伝統的な叩き技法を用いて成型し、登り窯で焼成して大甕を生産していた。

生産されていた甕の種類

名　称	容　量		名　称	容　量
五　石	4石	10俵	大味噌	2斗
四　石		8俵か	中味噌	1斗5升
三　石		6俵か	小味噌	1斗
大二石	2石	5俵	大寸切	1斗弱
相(合)二石	1石2斗	3俵	中寸切	8升
中二石(男甕)	1石	2俵半	小寸切	5升
大天(女甕)	8斗	2俵	大擂鉢	
八　斗	4斗	1俵	中擂鉢	
六　斗	3斗		小擂鉢	

　肥前の大甕は日常使いの甕として水瓶や貯蔵用だけでなく醸造用などに幅広く使われた。遠くは南九州まで流通し、焼酎や醸造酢の生産に使われた。陶磁器の生産現場でも、陶土や釉薬、泥漿作り等の用途で多用された。陶磁器生産現場での大甕については、後述する志田焼の里博物館で今も以前と同じ使用状況を見ることができる。また、オランダ人によりバタビアなど海外にも水瓶として輸出されていた。現在、大甕は作られなくなったが、今も叩きの技法は唐津や多々良などの産地で食器等の成型にその技法は受けつがれている。

釉薬甕、志田焼の里博物館

波佐見焼工房入口に置かれた甕

（2）最後まで生産された相知の大甕

　肥前の大甕の中で最後まで生産されていたのは相知の大甕で、唐津市相知町横沈の藤田製陶所で昭和53年（1978年）まで生産されていた。相知は、古唐津7窯（皿屋、飯洞甕上窯、飯洞甕下窯、帆柱窯、道納屋窯、平松窯、大谷窯）の内、道納屋窯、平松窯、大谷窯の3窯があった場所で、「絵唐津」や「青唐津」が焼成されていた。古唐津の窯があった相知で、明和3年（1766年）開窯の押川窯で大甕が作られ始めた。押川窯は1850年ごろから甕焼きを確立し「押川甕」として大甕生産の最盛期を迎えたが、幕末期に大甕の売れ行きが悪くなり大甕の製造はやめてしまった。押川窯は、相知町内の別の場所に移り瓦を昭和30年代まで製造した。その後、明治元年（1868年）ごろ押川窯で働いていた藤田宇平（卯平）・類吉兄弟が押川の川向うの横沈で大甕つくりをはじめた。全盛期は大正時代で7軒の窯元が共同の登り窯で大甕等を焼成していた。ロクロ職人は、桃の川（伊万里市）や多々良（武雄市）から働きに来ており、押川窯当時も多々良の職人が働きに来ていたようである。柳宗悦の「多々良の雑器」に出てきた多々良の金子窯の陶工も働いていた。柳宗悦は「窯の人達の貧しい暮らしが、かかる醇乎たる美を生んでいる大きな基礎」「これらの品の多くは、土地では今でも物々交換の形で、はけている」と記述しているように他の窯に働きに行かなければ生活が成り立たない多々良の窯の状況が、他の窯に比べて多々良の大甕がより素朴で民芸的であった素地となったのではと考えさせられる。

　藤田製陶所では、窯を閉じる最後まで伝統的な叩きの技法と登り窯での焼成によって大甕が生産された。叩きの技法は第12

佐賀県立博物館に展示中の相知の大甕
右上より時計回りに、八斗甕、男甕（中二石甕）、大天甕（女甕）
一番手前の男甕（中二石甕）は、容量1石、口径64㎝、高さ93㎝

代中里太郎衛門（1895 年–1985 年）が藤田製陶所に叩きの技法を学んだことにより現代の唐津焼に受け継がれている。多々良では大甕は成作しなくなったが食器等の作陶に叩きの技法が使われている。藤田製陶所での大甕の成作については佐賀県立博物館報 46 号 48 号（1982 年）に詳しい。また、作陶道具等は、現在も佐賀県立博物館に展示されている。

　大甕の成型と製陶道具について佐賀県立博物の資料を使って紹介する。また、紹介する写真はすべて男甕製作中の写真。

成型

　粘土を転がして 1 m 程度の粘土紐を準備する。ロクロの鏡に灰を敷きその上に置いた粘土をソコウチで叩いて底を作り余る粘土をヘラで切る。甕底の縁に粘土紐をひねりながら付けて一周し。その上に同じように 6 段目まで積み上げる。積み上げながら、粘土の段間を指でなでつけるフセメツギをする。その後、シュレーとトキャアで叩いて成型する。シュレーの裏面（刻み目がない）でさらに叩き、フィデを外と内に当ててなめらかにする。叩きに入るとロクロのそばで火を焚き乾燥を早める。

　下腹まで成型すると、細縄を巻いて形を留め、粘土紐を 3 段積み上げる。火を入れたヒッツイバチを自在鉤で内部に吊るして乾燥を早めながら作業する。下腹までと同じようにフセメツギをしてトキャアとシュレーで叩きフィデで外と内をなめらかにする。3 段積むと細縄で粘土を留め、さらに積んでいき 13 〜 17 段積む。ヒッツイバチは積むごとに上部へあげる。フチトリガワを水にぬらしてなでた後にシュレーの裏で叩く。相方がロクロの横に寝て足でロクロを回転させ、フィデで外と内をなでフチトリガワで口頚部をつくり、細縄をはずして全体をフィデでならして成型は終了する。

　土は川向かいの弁天山から採取した土を使用、釉薬は土灰釉を作り使用した。焼成は、4 室の連房式登り窯で、昭和 25 年頃からは薪だけでなく重油バーナーも併用した。6 日 6 晩かけて下から順に 4 室焼き上げた。

　佐賀県立博物館では、藤田製陶所の製陶道具と同じ展示ケースに韓国聞慶窯の製陶道具を並べて展示してあり比べることが出来る。よく似た道具が使われてい

■男甕製作の様子

ロクロに粘土紐をひねり付ける

シュレーとトキャアで叩く

粘土紐を積んでいく

ヒッツイバチを吊るして叩く

シュレーの裏で叩く

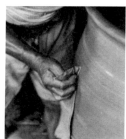
フチトリカワでなでる

工程を紹介している写真は、男甕製作中の写真

■製陶用具

左上より時計回りに、
シュレー、トキャア、
ナカフィテ、
ソトフィテとソコウチ

ることがわかる。また、名前も外から叩く道具をシュレーとスレー、内側に当てる道具をトキャアとトーゲーと似ているものがあり、西九州の焼き物と朝鮮半島との関わりを再認識させられる。

　私が相知の大甕に初めて触れたのは、30年以上前（1988年）にたまたま自動車で移動中に見かけた登り窯を洋画制作の取材に訪れたこと。そこでは、唐津焼の作家が大甕を焼成していた登り窯を補修して作陶されていた。現在は同じ相知町内の別の場所で作陶されているその方と話すうち、「元々は大甕を焼成していた登り窯。大物用なので焼成する作品の量と燃料がたくさん必要。」と聞いたのを覚えている。登り窯は新しい耐火煉瓦で補修され屋根もあり、道向かいの藤田製陶所があったあたりの小屋で作陶されていた。現在は、すべてなくなり大甕生産の面影はない。

2　志田焼の里博物館
（1）火鉢等日常使いの陶磁器

　嬉野市塩田町久間志田原の志田焼、江戸時代は志田西山として有田皿山の大外山に位置づけられ、承応年間（1652年ごろ）に蓮池藩（佐賀藩支藩）によって塩田町五町田の窯を志田西山に移したと伝えられる。同じ蓮池藩の吉田皿山（嬉野市）とならんで藩から振興されたよう

志田焼の里博物館

だ。大外山のため有田皿山泉山の陶石は使用できず吉田皿山の陶石を使用していたが、寛政年間（1790年ごろ）に天草陶石が導入され磁器の品質が向上した。天草陶石は有明海を渡り六角川を塩田津（嬉野市塩田町）までさかのぼり塩田の地で陶土に加工されたため、大外山でも良質の陶土が入手できたと考える。志田皿と呼ばれる2寸や3寸、5寸皿、染付による2尺前後の大鉢などが焼成され、享和から文化年代（1801 ～ 1817年）ごろ最盛期を迎え、全国に向け販売された。

また、明治に入ると日常使いの磁器を大量生産した。明治42年（1909年）に志田焼の卸商社として設立された志田焼株式会社のもとで大正3年（1914年）より昭和30年（1955年）頃までは火鉢等を中心に生産されたが、生活様式の変化により生産量は減っていき、昭和59年（1984年）に工場は閉鎖され志田焼の歴史は閉じた。

江戸時代初期　志田焼資料館

江戸時代後期　志田焼資料館

明治時代　志田焼資料館

明治時代　志田焼資料館

大正時代　志田焼資料館

昭和時代　志田焼資料館

工場には、閉鎖した当時のままの建物や作業状況が残されており、平成9年（1997年）より「志田焼の里博物館」としてそのまま一般公開されている。陶土つくりから成型、絵付け、焼成までの全工程を同じ工場内で行い大規模に生産していることは稀な例で、建物だけでなく用具や備品まで生産を続けているように残っているのは驚きを感じる。私がはじめて訪れた平成10年（1998年）には、机の上に当時の雑誌や生活用具がそのままの状態で置かれておりついさっきまで人が働いていたように感じた。現在は、少し整理されたが多くの部分が当時のままの姿で公開されている。志田焼の里博物館は、佐賀県遺産さらには経済産業省の近代化産業遺産群に有田の窯業関連遺産と共に認定（2009年）され、平成28年（2016年）には文化庁から日本遺産に認定されている。志田焼の里博物館では陶土から焼成までの工程を一度に見ることが出来るだけでなく、現在のようにオートメーション化されていない手仕事の一端を感じることができるため一見の価値がある。
　「志田焼の里博物館」における近代の陶磁器生産について写真を使って紹介する。

陶土つくり
スタンパーで陶石を粉砕する

陶土つくり　水簸
不純物を水槽に沈殿させ、絞り機
（写真）で水を絞り陶土を作る

釉薬場
大甕で釉薬を作り保管した

大火鉢の成型
機械ロクロで大火鉢を成型

機械ロクロ

鋳込み成型
排泥の様子

大窯（単窯）外回り　幅 6.6 m、奥行き 12.4 m
現存する最大級の石炭窯

工場内部の様子

3　最後に　黒髪山お遍路と陶器市

　西九州磁器の中心生産地である有田・伊万里は、その間にある黒髪連山の南と
北に位置している。黒髪連山は古くから修験道の山で山岳信仰の場であり、多く
の人が訪れていた。黒髪山中の「黒髪山　西光密寺」では、5 月の連休のころの
八十八夜に黒髪山大巡りがあり護摩炊き法要が行われる。その期間は特に多くの
人がこの地域を訪れていた。

　昭和の初めごろに黒髪山が佐賀県第 1 号の県立自然公園に指定されたのを機
会に、今まであった遍路道を整理して、昭和 3 年（1928 年）黒髪山新四国八十
八ヶ所巡りが企画され
た。三間坂（武雄市山内
町）から黒髪山をへて有
田内山に降り、黒牟田、
応法、広瀬山と外山を巡
り、大川内山を経由して
三間坂に戻る、黒髪山 1
周であり皿山をめぐる遍
路道であった。

黒髪山新四国八十八ヶ所巡りの地図

　令和元年（2019 年）
に 116 回目を数えた「有

田陶器市」は、在庫一掃の大蔵ざらえ市としてはじまったが、5月の八十八夜護摩炊き法要に西九州各地より集まった 2,000 余人の信者たちが護摩炊き法要を終えて山を下り有田陶器市に流れてきたという逸話がある。これから、お遍路さんたちも陶器市の始まりのころを育てた一面があったとも言われている。

　現在も続く有田陶器市では、西九州地域の家庭の主婦の方々が年に一回、焼き物を購入することを楽しみにしていることが長く続いた。この地域特有のことだと思うが、購入してきた焼き物を見せ合い、批評することが井戸端会議として見られた。自然に食器に対する審美眼が養われ生活に潤いをもたらすことにもつながったと考える。

参考文献

・「柳宗悦コレクション 2　もの」、2011 年、筑摩書房
・「相知町史」、1997 年、相知町
・「塩田町史　上巻」1983 年、塩田町
・「佐賀県立博物館館報　56 号」1987 年、佐賀県立博物館
・「佐賀県立博物館館報　58 号」1987 年、佐賀県立博物館

近藤　康太（こんどう やすひろ）
佐賀県立うれしの特別支援学校
・1963（昭和 38 年）佐賀県生まれ
・1988 佐賀大学教育学部特別教科（美術・工芸）教員養成課程卒業
・1989 佐賀大学教育学部教育専攻科（美術・工芸）専攻修了
・1996 佐賀大学大学院教育学研究科教科教育専攻美術教育専修修了（教育学修士）
・（共著）造形遊びの展開　建帛社（1995）
・（共著）地域文化と美術教育　長門出版社（1995）
・（論文）「美術教育における支援活動とＶＴＲ」美術・工藝教育學第 3 号　佐賀大学教育学部美術・工芸科
　　　　　（1996）
・行動美術協会会友、佐賀美術協会事務局理事

秋田県仙北市「白岩焼」継承の手仕事
―伝統と清新の融合から教育への示唆まで―

畑山未央

1．「白岩焼」

　淡い白藍から深い青藍まで、柔らかで豊かな表情のブルーで彩られた甕や器や徳利たち。そのブルーをつくりだしている「海鼠釉」[1]が作品の縁を越えて流れ出るような技巧が施された場合には、その釉薬が作品の外肌に線や筋の軌跡を描き、行き着いた先端がぷっくりと玉状になったりしている。厚く垂れた艶のあるそのブルーをよく鑑賞すると、表面に美しく入った貫入とヴァリエーションのある斑紋やグラデーションとが相まって深みのある色をつくりだしていることに気づかされる。そして、その頼もしい形に加え、鉄釉が生み出す褐色と海鼠釉が彩るブルーの織り成すコントラストと、そこから受ける作品全体の力強さと素朴な趣味のよさ、換言するならばデヴィッド・ヘイルがいうところの"lack of sophistication"「温かい感じ」[2]が味わい深い。

図1：獅子二耳甕　　　　　図2：大徳利　　　　　図3：湯たんぽ

白岩焼は、秋田県内で最古の焼き物で、江戸時代中期に当時の秋田藩の白岩地方にて発祥した。多様な用途・形の作品がつくられた最盛期を迎えたのちに明治時代後期には一度廃窯しており、その後75年の時を経て現代の窯元が復興したという歴史をもつ。

　本稿では、白岩焼の創始・衰退・再興の系譜を概括し、今の時代に寄り添いながら伝統文化を継承していく手仕事について、窯元の取材経験と美術科教育の視座を踏まえた考察を交えて紹介したい。

2．白岩焼発祥の郷

　秋田県の東部中央に位置する仙北市。その構成町のひとつに、深い木立と重厚な武家屋敷が残る「東北の小京都」角館町がある。春は武家屋敷の枝垂れ桜が咲き誇り、新緑、紅葉、そして長く厳しい寒さと深雪の頃へとつながる季節のグラデーションが豊かである。周辺には古城山城跡や樺細工伝承館、平福記念美術館、温泉施設などがある。また、夏には400年続く「角館祭りのやま行事」（国の重要無形文化財）、冬には「火振りかまくら」（市指定無形民族文化財）という古来の伝統的な祭りも開催される。

　そんな観光都市角館の中心部から車で15分ほどのところに、白岩焼が発祥した白岩地域がある。白岩は奥羽山脈の裾野に発達した街道沿いの集落であり、角館の中心地よりも古くに栄えた地域だと言われている。四季の情景豊かな土地で、周囲の山や田畑に守られるように民家が点在しており、思わず懐古の念を抱

図4：秋田県地図

図5：雲巌寺の千体仏

くような風景が広がっている。この地には、1450（宝徳2）年に創建された雲巌寺という歴史ある大きな寺がある。1838（天保9）年には白岩焼でつくられた地蔵仏である「千体仏」が祀られたこともあり、白岩焼との深い結びつきがある。

3．白岩焼の繁栄・衰退・再興

(1)創始から繁栄へ

　白岩焼の創設者は松本運七という江戸期の相馬中村藩（現在の福島県）の陶工である。福島県の特産品に「大堀相馬焼」があるが、その窯元の陶工であった運七が坩堝制作のための技術者として秋田藩に招集されてこの地に来た。当時の秋田藩は鉱山を財源の一つにしており、採掘された鉱物を精製するための坩堝が必要だったのである。スタジオジブリ作品の「もののけ姫」に出てくるタタラ場製鉄所のイメージである。

　運七は坩堝制作と並行して秋田藩での陶器業を開始しようと浮浪し、良質な土をもつ白岩に辿り着いた。そして1771（明和8）年に支藩らの協力によって白岩の地に窯が築かれ、いよいよ白岩焼の序開となった。運七と縁のある福島の大堀有馬焼は、器全体に広がる地模様の「青ひび」、保温に優れている「二重焼」が特徴的であるが、さらに藩主である相馬氏の家紋が由来の縁起の良い「走り駒」の意匠も特徴の一つである。その影響もあって、初期の白岩焼には馬の模様が描かれているものもあったという。

　白岩で開窯した運七は、儀三郎、傳九郎、多郎助、助左衛門という4人の弟子を

図6：大堀相馬焼

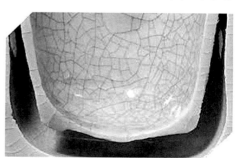

図7：大堀相馬焼の断面（二重焼）

得た。白岩焼の製法が革新的だったため、外に漏れぬよう家族であっても白岩焼に関する情報は他言無用で、文字等の記録に残すのも許されなかった[3]。最盛期には6つの窯が存在し、開窯の順にイ窯、ロ窯、ハ窯、ニ窯、ホ窯、ヘ窯と名付けられた。藩の特産品だった「どぶろく」の貯蔵容器はどの窯でも制作されたが、あとはそれぞれが特色ある窯業を行っていた。

　白岩焼の特徴の一つに、当時は珍しく陶工個人の印が施された製品があった。例えば「イ直」の印はイ窯の山手儀一郎（幼名：直吉）の手によるもの、「ロ亀」の印はロ窯の渡辺亀吉の手によるものというように、どの窯の誰が制作したのかが

見てわかる印となっている[4]。それはあたかも書画の落款のようで、日常に根ざした生活用品としての製品の中に、美術作品のような要素を感じることができる。できあがった器などに個人の名を記したということは、担当した陶工の責任と誇りの表れであったといえるだろうし、人気の陶工の

図8：イ直（左）　　ロ吉（右）

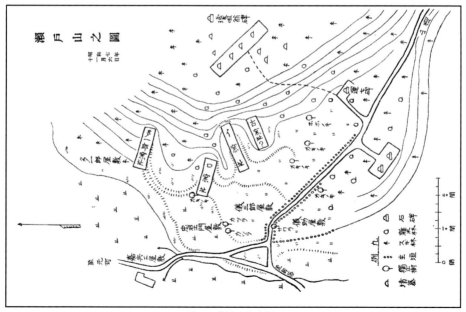

図9：「瀬戸山之圖」

212

製品は高額でも多数売れたのではないかと推察する。

　現在、それらの窯跡の一部は存在するが、具体的な形となって残されているような状況ではない。跡地としての窯と窯の間に捨て場があり、棄損品を破棄した「物原」が往時の面影を留めるのみである[5]。現代では一見単なる草地のようなその場所で、最盛期当時は五千人もの関係者が働いていたとはとても想像に難い。

⑵白岩焼はなぜ廃窯したのか

　最盛期には約五千人が携わっていたといわれる白岩の窯業であるが、明治後期、その129年の歴史に一旦幕をおろすこととなる。白岩焼はなぜ衰退していってしまったのだろうか。

　当時の様子を伝える貴重書『白岩瀬戸山』（渡邊爲吉・1933年）に、その手がかりとなる記述がある。それによると様々な要因が仮説的に考えられるようだが、主な背景としては時代の変化、そしてそれに窯主らが適応できなかった可能性を読み取ることができる。

　下記に引用するように、藩政時代の最盛期は、陶工たちの待遇はとても良いものであった。

　　　役人たちは、自分のものゝ様に面倒を見たことでもあり、窯主等に對しても、一般の百姓とは一段違った待遇を與へ、事業に付て萬時便宜を計らひ、用土の採掘運搬や、製品の輸送、資金の工面までも世話を焼き、兎に角經營の方法が統一され、節制が行はれて來たことを認め得られる。

　　　　　　　　　　　　　　　　　　　（『白岩瀬戸山』p.128 より引用）

しかし、明治という新しい時代に入り、その様子は一変する。

　　　急激なる解放に遇ひ、不用意のうちに、自由競争の渦中に投げ込まれたが爲に、舊政の保護に慣れて來た窯主たちは、忽ち面喰らひ、全く孤立無援の窮地に陥って、悲鳴を揚げたことは、推察に難くない。

　　　　　　　　　　　　　　　　　　　（『白岩瀬戸山』p.128 より引用）

すなわち、藩の関門が撤廃され、他県の良品を自由に流通できるようになった時代、白岩の陶工たちにとってこれまでの藩の後ろ盾がなくなったことに加え、辺土にいながら当時の時勢に臨機応変に対応することは困難であったという見方である。著者の爲吉はこの旨を記す一方で、祖先が100年以上も苦心経営して地盤を築き挙げた白岩の伝統を一朝にして抛つ事態となったこと、つまり、これまでの先代の努力と功績が消えてしまうのをただ呆然と見つめていたような日々だったということには懐疑的な視点も併せて記している。爲吉は、日用品としての白岩焼が品質において他山の製品に劣らない良品であることを踏まえ、きっと当時の陶工たちが抗ったり対応を検討したりしたにせよ、結局のところ経費の見直しや取引法、技術の改善などの具体的な措置を行わず、古衣を脱ぎ更える勇気をもつことができなかった先人たちへ痛恨の思いを馳せている。

　その上、酒造税が制定され、やがて自家酒造も禁止されたことが追い打ちをかけた。かつて、濁酒である「どぶろく」は各家庭でも一般に製造されていて、それを貯蔵する甕や徳利は白岩焼の代表的な製品であったが、自家酒造の禁止によりその需要が激減したのだ。そして、廃業する窯が増えてきた中で大地震（陸羽地震）が発生し、白岩焼の全ての窯が壊滅的な被害を受けてしまった。1900（明治33）年、白岩の最後の窯の火が消えた。

(3)白岩焼の再興

　現在、白岩の地に1軒の窯がある。「白岩焼和兵衛窯」として白岩に再び火が灯ったのは1975（昭和50）年のことである。「白岩焼和兵衛窯」を開窯した渡邊すなおさんは、岩手大学在学中に陶芸の研究室に所属し、そのころにはすでに白岩焼の再興について考えていたという。また後の夫となる敏明さんと出会ったのも同研究室にてだった。そして、下記のような時代背景も再興のための追い風になった。

　1950年代から1970年代にかけて、「民藝ブーム」が起こった。このブームは、思想家・柳宗悦が大正後期に創始した「民藝運動」が基盤となっている。この社会現象について、狩野（1995）は次のように述べる。「都市化とともに突きだされてきた大量消費社会のなかで、生活の基幹部分を工業製品によらねばならな

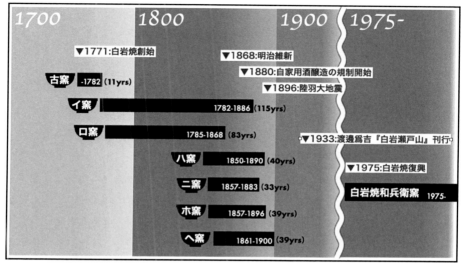

図10：窯元の創業期間と主な時代背景　（取材内容に基づき筆者作成）

いことを十分にわきまえつつ、それゆえに人々の心は手作りの品へと引き寄せられるところがあった」[6]。つまり、時代が移り行く中で伝統文化や山村の風景が失われていく一方、そのような手仕事や風景が改めて注目されていき、日用雑器が美の対象として称揚されていったのである。その背景もあり、古い窯元を再興させる機運が萌芽していた。

　そのような世情の折、1974（昭和49）年、白岩に陶芸家の濱田庄司が来訪した。渡邊すなおさんの父・虎朗さんが立ち上げた「白岩焼協同組合」の申し出を受け、白岩焼のコレクターだった当時の秋田県知事が、濱田に調査を依頼したためである。そのとき濱田は白岩焼の海鼠釉の素晴らしさと焼き物に適した地であることを述べたという[7]。このように、この時代の追い風に加え、濱田の訪問がきっかけですなおさんと濱田とにつながりができたことは再興に向けての後押しとなったのである。

　しかし、既述したように、白岩焼最盛期の頃は技術等に関する情報は秘伝だったことがあり、75年の空白の中で、当然制作に関する継承は一切されていなかった。そのため、白岩焼再興に際して残された文献や資料がほとんどなく、製法や

技法、全てにおいて「白岩焼和兵衛窯」の長年にわたる試行錯誤の末に成し遂げられたのである。特に白岩焼の特徴である海鼠釉が安定してきたのはこの20年間位で、最初の20数年間は材料の配合や窯の焚き方などあらゆる面の研究を重ねてここまできた。

　次章からは、「白岩焼和兵衛窯」を取材させていただいた経験を基に、作り手の仕事や想いを掘り下げていきたい。

4.「白岩焼和兵衛窯」

　白岩の集落の一角にある「白岩焼和兵衛窯」。我が国で唯一の白岩焼の窯元であり、2020（令和2）年には、開窯してちょうど45周年になる。現在は初代の渡邊すなおさん、敏明さんと2代目にあたる葵さんによって伝統が受け継がれている。「白岩焼和兵衛窯」の渡邊家は、当時のハ窯の初代・勘左衛門の子息が養子に入った和兵衛家の子孫にあたる。また、『白岩瀬戸山』の著書である渡邊爲吉はハ窯の直系の子孫である。

　「白岩焼和兵衛窯」は主にギャラリーと工房と窯のエリアで構成されている。窓辺から鳥のさえずりが聞こえてくるギャラリーで2代目の葵さんが出迎えてくださった。

(1)伝統を受け継いで

　葵さんは岩手大学にて東北の仏像研究の研究室で美術史を学び、民藝をテーマ

図11：「白岩焼和兵衛窯」ギャラリー

とした論文を執筆した。学生時代は、恩師の研究活動の一環で仏像を見て回ることもあった。仏像は今でこそ評価され鑑賞対象としても人気のあるジャンルだが、当時は東北の仏像はまだマイナーな存在で、保存状態が悪いものばかりだった[8]。学術的・文化的評価に関係なく、地元民が大切に守っているからかろうじて残っているということを目の当たりにして、伝統工芸や古くて大事なものは放っておいても残るものだという自身の観念が覆されたという。特定の誰かの努力によって古いものが残っていることに気づいたとき、白岩焼のことが脳裏をよぎった。事実、当時は3軒ほどの工房が白岩焼を再興し存在していたが、その後廃れて「白岩焼和兵衛窯」だけが残った。それまで両親から継いで欲しいと言われたことは一度もなかったそうだが、自分が残す人になろうと決心し、秋田に帰ってきたのだそうだ。身体を動かす仕事が自分に向いているという自覚もあった。

　当初、葵さんは白岩焼の技法を両親から伝授してもらえると思っていた。しかし、気難しい両親から学ぶのは意外とうまくいかないことが多く、ロクロを学びに京都府立陶工高等技術専門校へ入学し、技術を身につけた。2年間学び、後の2年間は同校で講師をして、震災のあった年に秋田へ戻ってきた。

　関西の焼き物には磁器が多い。陶器の原料が陶土なのに対し、磁器の原料は陶石を粉砕した石粉である。そしてその違いは作品の厚みに影響する。葵さんは京都の専門校でロクロを学ぶ際、磁器を制作するように薄く挽く技術を会得し、白岩焼の工程に取り入れた。当初は父である敏明さんから「薄くて焼けない」と指摘されていたが、焼いてみるとうまく焼けた。そして、薄くて軽い白岩焼というのも購入客に好評だった。以降、これまでの伝統に、葵さんらしい清新の気が吹き込まれた。

(2)「白岩焼和兵衛窯」の窯

①灯油窯

　ギャラリーに隣接するとても綺麗に整えられた仕事場の奥に、「白岩焼和兵衛窯」の灯油窯がある。陶芸の窯は、燃料によって電気窯、ガス窯、灯油窯、薪窯などの種類がある。コンピューター制御もできる電気窯やガス窯と比べ、一般的に灯油窯や薪窯は炎のコントロールが難しく、その分、人知を超えた面白い焼き上

がりとなることも多い。薪窯に比べればやや炎が制御しやすく、かつ窯焚きの面白さを兼ね備えた灯油窯は、白岩焼の海鼠釉にも適している。

　窯焚きには「酸化焼成」と「還元焼成」というアプローチがある。酸化焼成とは、燃料が燃える十分な酸素を確保する焼き方であり、還元焼成とは窯の中に入る酸素の量をセーブし、謂わば窒息状態で燃焼を進行させる焼き方である。その結果、次のような化学変化が起こる。火は当然酸素がないと燃えないため、焼き物の中から酸素を取り出そうとする。すると、酸素を奪われた赤土の酸化鉄と釉薬が結合して深い青を生成させるというものだ。白岩焼の魅力的なブルーは、この工程で生まれている。

図 12：焼成前の作品

図 13：葵さんの仕事場

図 14：灯油窯

図 15：海鼠釉

この灯油窯は、40年ほど前に敏明さんが自作したものだ。学生時代から窯をつくっていた経験を活かし、独力でつくりあげた。窯の扉に当たる部分は、煉瓦状の石を積み上げてつくられている。石同士は接着しておらず、扉を開閉する毎に一つ一つ積み替えていく。そのため、開閉のたびに各30分ほどの時間を要する。

②登り窯

　まるで生き物のような、或いは古代遺跡のような佇まいの登り窯。息子（葵さんの弟）さんが生まれたことをきっかけに、「子供たちに自分が生きた証を残したい」という気持ちから、この登り窯も敏明さんが自作したものだ。当時は1年間のうち2ヶ月を登り窯の制作にあて、残りの10ヶ月を作品制作にあてるという生活を20年続けた。登り窯の制作にあたっては、益子や瀬戸地方などの各地の登り窯制作の違いを比較考察するために、すでに代替わりをしていた濱田庄司氏のご子息・晋作氏に制作過程の記録などを見せてもらい、それらを参考にしながら研究を重ねて完成させた。

　灯油窯での窯焚きは18時間程度なのに対し、登り窯では72時間焚き続ける。この登り窯は4室あり、1室目がある程度の高温になった段階で両扉から薪を入れて焼き、同じことを2室目、3室目と順に焼いていく[9]。4室目は温度があまり上がらないので「捨て間」と呼ばれ、低温でも焼ける作品を焼く。また、登り窯は

図16：登り窯

図17：「ブク」の現象でできた隆起

高温で焼くことができるので、高温になりすぎる場合は「ブク」と呼ばれる現象が発生し、作品の表面に隆起状の模様ができることがある。焼損じは灯油窯では1度に1〜2割ほど出てくるが、登り窯では2〜4割ほど出る。その分、出現する色の違いに幅があり、窯焚きの面白さを味わえると葵さんはいう。

⑶秋田の色

　「白岩焼和兵衛窯」の海鼠釉には、あきたこまちの籾の灰が配合されている。再興した当時からその海鼠釉の安定に向けて試行錯誤してきたが、敏明さんの「米どころの秋田だから、釉薬に使われていたのは地元産米の籾だろう」という発想でたどり着いたものだ。

　海鼠釉という釉薬は各地の焼き物で広く使用されている。そのルーツは豊臣秀吉の文禄・長慶役に遡り、朝鮮から我が国へ多くの陶工が連れてこられたことに起因する。それがきっかけで知識や技術が九州・四国地方から北上して東北にも入ってきた。葵さん曰く、九州の海鼠釉はサラサラしていてやや黒っぽく、海のような印象を受けるという。対して東北の海鼠釉はぽってりしていて厚みがあり、それがまるで夜の青白く溜まった雪のようだと評する。また、作品の素となる土は近隣の山から採取できる粘土質の赤土を使用している。そのため、白岩焼の作品は、それ自体が「白岩の地をしっとり覆うなごり雪の風景」に似ているという。その美しい表現をお聞きしながら、九州の海鼠釉の作品がその土地らしさを反映しているように、この白岩焼自体が秋田の風土を表していて、秋田の土地で地元産のものを使って作り続けることが「秋田の伝統」につながるのだろうと感じた。白岩焼の成分はすべて秋田の大地からできていて、焼成加減によって異なる色が出現するのもまた長い長い秋田の冬の中で移ろう雪景色を感じさせる現象である。白岩焼の作品を彩っているのは100％「秋田の色」である。

5．時代を生きる人々に寄り添う

　葵さんに今後の展望についてお聞きした。白岩焼を継承し続けていくことはもちろん重要に感じているが、伝統工芸に限らず、続けていくことを目標にするとおそらく形骸化していってしまう。それよりも、今やっていることで結果的に白

岩が続いた、ということを目指したいと葵さんはいう。

　葵さん曰く、現代社会では、少し前の時代では行われていた「衣食住の手作り」が少なくなってきている。欲しいと思った瞬間に買い物をすることができ、必要なものは加工された状態で手に入る。そのため、生活の中に手作りのものがないと、手作りのものを見た時に、その工程にどれほどの時間と力を要しているのかを想像しにくい状態になる。そうすると、数百円の器と白岩焼の器が並んだ時に、その違いがわからない人が増えてくる。結果的に「同じもの」と見なされ、より手に入れやすい方へ需要が傾くのではないか。

　葵さんが以前通学していた京都の学校でも、最近では辞めてしまう学生が出てくるようになったそうだ。背景には工芸の地道な修行とインターネットが発達した時代に生きる若者との感覚の差異があるかもしれないという。知りたいときに答えがすぐ出てくる、動画などで情報はすぐ受け取れる、そんな便利さと安心感に囲まれた人々にとって、伝統工芸の世界は生きていくのに難しい環境だといえる。モノを創造する職人は地道で答えの見えない仕事であり、時代の利便性に符合しづらい側面があるからこそ、いまの時代は、手にする側、そしてつくる側双方にとって「伝統工芸」から乖離する状態にあると葵さんは述べていた。

　その中で葵さんは、幅広い層に向けて発信したり内容を工夫したりし、生き残るために選んでもらう努力を続けることが大事だと考える。例えば、器は多様なサイズと種類を制作するようにしており、選択肢に幅を設けることで手にとって

図18：金の焼き付けを施したお皿（手前）

図19：白岩焼のピアス「The North Blue」

もらう機会を増やしている。また、葵さんは白岩焼の製法でピアスや帯留めなどのアクセサリーの制作も手がけている。もともと薄く成形した器に金やプラチナを焼き付けるデザインを取り入れていたが、それを応用しているものだ。特に若い世代には、アクセサリーを通して白岩焼や器を知ってもらうきっかけにもなっている。それらを踏まえ、定期的に個展等を開催し、作品を多くの人に見てもらう機会もつくっている。

　一方で、父の敏明さんは、白岩焼で器だけでなくアート作品も手がけている。生活工芸という枠から解き放たれた白岩焼の作品には、さらに新たなファン層を魅了する力が備わっている。敏明さんの作品の一部を紹介する。《Woman》は、素焼き（テラコッタ）によるオブジェ作品である（図20）。女性は半身を肌蹴て、右手で自身の右襟元に触れるようなポーズをしている。仮面の奥からまっすぐ見ているであろう視線からは、毅然たる意思のようなものを感じさせる。なめらかな皮膚感や衣服の布の質感の違いにも見入ってしまう作品である。《Rhythm-Drum》は、ロクロ形成による円筒形のパーツを複雑に組み合わせたリズム感のある花器である（図21左）。表面には白岩の土を原料とした釉薬をかけている。花を生ける行為を踏まえれば、その形姿は水の空気泡のイメージとも重なる。《Machine》は、書道の道具である「水滴」を現代的にアレンジした作品で

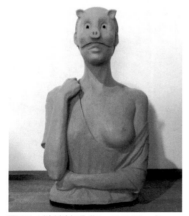

図20：渡邊敏明 作　テラコッタ
　　　《Woman》

図21：渡邊敏明 作　花器《Rhythm-Drum》（左）
　　　渡邊敏明 作　水滴《Machine》（右）

ある（図21右）。サブカルチャーの「スチームパンク」から発想を得たという。サイエンティフィクションの世界観を放つ質感で、材料が土のみとは思えないほどに機械や金属性を感じさせる。

　白岩焼を知ってもらう機会の創出という観点から、「白岩焼和兵衛窯」は小学生の工房見学や県内の高等学校、美術大学での講義なども行なっている。また、2020（令和2）年には、食とクラフトの作り手がコラボレーションして日々を楽しくするプロジェクト「アキタコラボル」にも参加している。県内のものづくりに関わるメンバーによる各々の専門を活かしたセット販売で、「白岩焼和兵衛窯」は、「ネコゼカン」という猫の形のクッキーとコラボレーションし、猫の形の箸置きを制作してオンラインで販売している。そんな「アキタコラボル」のホームページには次のような文言がある。

　「アキタコラボルはちょっぴり不便です。即日配送も、送料無料も、セット割引もありません。ご注文をいただいてから準備をして、作り手が適性と思う価格で皆様へお届けします。便利すぎたこれまでの生活をふりかえり、もういちど人間らしいスピードで。お待ちになる時間もご馳走にしてアキタコラボルをお楽しみください。」

　その言葉は一見時代に逆行しているようで、本質的な豊かさを伝えてくれている気がする。そしてそれは別視点で捉えると産地間連携による時代と時世に合った普及のあり方でもあり、白岩焼の思いを受け継いで本来のよさを活かしつつ新しい視点も柔軟に取り込む「白岩焼和兵衛窯」ならではの参画姿勢が感じられる。

6．美術科教育の視点から

　本稿では、秋田県の白岩焼の歴史に触れ、窯元の再興と手仕事について述べてきた。伝統文化を受け継ぎ、現代に普及しているその取り組みに基づき、私の専門である美術科教育の視座から「伝統や文化」を改めて見つめて本稿の結びとしたい。

　我が国では、2006（平成18）年の教育基本法の改正において、「日本の伝統・文化の尊重、郷土や国を愛する心と国際社会の一員としての意識の涵養」の教育目標が新たに規定された。その後、2017（平成29）年に改訂された学習指導要領

においては、教育内容の主な改善事項のひとつとして「伝統や文化に関する教育の充実」が挙げられている。そこでは伝統文化は「伝統や文化」と表記されているが、それは過去の文化の継承のみならず、現代における文化の中に息づく伝統的要素との比較検討や新しい文化の創出を促す要素を含む学習の展開が期待されているからだと考えられる。

　また、中央教育審議会の答申では、現代的な諸課題に対応して求められる資質・能力のひとつとして「グローバル化の中で多様性を尊重するとともに、現代まで受け継がれてきた我が国固有の領土や歴史について理解し、伝統や文化を尊重しつつ、多様な他者と協働しながら目標に向かって挑戦する力」が挙げられている[10]。この伝統や文化を含む全ての列挙された資質・能力のテーマが教科横断的であることを踏まえ、それを通じてどのような力の育成を目指すのかを学校教育課程における資質・能力の三つの柱に沿って明確にし、関係教科等とのつながりに基づいてその育成を図ることが求められている。

　関係教科等とのつながりに基づくということは、国語科や社会科など、伝統や文化に関係する各教科においてその学びの視点をもち、それらの学びについて相互関連性を意識するということになる。我が国の図画工作・美術科教育においては、美術作品だけでなく伝統工芸や文化遺産なども含めて美術文化と称しているが、それらに対する見方や感じ方を深めることは、人間が豊かな生活や社会を創造する上でなくてはならないことであるとし、グローバル化が進む最中にあっては、我が国や郷土の伝統や文化を受け止め、そのよさを継承・発展させるための教育や、異なる文化に敬意を払い、人々と共存してよりよい社会を形成していこうとするための教育を一層充実する必要があることが述べられている[11]。

　伝統や文化を図画工作・美術科教育で取り扱う際、表現及び鑑賞の活動を通した往還的で一体的な学びが重要であるのは前提にあるが、学習指導要領の中では、伝統や文化の学習は主に鑑賞の領域において目標が設定されている。その際、人々が前の世代から受け継ぎ、維持、変化させながらつくりだしてきたことや、生活の中で今も生きて働いていて、自分たちの感じ方や見方を支えるものであることを踏まえることが重視されている[12]。すなわち、過去の作品や伝統的な作品を鑑賞する際は、その作品を起点にして更に遠く過去に遡ることができること、

また現代に翻っても生活の中の美術にその考えや技法などが活かされて続いているという大きな歴史の文脈として捉えることが大切なのである。また、地域の伝統や文化を学ぶ際は、土や石、和紙などその地域独特の材料やそれらの特性を活かした表現技法を体験したり、地域の民芸や作品制作に携わる作家の考えや思いに触れるなど、学校教育で取り上げなければなかなか出会えない経験を通して、美術が我々の生活に根ざしていることを実感する機会としたい。そして子供たちにとって、それらの学びを通して伝統や文化に対する自分なりの意味を見出して身近に感じる機会となり、そのことが未来に向かう新たな創造の糧になることが肝要である。

　ここまでを踏まえると、伝統や文化に関する教育において中核となる考え方は創造性であると考えられる。そもそも、図画工作・美術科は自然のものから人工の材料までを自由に取り込んで表現したり、造形的なよさや美しさを感じ取って自分なりの見方や感じ方を広げたりしながら新たな価値を創造する教科である。そう捉えると、図画工作科では、自分にとって新しいものやことをつくりだそうとすることが文化や生活や社会そのものをつくりだす態度の育成につながっているといえる。そして、そのことが素地となり、美術科では美術文化の継承、発展、創造を支えていることについて理解することにつながり、それが未来を創造していこうとする態度へと更につながっていく。

　白岩焼を含め、我が国の伝統芸術は古から現代に至るまで異文化から影響を受け、風土や生活に合わせて洗練されながら独自の文化を生み出してきたものが多い。その伝統の中に価値あるものを見出し、現在に至るまで大切に残されてきた意味を考えることは、背景にある地域性や人々の想いや日本の特質に関心を抱き、心豊かな生活に寄与する美術文化の役割を感じるとともに、それらを継承し自らが生きる時代とその先へ価値を継承し続けていく気持ちを醸成していく一助になり得るのではないか。それは「白岩焼和兵衛窯」の初代窯元である渡邊すなおさんと敏明さんが白岩焼に着目し、苦心と創意工夫の末に再興を成し遂げるに至った創造的な精神や、渡邊葵さんが2代目として後継者になることを決意し、作品を使う人や時代に合わせて既存の価値に新たな価値を付与していった過程とも重なるように思う。

結語として、『白岩瀬戸山』における渡邊爲吉の言葉をお借りしたい。

　　一度失つたものは、二度とこれを得ることは難い。白岩の窯を復活さすことは困難であらう。時代も變り瀬戸物需要の状況も變った。金属器や、がらす器などの發達で、陶磁器界は著しく侵蝕された。然し陶器の用途も亦從つて新に生じた。（中略）昔は、陶器は木器の領内を侵したが、木器はこれが爲に廢滅しなかった。ものにはそれ／＼特徴があり、馬を以って全く牛に代へることは困難である。人類の社會から、陶器が消滅しやうとは、創造されない。社會の文化と共に益々發達することであらう。瀬戸山再興の機會があるとしても、それは昔の儘の再興であつてはならない。現代に相應した、現代人の生活とぴつたり合致した、新しいものでなくてはならない。

（『白岩瀬戸山』p.134 より引用）

　継承した伝統が時代を超越して人々の暮らしに寄り添い続けるには、伝統と清新どちらも大切なのだと思う。当時の爲吉の言葉は、現代に見事に白岩焼を再興してみせたすなおさんと敏明さん、そして本来の白岩焼らしさを確実に残しながら、その伝統に新風を吹き込んだ葵さんの姿を捉えているようである。いま爲吉が「白岩焼和兵衛窯」を見たら、きっと心から喜ぶのではないだろうか。

【白岩焼の展示施設】 2020 年現在
秋田ふるさと村工芸館（秋田県・横手市）
フォレイク（秋田県・田沢湖）
角館樺細工伝承館（秋田県・角館市）
秋田県立博物館（秋田県・秋田市）
芹沢長介記念東北陶磁文化館（宮城県・加美町）
日本民藝館（東京都・駒場）
光州市立美術館（韓国・光州）

【白岩焼の作品取扱店】 2020 年現在
角館樺細工伝承館（秋田県・角館市）
かくのだて物産館（秋田県・角館市）

日用雑貨・うつわ・家具『ミンカ』（秋田県・大仙市）
日々の暮らしの器と雑貨『眞理』（秋田県・秋田市）
obogi（秋田県・秋田市）
m'scollectables（秋田県・潟上市）
shop＋spaceひめくり（岩手県・盛岡市）
anori（山形県・山形市）
東北スタンダードマーケット（宮城県・仙台市）
トキワ屋（山形・鶴岡市）
MARKUS（東京都・吉祥寺）
コハルアン（東京都・神楽坂）
たばこと塩の博物館（東京都・墨田区）

【謝辞】

　本稿の校了に際しましては、「白岩焼和兵衛窯」より監修をいただきました。

　窯入れや窯焚きでお忙しい中、ギャラリーや工房を案内してくださった「白岩焼和兵衛窯」の渡邊葵様と取材訪問を快諾してくださった渡邊すなお様、敏明様に心より御礼申し上げます。

【画像出典】

※下に記載のないものは筆者撮影または筆者作成の図である。
図１：渡邊爲吉『白岩瀬戸山（復刻版）』、翠楊社、1979年、巻頭画像資料
図２：デヴィット・ヘイル（著）、西村忠彦（訳）『東北のやきもの』、雄山閣出版株式会社、1974年、p.4
図３：デヴィット・ヘイル（著）、西村忠彦（訳）『東北のやきもの』、雄山閣出版株式会社、1974年、p.3
図５：秋田県のがんばる農村漁村応援サイト https://common3.akita.lg.jp/genkimura/index.html
図６：中島誠之助、中島由美（監）「週刊 やきものを楽しむ 北海道・東北のやきもの」、小学館、2003年、p.8
図７：大堀相馬焼協同組合ホームページ http://www.somayaki.or.jp/index.html
図８：渡邊爲吉『白岩瀬戸山（復刻版）』、翠楊社、1979年、巻末資料
図９：渡邊爲吉『白岩瀬戸山（復刻版）』、翠楊社、1979年、p.5
図19：白岩焼和兵衛窯より提供

注

1）　海の生物であるナマコの色に似ていることから、海鼠（なまこ）釉という。全国的にある伝統的な釉薬。

2) デヴィット・ヘイル（著）、西村忠彦（訳）『東北のやきもの』、雄山閣出版株式会社、1974年、pp.200-201

3) 渡邊爲吉『白岩瀬戸山（復刻版）』、翠楊社、1979年、p.32

4) 渡邊爲吉、前掲書、巻末資料より

5) 村上豊隆「白岩焼の窯跡と手仕事の現在を訪ねて」、「民藝」編集委員会（編）『民藝』、奥村印刷株式会社、2016年、pp.17-22

6) 狩野政直「1970-90年代の日本―経済大国―」、『岩波講座日本通史21 現代2』、1995年、岩波書店、pp.3-74

7) 「白岩焼和兵衞窯」ホームページ https://www.waheegama.com（2020年6月アクセス）

8) 2015年に東京国立博物館で開催された特別展「みちのくの仏像」が東北の仏像に関する初めての大々的な展覧会である。

9) 「ある程度の高温」といっても実際は温度計では測れないことが多く、長年の経験から「炎の色」と「窯の雰囲気」で判断する。

10) 中央教育審議会「幼稚園、小学校、中学校、高等学校及び特別支援学校の学習指導要領等の改善及び必要な方策等について（答申）」、2017年

11) 文部科学省『中学校学習指導要領解説 美術編』、2017年、p.16

12) 文部科学省『小学校学習指導要領解説 図画工作編』、2017年、p.98

畑山 未央（はたやま みお）
・秋田県生まれ
・東京学芸大学大学院 連合学校教育学研究科 博士課程 在学中
・東京家政大学 家政学部 児童教育学科 助教（～2020年3月）
・修士（教育学・横浜国立大学、2015年）
・畑山 未央「図画工作科における教科書・美術館の利活用」、山口 喜雄、佐藤 昌彦、奥村 高明（編）『小学校図画工作科教育法』、2018年、建帛社

東北伝統こけしによる量感教育について
―鳴子系の頭部下の半球状のふくらみをもとに―

和田　学

　本稿は、時代に応じて変化する社会的な必要性から工芸教育を捉えるうえで、立体的な量の捉え方、感じ方に着目し、ものづくりと観察が一体となった題材の研究を行う。その対象として、工芸品の中でも文具や日用雑器など、身近な生活用品へと意匠が多く活用され、かつ比較的、誰もが馴染みやすい形や色を持つ東北の伝統こけしを選んだ。

1．こけしの多様な捉え方について

　社会からの要求が特に大きく変化した戦時中に着目すると、伝統こけしは、当時の図画・工作の国定教科書1学年用に取り上げられている。文部省『エノホン二』（昭和16年）には、題材の22番目に「オ人ギャウ」とあり、見開き左頁の下部に、こけしの墨絵があり、近くに座像を中心とした4体の人形の姿、次頁には着物を装ったような立ち姿の紙雛が、暖色の彩りを添え、クレヨン画で描かれている[1]〔**図1**〕。

図1

教師用には、指導として、教師が「教科書を見せて人形や机の現はし方に注意させ、実物を観察させて頭・胴・手・足の形や大体の釣合いに注意させ」て、児童に描写させるとある[2]。当時、伝統こけしは、肢体の特徴がないにも関わらず、人型として扱われていたといえるが、社会の中の位置付けはどのようなものだったのだろうか。

　『朝日新聞』をみると、「郷土趣味のあらもの展」（昭和15年）とあり、銀座松坂屋において、「郷土に憧れる都会人の実用に供する所謂民芸或は荒物即売会」が開催され、「従来単に趣味一点張の人形や郷土玩具が、一歩を進めて従来のこけし人形を箸や匙に応用し」たものとして紹介されている[3]〔**図2**〕。ここでは、こけしの胴が箸や匙の持ち手となり、スキー板やストックに見立てたものと共に「実用的なものに進化した」とされる。

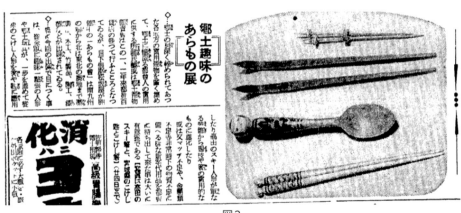

図2

　次に、「東北の新名物 - 海外へ新しい工芸品」（昭和16年）では、海外輸出向けに「日本趣味を盛る新工芸品」の一つとして、曲物のワッパなどと共に「東北特有の郷土人形こけしを彩色あざやかにそのまま描いた」、「出来上がりはこの通り、なかなかのスマートさで、あちら好みの東洋的雰囲気溢れるばかり」と評されている[4]〔**図3**〕。

図3

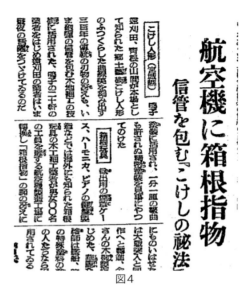
図4

　「航空機に箱根指物‐信管を包む『こけしの秘法』—」（昭和19年）では、宮城県の「鳴子　遠刈田、青根の山間が本場」とされ、「こけし人形のふっくらした曲線美を刻み出す三百年の伝統の刃物の冴えも、いま砲弾の信管を包む木地細工の技術に活用され」たとあり、「箱根指物」の制作現場も「航空機製造工場」に変ったことも記され、「贅沢追放の鉄槌のもと」「新たな活路を古い父祖伝来の伝統の技術のなかに見出す」取り組みの一つとされている[5]〔**図4**〕。

　当時、人形の一種とされた伝統こけしは、各時代の要求に応じ、特に胴部の形状のアレンジを受けながら、他の実用的な工芸・工業製品と関連付けられていたといえる。教科書『エノホン二』でも、人形の一種として他作品との共通点を○部の頭部に持ちながら、胴部において、有機的な曲線を持つ同頁の人形の肢体、人工的な直線を持つ次頁の紙雛の着物、双方の主題と造形特徴を併せ持つことで関連性を結んでいたかのようである。

　こうしてみると、伝統こけしの胴部は、時代ごとの要求に応じて変化し、他の品種の一つとして独立したり、立体的な鑑賞用の造形物であると同時に実用的な工作物の機能も兼ねそなえることで、他の品種同士を関連付ける媒体として機能

するなど、多様なはたらきをしていたことが理解できる。

　本稿は、以上の点を基に、時代の変化に伴う学びの在り方を考えるうえで、工芸品の量の捉え方、感じ方へ着目し、おおよそ初等教育を視野に入れ、創作と観察が一連なりとなった、伝統こけしの題材開発と考察を行う。

2. 「こけし団子」

　まず、小学校低（1・2）学年頃を視野に入れ、作品同士の関係性や特性について考察したい。創作題材は、東北各地の実物のこけしを基に、泥団子のように練り物の肌触りを楽しみながら、こけし頭部を紙粘土により丸めてつくる"こけし団子"を考えた〔**図5**〕。ペットボトルキャップを下部に埋めることで、ある程度の安定感を持たせ、他の作品と共に、並べる、積むなどの活動を通じ、楽しい雰囲気を出しながら作品同士の表情などを比べやすいようにした〔**図6**〕。

　その後、実物のこけしと比べてみて、従来のこの玩具の由来の一つに基づいて、

図5

図6

図7

図8

円柱部を持ち手のような器物として捉えた場合、もしかしたら、球形部は児童画の頭足人のように身体も含んだ頭の状態にも捉えうること、もしくは、同一の量が人形全体として、頭部・胴部の関係にも捉えられること、などを知ってもらいたい〔図7〕。

　この二つの捉え方を応用し、頭部と胴部の観察に重点を置いた題材を考えた。故・松田初見さんの伝統こけしの作品に"たちこ"がある。たちこは、こけしの一種で、胴体に球形状のふくらみを持ち、下部へ向かうに連れ、窪みを持つ〔図8右端〕。木製のスタンプ印の摘みの形状と相似しており、膨らみ方がおもしろい〔図8左端〕。このことから、同様の木地素材を購入し、下部にゴム版を切って貼り、児童の好きな押印の図案を作成し、底部に付ける題材を提案した〔図8中央〕。この創作物は、たちこの胴とスタンプの摘みの部分、同一の量の形状に2つの捉え方を併せ持つ。異なる品種同士も関係し合うこと、同じ形に様々な働きが含まれることへ気付きを生んでもらいたい。

3.「コケシ・ペットボトル」

　次に中（3・4）学年頃を対象とし、立体造形的な機能と実用工作的な機能の双方の特性が、もの自体ではなく捉え方に備わっており、同一の量部であっても、どちらか一方を捉えると他方の捉え方を失う、或は、どちらともとれて見分けがつかない（判定ができない）、などの可能性について気付きを求めたい。

　宮城県大崎市鳴子町の松田工房は、先の初見工人のお孫さんで弟子でもある松田忠雄さんが経営している〔図9〕。忠雄工人は、伝統的な木地こけしに限らず、デザイナーとの共同製作により、技術を生かし、現代向けの日常品など、器物の制作も手がけている。木地を生かしたペットボトルオープナーの［こけしボトルキャップ］などがある〔図10〕。キャップ使用時の状況は、こけしのシルエットを模したかのようである。鳴子系こけしの特徴である手で捻ってまわすと音が鳴る様相を想起させる。木地こけしの素材感が生かされると同時に、ペットボトルが一般的な生活圏内において手で触れてきた身近な材料であり、量を感じる題材として適していると考え、研究を行った。

図9

図 10

図 11

図 12

　先ず、ペットボトルの商品ラベルを取り、上部のキャップを白く塗り、他のボトルとの差異を無くし、容器中に透明な水を入れ、量への意識を向けやすくした。リサイクル過程の途中で止めることで、立体的な造形物と実用的な工作物、双方の中間に位置するようにし、どちらともとれるようにした。低学年からの発展性を持たせるため、材料と工作法は前題材を踏襲し、実物のこけしを観察しながら、ペットボトルを胴部に見立て、紙粘土のこけし頭部を上部にバランスよく取り付ける〔**図 11**〕。こうして実物のこけしを模した後、様々な角度から見て、粘土頭部とペットボトルの上部と下部の部分間に求められるプロポーションの安定感の目安が、立体的なこけしと機能的なキャップ、この 2 つの捉え方によってどう変化するか考えてもらいたい。

　この後の観察では、機会があれば実際に児童の工房訪問、また、工人の学校訪問などを通じ、実物の木地を生かし、伝統的に継承されてきた模様や形について

工人に尋ねる機会、あるいは、何らかの簡易的な創作活動を共にし、友だち同士で作品を基に話し合う中で、新たな気づきが欲しいと考える。

　例えば筆者は、忠雄工人が挽いた木地及びロクロ線を基に工人作のこけしを基に絵付けをし、形や模様について観察する機会を得た〔**図 12**＊ 左端が忠雄工人、中左が筆者の絵付けしたこけし〕。この時の工人作のこけしの木地は、白い木肌が印象的で木目の目立たないものであり、キャップの様相と違った。逆に、初見工人のこけし頭部は、上部から側面にかけ、滑らかにうねりながら側面にかかる木目の流れが印象的で、キャップと特徴が相似している〔**図 12**＊ 中右が初見工人のこけし〕。このことから、キャップ使用時を模した "コケシ・ペットボトル" の由来が、忠雄作ではなく、初見作の木地こけしである可能性もある。

　ここでは、ものの特性は、捉え方しだいで変わり、他の特性からも影響を受けうることを知りながら、日常生活の約束事にとらわれない自由な発想から、形を見比べて新しい発見をし、友だち同士で話し合い、互いの意見に興味を持てるようにしたい。

4．「こけし・コード」

　これまでの学びを生かし、高（5・6）学年は、時代やジャンルを超え、作品の中で継承されてきた隠れた量の形状を発見していくことで、絶えない探究心を育む応用題材を示したい。とりわけ、松田家の工人達も継承時に気付かないような、作品同士の量の形状の相似形に隠れてきた暗号のコードのようなものを発見できる可能性について検証していく。

　一例をあげると次のようなものである。初見工人のこけし以外の器具作として、針金に竹軸の掴みを付けた桶型の木製玩具がある。短い竹ヒゴを柄とする杓子がセットとなり、生活用水を貯める器物の模型とみられ、時代の変化を超え、水に関して忠雄工人のペットボトルキャップとの関連性が伺える。

　先ず、比較から始めると、水入れ模型は、初見作のこけし胴部の外回りの形状と相似する。空洞部に、忠雄作のキャップを入れると、丁度、はみ出した量部と桶の形状の組み合わせが、こけしの首部と胴の上部に相似している〔**図 13**〕。この他、こけしの一種とされる "えずこ" の初見作も、小さな頭部下に同様の半球

図13　　　　　　　　　　　図14

図15　　　　　　　　　　　図16

状のふくらみがあり、先の状態と同様、量部への相似を感じる〔**図14**〕。えずこは、乳幼児が籠に入った状態をイメージ化したものと言われる。そのことから、本来、座像の造形物の形状であっても、入れ物の機能を果たすうえで効率のよい器物の形状をしている可能性もあり、実際の器物以上に高い実用的な機能性を秘めていることもありえる。ここでは、同じ量部を中心に、これまで捉えられてきた実用性と立体性への既得認識が定かでなくなる。この違和感を気づきへと繋げるため、自らが準備したペットボトルや透明なカップの形体の丸みの曲線を生かし、えずこ・水汲み用模型などを模した二次的な創作物をつくることで、問題点を明確化した〔**図15**〕。この創作物は、コケシ・ペットボトルと同様、模様を色付きビニールテープを切り取って貼り、模すものとした。

　他の発見例として、忠雄工人がデザイナーと共同製作した［こけしLEDライト］をとり上げる〔**図16**中央部の２つ〕。球形部を下へ押し込むと、足裏にある光

源が点く。ボーダー柄や黒塗りの意匠が斬新である。これと比べ、他の鳴子系工人が製作したライトは、木地こけしの型を意匠とし、頭部を押すことなく、持ち上げると自然に足裏の光源が点くものがある〔**図16**右端〕。比べてみると、忠雄工人の木地こけしの胴部は直胴に近く、むしろ、［こけしLEDライト］の方が、鳴子系の内側に反った胴の量部の特徴に近く、最初の斬新な印象の見た目以上に、ライト（実用機器）の方が鳴子系こけし（立体造形）の特徴を持つこともありうる。このことが、"なぜ"という問題意識を生みつつ、絶えず、前提条件へ立ち戻ることで、既得認識を見直せるようになってもらいたい。

　本研究は、時代の変化に応じた学びの在り方を検討するため、東北の伝統こけしに焦点をあて題材開発と考察をしてきた。その結果、①1作品の各部分が別々の独立した作品と成りうること、②作品同士を分け隔てる境界が変動し、それに伴い、捉え方自体も変化しうること、③立体造形的な特徴と実用工作的な特徴の双方が入れ替わる可能性があること、に焦点をあててきた。

　これらを踏まえ、時代の変化に応じた学びとして、捉え方が複数あることにより、その前提条件の在り方そのものが絶えず問い直され、問題解決の判断を遅延し続けるような意識が必要であると感じた。

註

1）文部省『エノホン二』大阪書籍、昭和16年（＊頁表記なし）。
2）文部省『エノホン二　（教師用）』日本書籍、昭和16年、46頁。
3）『朝日新聞縮刷版　昭和15年3月』日本図書センター、平成4年、237頁。
4）『朝日新聞縮刷版　昭和16年6月』日本図書センター、平成4年、135頁。
5）『朝日新聞縮刷版　昭和19年4〜6月』日本図書センター、平成元年、9頁（＊5月分）。

和田　学（わだ　まなぶ）
・1974（昭和49）年　島根県生まれ
・佐賀大学教育学部准教授
・2002年　大分大学大学院教育学研究科修士課程修了
・2005年　筑波大学大学院芸術学研究科博士課程修了
・博士（芸術学・筑波大学、2005年）
・修士（教育学・大分大学、2002年）
・和田　学「第9章　彫刻・工作教育史 — 塑像と器物の関係について—」金子　一夫編『美術教育学業書2』

美術教育学の歴史から』美術教育学会学術研究出版、2019、125-137.

・和田　学「文部省の滑空・模型航空機製作の教育政策に関する研究 ― 製作と“その他の予備教育”の考察 ―」『美術教育学』41、2020、365-376.

・和田　学「美術教育におけるジレンマ学習の研究」『美術教育学』39、2018、423-434.

・和田　学「質的ジレンマ学習による工芸教育の研究 ― ２つの機能の間に揺れる教材について―」『美術教育学研究』49、2017、465-472.

郷土人形づくりをとおして願いを考える
―ふくしまでの親子の張子づくり教室から―

笠原広一

「ものづくり」のもつ引っかかり

　「ものづくり」という言葉を使うとき胸の奥に少々引っかかるものをいつも感じる。それは普段、私自身が現代美術に関連する美術教育の実践や研究を行なうことが多いのが理由の一つである。「モノ」だけでなく「コト」、意味や概念、関係性といった、世界に潜在する未だうまく捉えられていない物事をアートによって手繰り寄せ、それについての理解や問題提起を掘り起こそうとする際には、「モノ」がすぐさま何かの役割を担うことが前提になるとは限らないからである。決して役割を持たないことはなく、様々なかたちで「モノ」と関わる中で「モノ」が呼び込むものに導かれ、何らかの新たな視界や洞察が生まれることになる。しかし、最初から「モノ」を前提とすると、見落としてしまいがちなものがでることもある。モノの持つ魅力やつくる喜びは、ときに私を心地よい世界に引き止めてしまう場合もあるからである。「ものづくり」という言葉への引っ掛かりとは、いわばそうした過度なものへの傾倒と没入への警告なのかもしれない。

恩師の研究室と郷土玩具

　だが実はそれとは別にもう一つ思い当たる理由がある。それは私がそうした美術教育の研究と並行して郷土玩具の研究を行なっているという理由である。未だ見えない探究や創造の先に何が生成するのかを問う実践や研究とは打って変わって、各地の郷土玩具工房を訪ね歩いては歴史や制作方法などを調べ、大学の公開講座などで郷土玩具づくりの実践を行なっている。理由はわからないが、これらが私の両輪だとすると一見だいぶ距離があるように思う。筆者が学生の時、造形

実習室の入り口の棚に福島の伝統的郷土玩具の「三春張子」が並べてあった。当時お世話になった指導教官の研究室にも民芸品や郷土玩具が並べてあった。進まない論文の進捗報告に訪れては飾ってある全国各地の郷土玩具たちを何とは無しに眺めていた。

京都と福岡でのくらしと郷土玩具とのつながり

その後、郷里福島でチルドレンズ・ミュージアムに勤務した後、京都の美術大学に勤務し10年ほどそこで過ごしたが、京都では生活の至るところに郷土玩具や民芸品が現在も息づいていた。職場の書類棚の上にも古い伏見人形の土人形が置いてあった（**図1・2**）。こうした土人形は昔からどこの家にもあり、新年になると新しい土人形を買い求めるのだと京都で生まれ育った教授が教えてくれた。歴史ある寺社仏閣や伝統文化とともに昔ながらのモノたちが生活の中に色濃く残っている。1200年の都であること、宮中にまつわる様々な伝統文化、茶道や華道の様々な工芸品、民藝運動でも重要な場所であったことなど、「郷土」のあり方としては他の土地とは多分に異なるとしても、人の手によって生み出された様々なモノに触れ、歴史や生活とのつながりを今なお感じながら暮らす京都では、今なお工芸や郷土玩具などの「モノ」づくりは、大きな意味と価値を持っている。そこで暮らした10年の間で徐々に触れていったことで、それらがもつ意味や価値がじんわりと沁みてきたのだろう。京都を離れる頃には遺構から発掘された伏見人形を見に足繁く京都市考古資料館に通い、京都大学裏の古書店で関連書籍を探し求めては、喫茶店でページをめくるのが週末の楽しみになっていた。

図1 土鳩 伏見人形[1)]

図2 神雛（丹嘉製）[2)]

図3 津屋崎人形（福岡県福津市）[3)]

郷土人形への関心は後に福岡の大学に移ってからも続いた。九州は郷土玩具の宝庫で、福岡市の博多人形師による「はじき」や福津市の「津屋崎人形」（**図3**）、北九州市の「孫次凧」の工房を訪ねながら手仕事を探訪した。

郷土人形について

郷土人形の祖とされる伏見人形は桃山時代に制作が始まったとされる（塩見、1967）。現在の京都市伏見区にある伏見稲荷大社の参詣路で土産品物として制作販売され、江戸期から大正期に盛んにつくられ各地に広まった。伏見人形（京都）、堤人形（仙台）、古賀人形（長崎）の三つは三大土人形と呼ばれる。伏見人形は民間信仰や習俗、縁起といった庶民生活に深く結びついている。澤村（2005）は土産（みやげ＝宮笥）とは神前の祭具であり、江戸当時、医者に掛かることも薬を買うこともままならない貧しい多くの庶民が神仏の加護にすがらざるを得ないなかで玩具に魔除けの願いや子を守る親の愛情が込められたとし、郷土玩具の発生は信仰と呪術といった生活に結びついた宗教性にあったとする。

福島県郡山市の有名な三春張子も元々は堤人形の流れを汲む土人形が始まりとされる。同じく福島県福島市には根子町人形という土人形があった。地理的に仙台市（堤人形）と三春町（三春張子）の中間に位置し、双方の影響を受けたが大正期に廃絶している。以後福島では三春張子や会津の赤べこ（牛）のように張子が郷土人形の中心となっている。伏見から全国に広がった土人形に加え、地域によっては和紙を使った張子がつくられたり、つくられるに至る背景、内容や素材は少しずつ異なる。いずれも当時の地域信仰や習俗、縁起など生活に深く根ざしたものであった。江戸期には窯元と販売店で京都に50軒程度（塩見、1967）あったとされる店も現在は伏見稲荷大社前の「丹嘉」（窯元・販売店）のみである。

このように、縁あって京都や福岡に住んだことが郷土人形への関心につながったわけだが、より明確に意識するようになったのは東日本大震災がきっかけである。震災当時はまだ京都にいたが、郷里福島を出た身としては震災に複雑な思いもあった。しばらくは震災のことで誰かと話したり支援といった関わり方もできず悶々とした時間を過ごしていた。ちょうどそんなとき、福島県立美術館から張子づくりの講座を担当してほしいと連絡を受けたのだ。

親と子の美術教室担当の経緯

　福島県立美術館での張子づくり講座の経緯だが、伊藤若冲をはじめ曾我蕭白や長沢芦雪、酒井抱一など江戸時代を代表する画家の名品で世界的に知られるプライスコレクションが東日本大震災の復興支援活動として岩手県立美術館、仙台市博物館、福島県立美術館を巡回することになった（**図4**）[4]。今回はその関連企画だった。ちょうど作品リストに「布袋さん」が七人描かれた若冲の「伏見人形図」が含まれていた。伏見人形は全国の土人形の祖とされるが、福島では土よりも和紙を使った張子が盛んであった。そこで若冲が描いた京都の伏見人形と福島の張子を関連づけ、親子の美術教室を企画することになったのだ。以前、筆者が郷土人形を調べていたこともあり（笠原、2014；笠原・春野 2016）、今回、張子づくりを担当することになったわけである。

図4　展覧会チラシ[5]　　図5　「汐汲み」三春張子人形[6]　　図6　「干支トリ」（橋本広司）三春張子（筆者蔵）

福島の郷土人形

　「三春張子」は福島県の有名な郷土人形である。その名にある「三春」は三春町の町名に由来する。三春町は自由民権運動や革新的な行政改革の歴史で知られ、樹齢千年を越える日本三大桜の三春滝桜が有名で全国から観光客が訪れる。「デコ屋敷」と呼ばれる人形づくりを行なっている高柴地区は明治期に三春町から隣の郡山市に編入されて現在に至る。ここでは張子だけでなく日本三大駒の一つである三春駒などの民芸品の発祥地でもある。「デコ」は木彫りの人形のことで木偶（デグ）が元になった読み方だという。東日本大震災で人形づくりは一時中断

したが現在は再開している。

　三春張子人形の特徴は「紙という材質上、その製法上の利点を最大限に生かし、土人形では表すことが困難とされるような複雑な型を可能とし、さらに扇や刀・弓といった小道具類を附属させるなど、精巧さを高めた」[7]点にあり、最盛期、文化・文政期の三春張子人形の美しさは、あらゆる郷土人形のなかでも屈指と高く評されている（**図5・6**）。また、福島県西部の会津地方では「赤べこ（牛）」の張子が有名で（**図30**）、赤べこと三春張子は福島を代表する民芸品として復興支援の取り組みの中で全国に販売されている[8]。近隣の二本松市の上川崎和紙を使うなど地元の自然素材でつくられた三春張子は、山と空、水と空気といった自然に恵まれた福島の郷土が生み出した民芸品であり、全国的にも名高い張子である。京都を中心に近畿地方が全国の郷土玩具の原点といわれるのに対し、東北地方は九州・沖縄と並んで郷土玩具が多く宝庫とも言われている（斉藤2000：20-21）。地域の自然や風土に根ざした文化がその土地の人々の中で豊かに育まれてきた所以であろう。一つひとつの郷土人形には五穀豊穣、家内安全、厄除けなどさまざまな願いが込められている。それは地域を越えた当時の人々の共通する願いであり、それがその土地毎の自然や風土を活かした形で様々な郷土人形となったのである。そこに郷土人形の普遍性と地域毎の味わい深さがある。

郷土の伝統的造形に取り組む意義を考える

　美術教育ではこうした郷土玩具づくりは「伝統的造形」として図工・美術科で取り組まれる。アイヌ民族のムックリ（口琴）や福島県福島市の伝統的造形である「昼花火」について、小学校図画工作科での実践研究を行った佐藤昌彦（1997）によれば、美術教育において名画鑑賞は行われても地域の伝統的造形の鑑賞は行われにくいとし、「地域の伝統的造形は、発想やつくり方と同様に造形に込められた人々の願いや文化的な背景などについて調べたり話し合ったりすることを一層取り入れるべき」（1997：126）だという。佐藤は長い歴史の中で受け継がれてきた物づくりの追体験は「素材の性質を生かす知恵」や「こめられた作者の思い」などを「身を以て学ぶことになり理解を一層深める」とし、「日常生活を通して何気なく子どものころから育んできた美意識」が「底辺から人間の行動を支

え、価値判断の基準を形成している」という（1997：134）。何気なく育んできたものとは、成果がすぐには測りにくいものである。自然や風土に対する感性は生活体験とつながりをもったモノとしての形を通して、日々の暮らしの中で少しずつ「何気なく醸成される」のだろう。今回の美術館での講座もそうした「何気なく醸成される」生活の中の一コマかもしれない。張子づくりを通して、その土地に生きた先人が人形に込めた思いを想像することや、今を生きる私たちがどんな願いを持ち、それをどう未来に託していくのかといった、郷土の自然と共に暮らすことの意味と、日々の暮らしのかけがえのなさを再確認することに少しでもつながればと考えた。それがわずかながらも未来の福島や日本のあり方を考える機会にもなればと考えて講座の準備を進めた。

講座の概要と出来上がった張子たち

　親子の美術講座「親と子の美術教室小さな張子をつくろう！」と題し、2013年9月22日（日）の10時から15時30分まで終日使って張子づくりが行われた。小学生と保護者22名が参加した。まず筆者と参加者の自己紹介をし、郷土人形と張子の歴史や基本的な制作方法を紹介した。持参した伏見人形「金魚」「鳩」を紹介し、本日は張子で制作することを伝え、用意した型に和紙を貼る作業を演示した。今回は土人形の基本的な形にある「猫」「犬」「馬」「雀」「鳩」「鯛」「立雛」「富士」「ちょろけん」を元につくりやすいようにディフォルメした型を複数用意し、参加者に選んでもらった。

　制作が始まると集中して黙々と作業に取り組んでいた（**図7**）。和紙の厚みを確かめながら全体に3、4回貼り重ねていった（**図8**）。貼り終えたら乾燥させ、切り込みを入れて型を抜き出して再び形を張り合わせた。下地を塗って昼休みの間に乾燥させた。午後は乾燥した真っ白い張子を眺めながら絵付けの下絵を描き、張子の名前やどんな願いを込めるかを考えてもらった。下絵を描いた人からアクリル絵の具で絵付けを行った。完成後は写真撮影を行い、全員できたところで鑑賞の時間をとった。張子を並べた机を囲んで座わり、まず筆者が自分の張子について話し、順次皆の話を聞き合った。

図7　講座の様子

図8　型に和紙を貼っていく

図9〜16　出来上がった張子の例

　出来上がった張子（**図9〜16**）の中でいくつか見ていこう。まず、**図17**の鯛をつくったのは小学1年の児童である。鯛の片側には「くまのおうち」と題して笑顔の熊と家が描かれ、もう片面には「やまのかみさま」と題して祠（ほこら）の中に緑色のズボンを履いたお地蔵様が描かれている（**図18**）。鯛のヒレを青の縞模様で描き、まつ毛の長い目のキラッとした鯛をつくった。下絵もテーマを考えて三枚描いた。魚の絵（**図19**）は体の中にハートマークがあり中で稲が育っ

図17　「くまのおうち」が描かれた鯛

図18　祠が描かれた鯛

図19　中で稲が育っている魚

ている。「お米がよく採れますように」との願いがあり、この魚が田を泳ぎ米がたくさん穫れるようにしてくれるのだという。

　猫の張子（**図20**）は5年生の児童によるものである。将来花屋さんをやりたいので「はなちゃん」と名づけたという。保護者はオリジナルの形の人形をつくった（**図21**）。人形は耳が垂れていて花を持って目を閉じている。心にゆとりがなくなったときに、このように心の中に花を感じるような気持ちを思い出すようにとのことであった。形は違っても親子で共に「花」をモチーフにしている。

図20　はなちゃん（猫）　　図21　心のゆとりを思い出すことを願って

　犬の「げんき」をつくった1年生の張子である（**図22**）。自分に元気をくれるお守りとしていつも部屋に飾っておくそうだ。母親は富士山の型を選んだ（**図23**）。山の側面には家族の笑顔や木が描かれている。家に暖炉があり、その煙が出ている様子が裏面に描かれている。木々は福島の桃やリンゴがなっている風景に見えるとのこと。こうした話を聞き、福島の自然やそこでの家族の暮らしをイメージすることができた。

図22　げんき（犬）　　図23　家族の笑顔が描かれた山型の張子

張子づくりを振り返って

　子どもが張子に込めたのは、「宇宙、生き物、自然の風景、神様、将来の夢、

お守り」などで、大人は「自分のあり方、家族、宇宙、金運他」となっている。子どもたちのイメージは宇宙や身近な世界、自分の気持ちなど様々で、大人は家族のかけがえのなさや自分のあり方に何かの戒めを思い起こさせるなど、何らかの心の象徴となるものが多かった。活動後のアンケートでは、親子で一緒につくる時間について「あっという間に時間がすぎてしまい足りない程でした。親子で楽しいひとときをすごすことができました」「子どもとゆっくり話したり、作ったりする時間がとれ、有意義でした」「出産以来、こんなにひとつの事に集中する時間は初めてで、脳がリフレッシュしました」といった声があり、生活の中でじっくり子どもと楽しんだり、自分のために時間をとることができてよかったといった声が聞かれた。型も同じものを複数準備したため、自分と同じ型で他の人がどんな違う張子を生みだしたかも興味深かったという。前半の紙貼りでは本当にこれが張子になるのか不安に思う子もいたようだ。通常は乾燥も含め数日かけるが、今回はどうしても5時間半で完成させなければならず、難しい作業だったことは確かである。それだけに出来上がった喜びは大きかったようだ。

何気なく醸成される感受性の土台

　今回は少数の事例ではあるが、郷土人形づくりをとおして子どもは自然や人間以外の存在にまつわるものを何かしらイメージし、大人は家族や自分を見つめ直すことをイメージしてつくった姿が見られた。幼児期から学童期を含め私たちは自然の大切さや自分たちの暮らしが自然とのつながりの中にあることを様々な形で学んできている。それにも関わらず、大人になると様々な社会的利害関係に呑まれてしまう。大人になる過程で現実問題の複雑さを認識するとしても、自然や人間以外の存在にイメージがつながる感性を失ったならば、私たちの感受性は自然や暮らしを大切にする感覚からずれてしまう。そのとき科学や経済の様々な技術をどのように私たちは認識するのか。その帰結として何が起こる可能性があり、それは自然の一部である私たちにどのような影響をおよぼすのかを適切に判断できるのだろうか。技術的知識だけで判断できないこと、すべきではないことを再認識できるような、そうした体験が必要であろう。

　今回のように子どもと一緒に取り組む中で、子どもの願いや感性に触れること

で気づかされるものがある。郷土人形といった子どもに手渡す文化（財）に先人たちが願いやメッセージを込めたことにも大きな意味がある。子どもへの贈り物は未来への願いがつまっている。それを飾り、機会ある毎に一緒に愛でるとき、子どもたちへの愛おしさに加え、自然への畏敬の念や愛情を思い起こし、その土地の自然と共に暮らす日々の生活のかけがえのなさに思いを馳せることもあるだろう。大人が子どもに人形の形でそうしたメッセージを送るのは、それと戯れる目の前の子どもの健やかな育ちに目を細める時に、忘れてはいけない大切な先人の願いやメッセージを思い起こせるからではないだろうか。土人形はそうした願いの象徴であり文化装置なのではないか。

　現代社会は願いをじっくりと自分の中に感じる間を与えない速さで目まぐるしく動く。絶えず新たな欲望を喚起するために「忘れさせる」ことが経済と政治を突き動かす原則なのではないかとさえ思えてくる。一瞬立ち止まることは不利なことのようにさえ感じられる。しかし、佐藤が述べるように、「日常生活を通して何気なく子どものころから育んできた美意識」が「底辺から人間の行動を支え、価値判断の基準を形成している」（1997：134）ことを思い返してみる必要がある。短期間で効果的な認識と行動の変容を生む方法もあるだろう。しかし、郷土人形や芸術文化は認識と行動変容の教材や手段として第一義的に存在しているわけではない。長きにわたってその土地の暮らしの中で培われてきた文化（財）である。それらに「何気なく」「子どものころから」接するなかで「育んできた美意識」はつくられる。「感性の何気ない育み方」が見直される必要があるのではないだろうか。今回の実践も、親子が暮らしのなかで共に行う、ささやかな出来事の中で「何気なく醸成される」体験なのではないだろうか。

私たちはいま何を「モノ」に込めて手渡すのか

　今回、災復興支援事業の一環で郷土人形をテーマに取り組んだことから、こうしたことを考える機会をいただいた。先人たちが大切に守り育んできた自然や暮らしを大きく損ねたことの自覚を持ち、その土地に暮らす人々にいかに共感と想像力を寄せることができるのか。この教訓を着実に我が事として未来に反映させる行動がとれるかどうかは私たちにかかっている。現在を生きる自分たちがなす

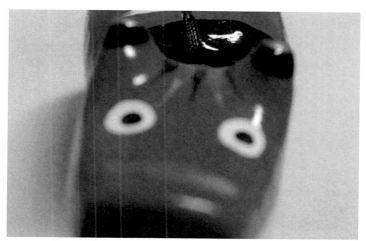

図30　首をゆらしながら赤べこもこちらを眺めている

べきこと、次の100年、200年先の子孫に伝え残していきたいものは何なのか。今回のように、私たちが郷土人形に触れる体験とは、過去を生きた人々とのモノを通した出会いであり対話である。子どもたちの張子からもたくさんのことを教えてもらったように思う。

　将来、私たちの子孫は、私たちがつくった「モノ」に出会ったとき、一体何を感じ、どんなことを考えるだろうか。現代を生きる私たちが何を込め、何を「モノ」として形づくっていくのかが問われているのだ。

　そんなこと思いながら、研究室の机の上でゆっくりと首を振る赤べこをしばし眺めた。

謝辞

　講座実施では福島県立美術館、学芸員（当時）の國島敏氏、参加者の皆様に、福岡での調査研究では春野修二氏に御礼申し上げます。

付記

　本稿は、笠原広一（2014）「郷土人形づくりをとおした自然と感性のつながり

の探究：親子の張子づくり教室の実践から」を加筆したものである。助成：平成
25年度福岡教育大学学長裁量経費

文献

笠原広一（2014）「郷土人形づくりをとおした自然と感性のつながりの探究：親子の張子づく
　　り教室の実践から」福岡教育大学紀要、第63号、第4分冊、73-86。

笠原広一・春野修二（2016）「土面子づくりによる郷土玩具の教材化の検討：図画工作科・美
　　術科における実践のための予備的考察」福岡教育大学紀要、第65号、教育実践研究編、
　　1-4。

斉藤静夫（2000）「紙による民芸的な郷土玩具」『研究紀要』（30）聖園学園短期大学 19-35。

佐藤昌彦（1997）「地域の伝統的造形と鑑賞教育：小学校における昼花火の実践と理論的考察」『美
　　術教育学』美術科教育学会誌（18）125-136。

澤村英子（2005）「郷土玩具にみる色彩表現の特質について」『山野研究紀要』（13）山野美容
　　芸術短期大学 25-32。

塩見青嵐（1967）『伏見人形』河原書店。

清水晴風 西澤笛畝（2009）『日本のおもちゃ―玩具絵本『うなゐの友』より―』美術書出版株
　　式会社芸艸堂。

高槻市立しろあと歴史館編（2007）「しろあと歴史館春季特別展 伏見人形とその系譜〜奥村寛
　　純コレクション展〜」高槻市立しろあと歴史館。

三春郷土人形館編（1991）『ふるさとの人形たち』三春郷土人形館 122。

註

1) 図版「土の鳩」（京都府・福岡県）清水晴風 西澤笛畝（2009）『日本のおもちゃ―玩具絵本
　　『うなゐの友』より―』美術書出版株式会社芸艸堂 18頁。図版解説：「京都の三宅八幡の土
　　鳩は子どもの癇の虫封じに効くという。筥崎八幡宮の鳩笛およびムク鳥笛は博多や津屋崎あ
　　たりで作られたものであろう」（18頁）。三宅八幡の土鳩は現在も丹嘉製である。

2) 図版「神雛」（丹嘉製）伏見人形。高槻市立しろあと歴史館編「しろあと歴史館春季特別展
　　伏見人形とその系譜：奥村寛純コレクション展」（2007）高槻市立しろあと歴史館、12頁。

3) 津屋崎人形（福岡県福津市）「まちおこしセンター津屋崎千軒なごみ」にて筆者撮影。

4) 仙台市博物館 2013年3月1日〜5月6日、岩手県立美術館 2013年5月18日〜7月15日、
　　福島県立美術館 2013年7月27日〜9月23日の期間で被災3県を巡回。

5) 「若冲が来てくれました」福島展チラシ

6) 図版「汐汲み」三春張子。三春郷土人形館編 前掲書 125頁。

7) 「三春張子人形」（1991）『ふるさとの人形たち』三春郷土人形館 122頁。

8) 笑美 https://warabi-akabeko.com、野沢民芸 https://nozawa-mingei.com（2020年3月31日）

笠原 広一（かさはら こういち）

・1973 年福島県生まれ
・東京学芸大学教育学部准教授
・博士（感性学・九州大学、2015 年）
・笠原 広一、リタ・L・アーウィン編著『アートグラフィー －芸術家 / 研究者 / 教育者として生きる探求の技法』学術研究出版、2019
・笠原 広一編『アートがひらく保育と子ども理解－多様な子どもの姿と表現の共有を目指して』東京学芸大学出版会、2019
・笠原 広一著『子どものワークショップと体験理解－感性的視点からの実践研究のアプローチ』九州大学出版会、2017　他

地域の伝統工芸を主題とする鑑賞題材
―「つくり手」への着目―

碇　　勝貴

はじめに

　全国には地域の風土やそこに住まう人々の生活文化によって育まれてきた伝統工芸品が数多く存在しています。地域に根付く伝統工芸品の状況は様々ですが、いずれの伝統工芸品においても、地域それぞれの独自性や歴史と伝統、受け継がれてきた手仕事の技など多様な魅力を有していることは明らかであり、身近な教育的資源としての可能性を秘めています。

図1　実家に飾られている砥部焼の大皿

　私自身、地元は愛媛県ですが、工芸品自体は身近な存在でした。普段使いの器は愛媛県の焼き物である「砥部焼」であり、実家の和室には少々値段の張る大皿が飾られています。また、中学生だった頃、学校の課外活動で砥部焼の絵付けを体験したこともありました。しかしながら、これまでのことを振り返ってみると、家庭や学校での活動など、地域の伝統的な産業と関わる機会は多くあったものの、そこから何か考えたり、学んだりしたという実感はなかったように思います。教育的資源として可能性を秘めている伝統工芸品は実際どのように活用していくべきなのでしょうか。

　私は鳴門教育大学大学院の修士課程に在学中、地域の伝統工芸を主題とする鑑賞題材の開発に取り組みました。本稿ではその取り組みについて紹介します。

1．地域文化への愛着

　地域の伝統工芸を学習の題材として取り上げる意義については、その学習を通して地域及び地域文化への愛着を養うことにあるといえるでしょう。そもそも地域文化とは、文化財のように人々の暮らしの中で培われ、守られてきた有形・無形の所産や自然環境等のことを指しており、伝統工芸も地域文化の中に含まれています。この地域文化を愛好し、暮らしの中に取り入れている状態こそ、地域文化への愛着が養われた理想的な姿であり、この状態では人々の生活と地域文化との間に親密な結び付きが生じています。このことを踏まえ、伝統工芸に関する学習では、地域の工芸品に興味を持ち、どんなものか知るというインプットの過程だけでなく、自身の生活の中でどう取り入れていくか考え、実践していくアウトプットの過程を経験させることが一つ目標とすべきところになるかと思います。

　明治大学理工学部准教授である鞍田崇による著書『民藝のインティマシー　「いとおしさ」をデザインする』では、民藝という概念とその価値について、今という時代に当てはめてとらえなおされていました。そこでは、民藝という概念がもたらす人と物との親密な関係に着目し、住まうことの学びなおしについて論じられています。この「人と物の関係性」という考え方は非常に興味深いものです。

　自身の暮らしのあり方について見直しを図るうえで、社会とのかかわりは切っても切れないものです。そこで普段使いの日用品に着目し、優れたデザインや手仕事による温かみ、高い品質など、自分にとって本当に大切なもの、良いものが何かを考える経験こそ、ものにあふれた消費が中心の現代社会へと注意を向け、うまく付き合っていくための有効的なアプローチの一つになると考えられます。地域の伝統工芸を題材として取り上げるということは、「暮らし」という側面から地域文化、現代社会両面へのまなざしの形成を図るうえでも必要不可欠だといえるでしょう。

2．「つくり手（生産者）」への着目

（1）地域の伝統工芸

　鳴門教育大学大学院の修士課程に在学中、私は愛媛県の砥部焼、桜井漆器、伊予絣、徳島県の大谷焼について調査に取り組みました。まず、それぞれの工芸品

に関する資料や参考文献を収集し、概要や歴史、特徴の把握につとめました[1]。

　調べていくうちに実物に触れてみたいという思いが湧き、伝統産業会館や工芸品の販売所へと足を運びました。展示されている資料を観察し、実物を手に取ってみるだけでも、手仕事の技術の高さや素朴なあたたかみなど、多くの魅力を肌で感じ取ることができました。この魅力について子どもたちにどう伝えるべきか考えていた時、ふと「このような工芸品の生産には、どういった人達が携わっているのだろうか」と「つくり手（生産者）」への興味を持つようになりました。実際に生産に携わっている人々から、それぞれの工芸品の良さや特徴、ものづくりへの思いについて聞いてみたいと考え、取材及びインタビューの実施を計画しました。

（2）インタビューから得た「生の声」

　生産者への取材及びインタビューについて概要を示します。取材については、砥部焼、桜井漆器、伊予絣、大谷焼の生産及び振興に携わっている方々にご協力をいただき、作業場や展示物の見学、写真や動画の撮影などに取り組みました。

　インタビューについてですが、地域の伝統的な産業を支えている「つくり手」の存在に着目し、資料などの情報からは見えてこないものづくりへの向き合い方や、工芸品に込めた思いなど、「生の声」を聞き出すことを目的として実施しました。インタビューには砥部焼の生産者4名、桜井漆器の生産者1名、伊予絣の生産者2名、大谷焼の生産者2名の方々に協力をいただきました。

　インタビューにおける質問事項については、主にものづくり（制作）に関すること、地域や学校とのかかわりに関することの二つの方向性に分けて聞きました。紙幅の関係上、ここではすべて取り上げることができませんので、頂いた回答の中で特に印象深かった部分をいくつか紹介いたします。

①工芸品の魅力の所在について
（砥部焼の生産者）
「やはり砥部というのはご存知のこととは思いますが磁土、土ですね。これが石英の安山岩系の磁土なんですよ。これは焼き物の素材としては非常に貴重なものなんです

ね。九州に天草という土地がありますが、天草の磁器と砥部の磁器、日本ではこの二か所からその成分の土が採れているんですよ。（中略）そういった成分の磁土を素材として使えるという、珍しい産地なんです。」

→生産者ならではの視点：「素材」

（砥部焼の生産者）
「砥部焼の魅力っていうのは一個あたりはそこそこいいお値段するんですけども、手づくり手描きっていう部分が強くってですね。魅力を言ったら僕らは絵付師なので、筆の跡があるじゃないですか、（中略）要するに筆を入れて抜く作業の味というんですかね、そういう魅力が他産地にはない。結局砥部に似せたハンコみたいなのがあるんですけど、それはもうほとんどちゃちいものです。（中略）やはり他産地にはない砥部の魅力、手づくりの感じが生き残っているのは、そんなに幅広くガンガンつくっ

図 2　砥部焼窯元への取材

図 3　桜井漆器会館への取材

図 4　伊予かすり会館への取材

図 5　大谷焼窯元への取材

ている訳ではなく、細々とやっているのが良いのかなと思います。」

→生産者ならではの視点：「手仕事」

②地域と生産者のかかわりについて
（砥部焼の生産者）
「幸い砥部には焼き物の素となる良い土があるので、それをどう生かすかというのが
我々職人の仕事になるんだよね。砥部の場合は轆轤で成形していくというのが一番主
である大事な部分なんだけどね。」

→轆轤の技術、地域の素材を生かす

（大谷焼の生産者）
「一番大事なことは大谷の土を生かして使って、表すっていうことじゃないの。こだ
わっとるっていうたらな。陶芸作家やから磁器でつくってもええとは思うんやけど、
僕の中では先祖代々大谷の土で生活してきた者にとっては、それを使ってつくってい
くっていうのは大事なことやと思うな。だからずっと大谷の土でつくります。」

→地域の素材や伝統へのこだわり

③伝統工芸品を取り巻く状況について
（桜井漆器の生産者）
「時代が豊かになるにつれて、人間の心が粗末になっていくというか。だから、もの
を大切にしないとか、使うべきお金が違う方向にいったりだとか。例えば漆器ってい
うのは食器洗浄機は絶対にアウトなんで、昔なんか食器ていうのは人間が洗って当た
り前やったんですよ。今はもう楽がしたいというんでそういう風になって。そうした
ら、食洗器で漆器が洗われないというんだったら、漆器なんかは使わんとこうという
話にもなるんです。だから、時代が豊かになればなるほど、古くて、ある意味アナロ
グなものが廃れていく。」

→大量生産、生活スタイルの変化

④子どもたちに伝えるべきことは何かという問いに対して

（伊予絣の生産者）

「今の子どもたちって製品になったものだけしか見てないんですよね。この反物がつくられるまでにどのぐらいの工程で、どのぐらいの時間と多くの人の手がかかっているのかということは知ってほしいなと思うんですよ。（中略）ものの中身ですよね、ただ暗記するだけじゃなくて、あった物事だけを知るんじゃなくて、中身をもっと知ってほしいなと思います。」

→製品の背景にあるもの

（桜井漆器の生産者）

「伝統工芸全般っていうのは技術の仕事なんで、すぐに人がやってできるという仕事やないんです。やっぱり何年もかかって勉強して、それでほんとにすごいものができるんで。だから、日本には昔から良い伝統技術があるということをもっと誇りに持ってもらいたい。」

→ものづくりの伝統、誇り

（大谷焼の生産者）

「100円ショップの器って基本的にプレスでつくってるのが多いんですよ。要するに型があって、プレスして機械でつくってる。型でつくるから綺麗なものができあがる。それに対して僕ら職人は手づくりでつくるんだけど、突き詰めてつくっていったら、手づくりの方が歪まないんだね。（中略）そこを伝えとこうかと思ったんよ、『機械より人の手の方がすごいんやで』っていうことを。」

→手仕事への信頼、自信

　地域の伝統を守り、今の社会と向き合いながら生産に携わっているつくり手の方々から、工芸品の魅力だけでなく、生産者ならではの様々なお話を伺うことができました。そのことを踏まえて、「工芸品（作品）の魅力とつくり手（生産者、作者）自身の人間性や魅力はつながっている」と実感することができました。
　この取材とインタビューで得た「生の声」を活かすことこそ、地域の工芸品の

良さや魅力とその背景にあるつくり手の存在を結び付けていくうえで重要なアプローチになるといえるでしょう。工芸品の手仕事の技やデザイン一つとっても、機能や美しさ、特徴について資料などに記載してあるような情報を淡々と説明するより、生産者、あるいは職人と呼ばれる「つくり手」の存在に気付かせ、ものづくりやデザインに込められた「生の声」を語りかけた方が子どもたちの心に響き、ものに対する愛着及び地域文化への愛着を養ううえでも意義深いことなのではないかと思います。

３．授業実践「焼き物のお話」

（１）題材について

　取材及びインタビューの内容をもとに、鳴門教育大学附属中学校にて、徳島県の焼き物である大谷焼をテーマとした研究授業を実施しました。

　題材名：「焼き物のお話」（中学校３年生）

　題材の目標：地域の焼き物である大谷焼について他の焼き物と比較し、班で話し合う活動を通して特徴について理解し、大谷焼独自のよさを味わい、地域の伝統や文化への愛着をもつ。

　指導計画（全２時間）

　　①大谷焼と砥部焼を比較し、班で話し合いながら陶器と磁器の違いを理解し、大谷焼の特徴に気付く。（鑑賞）

　　②大谷焼と100円均一の器を比較し、手仕事と機械生産の違いについて話し合い、大谷焼に愛着を持つ。（鑑賞）

　指導の手立て

　　A　作品を比較する

　　B　実物を手に取り、確かめる

　　C　プレゼンテーションソフトを使用する

　　D　班による話し合い活動

　授業のまとめの段階では、大谷焼の良さや特徴、手仕事の良さやこだわりについてつくり手の言葉を紹介しました。また、生産現場のリアリティや臨場感を伝えるべく、取材中に撮影した写真や動画も提示しました。

図6 大谷焼の実物に触れる

図7 取材にて撮影した写真の提示

　授業実践を通して、生徒たちは熱心に班での話し合い活動に取り組み、配布した作品の違いだけでなく、それぞれの良さについて話し合うことができていました。

（2）授業実践の成果

　授業終了後にワークシートを回収してみたところ、生徒たちより以下のような感想を得ることができました。感想からは、つくり手の存在や、地域の素材、手仕事と工芸品の良さを結び付けて考えている様子が見受けられます。また、普段の生活における焼き物への注目など、学びと暮らしが結びついている様子も見受けられました。

　「人工物ではあるものの、自然のあたたかみというか自然本来の特性があって良いなと思いました。プラスチックやガラスなどとは違った重みや感触や歴史が感じられて、気分がおちつく感じがしました。焼き物を触ることを"特別な時"と思わないようになっていけばいいなぁと思いました。（それぞれの良さがある）」（ワークシートへの記述より）

　「機械で大量生産をする場合、本当に全て同じになるんだろうなと思った。職人さんの手作りになるとやはり1つ1つ味があって面白くなるんだと感じた。どちらも大切な技術だと思う。機械で大量に生産できるということはとても画期的で素晴らしいけれど、やはり私たちの世代では職人さんたちの技術を学び、受け継ぎ、そして伝えていくという面でも、焼き物の"手作業"というものに注目していくべきだと思った。」（ワークシー

トへの記述より）

「今日、美術の時間に大谷焼のことについて学習しました。前まであまり興味を持って
いなかったけれど、手作り感満載で、しかも厚みがあってずっしりしてて、味のある模
様もあって、とにかくカッコイイ大谷焼が好きになりました。家族と旅行に行ったとき、
砥部焼は絵付けをするのを体験したことがあるんですけど、きれいな青色や、私が行っ
たときには緑色やえんじ色っぽいのもありました。またいつか、大谷焼も作れる機会が
あるなら、やってみたいです。」（生徒の日記より）

授業実践の成果については、以下の３点にまとめることができます。

・焼き物を実際に配布し、触ってもらうことによって、手触りや重さへの着目
　など、視覚以外の触感などからも作品を観察することができた。
・つくり手の言葉を紹介することで、「素材」や「手仕事」といった生産者な
　らではの視点から大谷焼の良さや特徴について解説することができ、生徒の
　興味を引き出すことができた。
・地域の工芸品（身近な日用品）の背景にある部分（生産工程、つくり手の存在）
　を知ることで、改めて普段の生活において大谷焼に注目する、使用してみる
　きっかけになった。

　地域の伝統工芸を題材化する取り組みを通して、実生活につながる学びとして
の期待と普段使いの日用品を通じた暮らしを見直すことへの可能性について実感
することができました。今後の展望として、今回の授業実践では知識を活用する
学習活動と手立ての設定が十分ではなく、実生活や社会との関連に基づいた課題
の設定など、伝統工芸の題材化を図るうえでの改善点が見つかりました。また、
今回は鑑賞のみの活動となりましたが、表現活動と一体化させた題材の設定など、
今後も見直しを図っていきたいと考えています。

おわりに

　その土地の風土や伝統文化と密接なかかわりを持ち、今を生きている伝統産業の「つくり手（生産者）」はとても貴重な存在です。今後もつくり手に焦点を当て、技能や知識、感性だけでなく、思いや人柄などのエモーショナルな側面にも触れることができるよう、取材を継続していきたいと考えています。

註

1）各工芸品の概要については以下の通りです。

砥部焼

　　　愛媛県伊予郡砥部町を中心に発展し、生産されてきた陶磁器。砥部地域では古くから弥生式土器、須恵器が作られており、焼き物の盛んな地域であった。現在では磁器による製造が続けられている。昭和51（1976）年度、国の伝統的工芸品として指定を受ける。厚手で丈夫な白磁の器と呉須による絵付けの組み合わせが特徴的であり、主に茶碗や皿などの食器類が日用品としてつくられている。

桜井漆器

　　　今治市桜井で作られる漆器。桜井では漆器の先進地である輪島（石川県）や黒江（和歌山県）などから技術者を集めて生産を行った歴史があり、各地の技法やよさをそれぞれ取り入れたものが特徴となっている。塗りの素地は主に木材が用いられ、重箱、盆、椀など、様々な製品が伝統的に製造されている一方で、近年ではクリスタルガラスに漆を塗った製品を手がけるなど、新しい素地を用いた商品の開発にも取り組んでいる。

伊予絣

　　　松山市で生産されている絣織物。絣とは文様の図案に従ってあらかじめ経糸と緯糸を染色し、織り出していったもの。伊予絣では主に大衆向けの製品が多く製造され、安価である点が特徴的である。絵絣の文様は縁起の良いものや松山城など身近な生活の中からヒントを得たものが中心である。明治時代末期には生産日本一になったこともある。

大谷焼

　　　徳島県鳴門市大麻町大谷を中心に生産されている陶磁器。現在では主に香川と徳島で採れた土を混ぜた粘土からなる陶器が作られている。平成15（2003）年、国の伝統的工芸品として指定を受けている。轆轤を蹴って動かす蹴轆轤（けろくろ）や二人一組になり、一人が地面に寝て轆轤を蹴って回し、もう一人が成形を行う寝轆轤（ねろくろ）による大物作りが特徴的である。藍を建てるための藍甕（あいがめ）や水甕、睡蓮鉢（すいれんばち）といった大物から日常生活で使用する食器などの小物が作られている。

参考文献

鞍田崇『民藝のインティマシー　「いとおしさ」をデザインする』明治大学出版会、2015年

碇 勝貴（いかり よしき）
・1994（平成 6 ）年 愛媛県生まれ
・2017（平成 29）年 福岡教育大学 初等教育教員養成課程美術選修 卒業
・2019（平成 31）年 鳴門教育大学大学院 教科・領域教育専攻芸術系コース（美術）修了

第 *4* 章

Cultural Exchangeのための理論と実践

―その史的考察と未来を担う者たちの論考―

山木朝彦

吉田奈穂子

前村　晃

尾澤　勇

徐　英杰

劉　叡琳

ハーバート・リードとヴァルター・グロピウス
—1930年代「優しき芸術家達の巣」における邂逅—

山木朝彦

１．リードのモダニズム

　宮脇 理、岩崎 清、直江俊雄の共訳によって、2001年10月にフィルムアート社から新訳が出版されたハーバート・リード（Sir Herbert Edward Read, 1893-1968）著『芸術による教育』の訳者あとがきに当たる「本書への接近―解題にかえて」なかで、宮脇は次のように述べている。

　「［前略］本書『芸術による教育』は［相互啓発的な想像力によって生み出される人間の営みの］あらゆる局面を絶えず坩堝に投げ込み、新しい価値を生み出す装置の存在を示してきたし、これからも本書の役割は停止するどころか、次々に立ち現れる難問を前にして方途を暗喩すると思う。」[1]

　この文末には註が付されており、ハーバート・リード歿後にUKが歩んだ政治状況における紛争やテロ[2]を参照しつつ、『芸術による教育』が醸成し続ける「臨場感」は、常にアップトゥーデイトされたかたちで、私たちを捉え続けることを示唆している。

　リードの思想の核心にある運動体としての芸術教育という考えが、現実のUKと世界の、政治・社会・思潮という生々しく流動的な現実から生まれ、その現実を批判的に照射し分析する力となり得ることを宮脇は示しているのである。

　こうしたリードの姿勢は、『芸術による教育』に集約的に表されているが、他の全ての著作を通底する基本的な視座だと言ってもよいであろう。

　したがって、ハーバート・リードを語るとき、必然的に私たちは３つの捉え方を携え、そのどれかに傾き過ぎないように注意を払う必要がある。

　自戒として述べるならば、モダニズムの思想を代弁するモダニストとしての

リード像と、ポストモダンに届く展望を抱いた最後のモダニストとしてのリード像[3]、そして、各々の時代の思潮を超えた普遍的真理を語るリード像というイメージのいずれかを結論として性急に導き出すことの不毛を予め自覚しておく必要がある。本稿においては、「モダニズムの思想を代弁するモダニストとしてのリード像」の探究が中心となるが、同時に、そこに留まらないリードの姿を全体として暗示することになろう。

２．新たな美の追究と因習的な権威への批判

リードは美術と文芸に関する批評活動を展開し始めた早い時期に、モダンデザインに関連する著作を出版している。それは 1934 年に出版された *Art and Industry–The Principles of Industrial Design*[4]、(『アートとインダストリー—インダストリアル・デザインの原理』/ 訳書名『インダストリアル・デザイン』[5])である。1934 年といえば、溥儀が満州国皇帝に就任し、ヒトラーが総統（Führer）と自ら名乗り始めた年である。前者に関連する事項としては、大連－新京間を満鉄の特急「あじあ号」が運転を開始した年でもある。また、後者に関連する事項としては、この年の前年（1933 年）に、ナチスと警察によりベルリンのバウハウスが占拠され、32 人の学生が逮捕され、閉校に追い込まれたことを挙げるべきであろう。

これら個別のできごとの背景には、急速に工業国化した諸国間において、イデオロギー的政治体制の衝突という様相を帯びた覇権争いが激化し、工業化に必要な石油や鉱物資源などの原材料の確保や収奪が急進したという歴史的事象が横たわっている。

こうした状況を目の当たりにしていたはずのリードは、劇的な変化を続ける社会に潜む根本的な問題を明らかにしようとする。その問題とは、この機械化された社会を人間が如何にコントロールすべきか、そして、見失われがちな美という価値をこの文脈においてどう位置づけるかということである。

それは、「新しい機械生産の方法に、新しい美の基準 [aesthetic standards] を案出すること」[6] が真の課題なのだとするリードの言葉に集約されている。

英国では、この問題を解決したのは、水晶宮（クリスタル・パレス）を設計

したジョセフ・パクストン（Sir Johseph Paxton, 1803–1865）やフォース・ブリッジを設計したジョン・ファウラー（Sir John Fowler, 1817–1898）であった。彼らは匠の技を披露する名工ではなく、エンジニアと呼ばれる科学的なデザインを追究する新たな職能集団を率いる者達である。

ところが、当時の英国において、言論の世界で権威を有するレイノルズ卿（Sir Joshua Reynolds, 1723–1792）やラスキン（John Ruskin, 1819–1900）やモリス（William Morris, 1834–1896）、絶大な影響力を有する王立アカデミー（Royal Academy of Arts）、王立美術カレッジ（The Royal College of Art）など、社会的に権威を有する人々や組織の考え方は、物事の本質を理解できず、エンジニアの仕事が伝統的な美を追究し続けてきた名工達の仕事の水準に遠く及ばないというものだった。リードは、『アートとインダストリー』によって、これら社会的に権威を有する識者と組織を批判したのである。

たしかに、ラスキンとモリスは、「装飾の底にひそむ形態というもの」[7] に立ち帰ろうとしたが、彼らの致命的な錯誤は、手工芸の美的価値はそのまま機械に応用できるとする「考え」それ自体にあると痛烈な批判を行い、彼らの思想がアナクロニズムにまどろんでいることをリードは暴き出したのである。

リードの批判はアカデミズム教育、すなわち美術専門教育の全否定にまで及び、「私はこの本で、教育の問題を考察した結果、芸術に関するあらゆるアカデミックな教育を完全に廃止［the total abolition of all academic instruction in art］するならば、概して利益がえられるだろうという結論」[8] に至るのである。このような伝統に対する戦闘的な姿勢と過去からの美的価値観の継承を否定は、モダニズムのなかでもアヴァンギャルドに特有なものであり、それは同時に、リードを幾多の美術運動に関わらせる契機となる芸術意識なのだが、その背景には、普遍的な形象を憧憬するプラトニズム的資質がその思想の底に根を張っていることを指摘できよう。そのことをよく示唆しているのは、装飾と形の関係性について考察した次の論述である。

オーナメントとは、「すでに存在している美の輪郭［the outlines of an already existing beauty］を、いっそう正確にするために、慎重に応用される」べきではあるが、英国では、「オーナメントこそ唯一の本質的要素［the only essential element〕であると考える傾向が生まれ」てしまったのである。この結果、「工業製品のもともとのきびしい、正確な形態を、ゆがめ、ねじまげ、くずすなどして、かれらが美術と勘ちがいしているオーナメントのいろいろの姿に化けさせることになった」[9] のである。

　このように、テクノロジーが求める新しい美の基準の探究という課題に気づかずに、オーナメントを優先する姿勢を示す既製の権威に対するリードの批判の刃は鋭く、その攻撃は容赦がなかった。

3. 『アートとインダストリー』におけるグロピウスへの評価

　リードは『アートとインダストリー』のなかで、ヴァルター・グロピウス（Walter Adolph Georg Gropius, 1883–1969）の講演記録から長文を引用し、読者にバウハウス（Bauhaus, 1919 年創立、1933 年解散）の存在とそこで産み出されたデザイン概念の意義について、広く知ってもらおうと努めている。

　具体的には、第 1 章「問題の歴史的側面と理論的側面」の最終節「問題の解決に向かって」のなかで、自国（英国）の美術専門教育について、「いかさまの美の理想を人に教えることには、終止符をうたねばならない」、「美術および技術の問題に関連して、わが国の教育制度を完全に修正しないかぎり、われわれが必要とする変化を、実現することはできないだろう」[10] と苛烈な批判を展開した直ぐ後に、その変化の実現可能性を例示するために取り上げられている。

　引用に先立ち、英国全体のデザインに影響を及ぼす実例は、「ドイツの建築家ヴァルター・グロピウスの指導のもとに行われた『バウハウス』の実験的な運動である」とリードは述べ、続く 2 頁以上の記述を英国のデザイン・アンド・インダストリー協会（DIA）[11] で行われたグロピウスの招待講演からの直接の引用に充てている。

　リードが、引用符で括り紹介した講演内容の広がりを粗く示すために、箇条書きにすると次のようになる [12]。
・同時代の建築概念は、空間知覚の新しい変化をもたらした。
・バウハウスは諸工房から構成され、現代の商業的・技術的・美術的要求に応えるために、典型形態（typeform）を創り出している。

- バウハウスの精鋭達は、多方面の文化（all-round culture）に精通し、デザインの理論的、科学的、造形的知識やそれらの基礎を成す基本的法則についての知識を有するだけでなく、工場における大量生産の方法について習熟していなければならない。
- 手工芸の世界における、一人の職人の手によるコントロールと向上における分業の方法は根本的に異なる対極にあるが、同時に、永久に接近可能なベクトルを有する。
- 手工芸は工業生産のための研究的仕事、具体的には新たな典型となる形態を生み出すための実験的工房での思索的実験（speculative experiments in laboratory-workshops）を担うことになる。
- バウハウスの目的は、日常とは異なる別次元に捕らわれた創造的アーティスト［の精神］を解放し、現実の日常世界へと再統合し（to liberate the creative artist from his other-worldliness and reintegrate him into the workaday world of reality）、物質主義に捕らわれた頑なな実業家の精神を人間化（humanize）することにある。

このように、理想主義に彩られたバウハウスの姿を熱く語ったグロピウスの講演内容を引用した後、リードは「私は、本書では、グロピウス博士がここに述べているような理想を心から支持し、これをもっと多くの人々にひろげたいと思う」[13]と絶賛している。また、バウハウスが既に成果をもたらし、インダストリーの世界では注目の的になっていること、都市計画から家具や食卓のナイフやフォークまで、全てにアーティストが関わっているという認識が必要であるとして、アーティストの役割を強調[14]している。

常にシニカルな表現でリードの人間像を隈無く描き尽くそうとする伝記作家のジェームズ・キング（James King, 1942-）にとって、『アートとインダストリー』は、グロピウスの考えを無批判に受け入れ、紹介した書籍に見えたにちがいない。次の箇所にそうした評価が表れている。

「『アートとインダストリー』は、バウハウスの思想について書かれた、周知の虎の巻（acknowledged crib）であり、オーナメントという時代遅れの観念に基づくデザインを批判している。」[15]

一方、グロピウスの思想に強く影響を受けたことを隠そうとしないリードの姿勢を謙虚な学究的姿勢の表れとして評価したノエル・キャリントン（Noel Carrington, 1895–1989）の見方も掲げておきたい。

　「彼［リード］は、自分が提出した原理をオリジナルであると主張することも断じてなかった。［中略］実際に、リードはヴァルター・グロピウスからの影響を十分に認めた。」[16]

　上記引用は、キャリントンの著作である『英国のインダストリアルデザイン』からのものだが、著者は同書で、「リードは学者であり、レサビィ［William R.Lethaby, 1857–1931］と同じく美術史に精通していた。彼のアプローチは、厳格な論理性を持ち、厳粛でさえあった」[17]とリードの資質を述べ、「その著作は、［中略］この国のデザイン運動全体の一つの新約聖書となったことを私は確信している」[18]と、『アートとインダストリー』が果たした歴史的役割について叙述している。

４．リードとグロピウスの接点を探る：二人の歩み

　リードはグロピウスの思想に強く影響を受け、『アートとインダストリー』を通じて、バウハウスの理念の浸透に努めたことは、前節で確認したように、英国の近代デザイン史においてはよく知られた事実である。ところが、この背景にあるリードとグロピウスの接点については、意外に知られていない。この点について焦点を絞り考えてみよう。

　このテーマについては、1920 年代終わりから 1930 年代のグロピウスの歩みを追うことから始めたい。村上俊介による論文「バウハウス創設者ヴァルター・グロピウス―ドイツ・イギリス・アメリカの足跡―」[19]は、伝記的アプローチに基づく研究であり、グロピウスの足跡を俯瞰し整理する上で有益な文献である。これを基に主な事項を抽出しておこう。

　1928 年にグロピウスは、当時、デッサウ市（Dessau）にあったバウハウスの校長職を辞任している。1934 年 5 月には英国（ロンドン・リバプール）に講演旅行を行って、帰国。この講演旅行の際に、家具製造会社の経営者であるジャック・プリチャード（John C.［通称 Jack］Pritchard, 1899–1992）[20]が、グロピ

ウスの労働許可取得住居を手配することを約束した。[21]

　1934年10月にイタリアのヴォルタ会議という国際会議[22]に妻イセ（Ise Gropius，1897–1983）とともに出席した後、帰国せず、スイス経由で夫妻共に英国に移住した。

　グロピウスの英国での暮らしは、1934年10月から、ハーバード大学から教授ポストの条件で招聘されて、アメリカに向けて旅立つ1937年3月までの約2年半続いたが、その短い間にも、彼は精力的に建築の仕事[23]を続けた。また、前出のプリチャードは、彼が経営する建築及び家具製造会社であるイソコンの管理職［controller：鑑査役・取締役とも訳される］としてグロピウスを厚遇した。

　いっぽう、この時期、ハーバート・リードは次のような波乱に満ちた人生を歩んでいた。1922年から続けていたヴィクトリア・アンド・アルバート美術館（Victoria and Albert Museum）での学芸員の仕事は、充実していたが多忙を極めた。そのため、1931年に美術館を退職し、エジンバラ大学（University of Edinburgh）の教授ポスト[24]に就任する。1919年に結婚した最初の妻、エヴァリン・リード（Evelyn Read，旧姓Roff，1894–1972）とともに住居をエジンバラに移したが、2人の関係は回復不能なほど悪化[25]していた。そうした折り、リードは、エジンバラ大学の講師でヴィオラ奏者のマーガレット・ルドヴィグ（Margaret Ludwig，1905–1996）[26]と恋愛関係に陥り、一種のスキャンダル回避のために、1933年に大学を退職[27]し、仕事の当てもなくマーガレットと共にロンドンに戻ることになった。

　その後、1936年1月にエヴァリンとの離婚が成立し、その約1ヶ月後に、リードはルドヴィグと再婚し、ルドヴィグは晴れて2人目のリード夫人（Margaret Read）[28]となった。歴史に名を刻む有為の士は何れもプライベートな事柄の浮沈に惑わされること無く、常に良い仕事を残すものだが、リードも例外ではない。

　主要著書のみ記載すると、1931年には『芸術の意味』（*The Meaning of Art*）、1932年には『現代詩の形式』（*Form in Modern Poetry*）、1933年には、彼の名前を広く知らしめた『今日の芸術』（*Art Now*）をはじめとして、『無垢の目』（*The Innocent Eye*）や『戦争の終わり』（*The End of a War*）を上梓。1934年には、本

論で取り上げた『アートとインダストリー』に加え、『彫刻家ヘンリー・ムーア』（Henry Moore, Sculptor）を出版し、『ユニット・ワン』（Unit One）の図録編集も行っている。さらに、1935 年には、小説『緑のこども』（The Green Child）が出版された。

　この時期を総括するならば、オリジナルな研究成果を書籍として広く世に問うた隆盛期にさしかかっていたといえよう。

　そして、グロピウスとリードとの邂逅は、その舞台がハムステッドであったことに着目すると、起こるべくして起きた必然的事象のようにも感じられる。それほど、この街は英国のアートシーンおよびデザイン運動にとって重要な場所なのである。

５．ハムステッドでの邂逅とその背景

　1933 年 4 月、リードとマーガレットは、新進気鋭の彫刻家として活躍し始めていたヘンリー・ムーア（Henry S.Moore, 1898–1986）が提供してくれた、ロンドン近郊のハムステッド（Hampstead）にあるムーアのアトリエ[29]を借りることになる。

　そして、さらに幸運なことに、無職のままロンドン近郊に舞い戻ったリードに対して、思わぬ人物が新たな仕事先を見つけるために動いてくれた。

　それは、リードと同様に美術批評の世界でエポックメーキングな業績を打ち立てたロジャー・フライ（Roger Eliot Fry, 1866–1934）だった。リードはドイツ文化圏から数多くの美術理論を摂取していたが、フライの知的基盤はフランスに置かれており、リードは常にフライの美術批評を批判的に捉えていた。しかし、フライはリードの視野の広さを認めていたのか、ルネサンス研究で有名なバーナード・ベレンソン（Bernard G.Berenson, 1865–1959）らと共に創刊した、美術批評及び美術史専門の雑誌であるバーリントン・マガジン（The Burlington Magazine, 1903 創刊〜現在）の編集長に適任な者として、リードを推挙し、ほどなく、リードはこの職[30]を得ることができた。その年の 9 月はじめに、フライが急逝したこともまた、次世代への橋渡しという観点から見ると、感慨深い。

　リードはムーアから借りていた家から目と鼻の先の、同じパークヒルロード沿

いのモール（Mall）と名付けられた建物に転居した。モール・スタジオとも呼ばれるこの建物は、建築家トーマス・バタブリー（Thomas Batterbury, 詳細不明）が、採光の良いアトリエや大きな油彩画を収納するスペースなど、アーティストの制作空間を念頭に置き、設計した長屋風の建築物 [31] である。早い時期には印象派に影響を受けたウォルター・シッカート（Walter R.Sickert, 1860–1942）が住んでいた。また、大戦前夜の不穏なパリからやってきたピエト・モンドリアン（Piet Mondrian, 1872–1944）が、1938 年から、ニューヨークに移動する 1940 年までのわずかな年月をモールで過ごしている。[32]

　まさに、ピカソやブラックなどが住んだモンマルトルのバトー・ラヴォワール（Bateau–Lavoir: 洗濯船と訳される）を彷彿とさせる特別な場所 [33] として、このモールには英国のモダンアートを担うことになった優れたアーティストが、一時期、集い暮らしていた。

　リードとマーガレットにモールに空き家があるので来ないかと誘ったのは、その頃はまだ夫婦であった、ベン・ニコルソン（Benjamin L.Nicholson, 1894–1982）とバーバラ・ヘップワース（Barbara Hepworth, 1903–1975）であった。ムーアと同じく、バーバラはヨークシャー地方の出身であり、学生時代を過ごした街もリーズであり、リードと彼女はすぐに打ち解けた関係となり、芸術論を交わすことになる。もちろん、リードとベンも交流した。また、ベンと友人だった抽象画家のセシル・スティーブンスン（J.Cecil Stephenson, 1889–1965）も、モールの住人であり、リードと交流した。リードとマーガレットが暮らした部屋には、ミース・ファン・デル・ローエ（L.Mies van der Rohe, 1886–1969）[34] が設計したロッキング機能が付いたチューブラ・チェア（1927 年に登場した MR シリーズ最初期のタイプ）が置かれ、ベン・ニコルソンがデザインしたカーテン、ヘップワースの彫刻、そして、壁には、ベンの絵画と共に英国の素朴派の画家、アルフレッド・ウォリス（Alfred Wallis, 1855–1942）の作品が掛けられていた [35]。

　ロンドン中心街へ約 6 キロという距離にありながら、長閑な景色に恵まれたハムステッドには、モールの住人だけでなく、数多くのアーティストがやってきて、アトリエを構えた。日本では知られていないが、画家のヘンリー・ラム

(Henry T.Lamb，1883–1960）やスタンレー・スペンサー（Stanley Spencer，1891–1959）、バーバラの前夫にあたる彫刻家のジョン・スキーピング（John R,Skeaping，1901–1980）、そして、二度の世界大戦を画題にした作品群とシュルレアリスム的ないくつかの作品で有名な画家ポール・ナッシュ（Paul Nash，1889–1946）が、ハムステッドのアトリエで制作をした。

　当時のハムステッドは、このように、一種の芸術家村の様相を呈していたが、リードはこれを「優しき芸術家達の巣」（A Nest of Gentle Artists）という詩的な言葉で表現している。これは、1962年9月号のApollo誌に掲載された彼のエッセイ [36) の論題である。

　その中で、リードはハムステッドで過ごした約5年間を振り返り、次のように語っている。

　「5年間、一群の芸術家達と気さくで親密な関係を私は持ち続け、ほぼ毎日、彼らのアトリエを訪れ、作品の進み具合を見て過ごした。どのアトリエにも、その裏手には小さな庭があり、私は自分の家の庭に、幅約6フィート、奥行き約4フィートの小さな木製の掘っ立て小屋（a wooden hut）を建てた。［このアトリエに住み始めた］最初の年の夏、この小屋で、私は『緑のこども』を執筆した。それは私の人生で最上の期間だった。」[37)

　このエッセイが雑誌に掲載されたのは1962年7月であり、1893年12月生まれのリードの年齢は既に68歳である。74歳（歿年月日：1968年6月12日）で亡くなったことを考えると、晩年の時期に自身の人生を振り返った総括的な表現だといえよう。ちなみに、リードがハムステッドで過ごしたのは、1933年から1937年終わり頃までなので、25年から29年前の暮らしを反芻したことになる。ハムステッドからの転居先は、人に貸していたビーコンズフィールド [38) の持ち家である。

　グロピウスが1934年にハムステッドに到着して直ぐに、リードとマーガレットは、グロピウスと交流し始めた。マーガレットがある雑誌 [39) に投稿した内容から、彼女がグロピウスに抱いた印象は次のようなものだと、キングは語る。

　「［食事のときも］物腰の優しいグロピウスが赤ん坊のような英語で話しかけるので、気が散った。彼は英国にやってきた直後から、テイク・カレッジ［take courage：勇気を出そうの意〕の文字を街中で見つけ、感動して素晴らしいと言った。巨大な広告にこの言葉を掲げるとは、この地の人々がどれほど道徳的かを示しているにちがいないとグロピウスは考えたのだった。」[40]

　この頃、マーガレットとリードは行動を共にしていたので、リード自身もグロピウスがハムステッドに移り住んだ直後から、交流を共にしたはずである。すでにドイツ語文献の翻訳出版[41] を行っていたリードと、リーズ大学卒業後にドイツのケルンで音楽の勉強をしたマーガレットは、グロピウスが会話にドイツ語を交えたとしても、理解できたと推測できる。グロピウスがリードに対して抱いた敬愛の情は、本稿において後述する彼自身の言葉からも推察できよう。

6．バウハウスからの影響が浸透したハムステッド

　リードが「優しき芸術家達の巣」と呼んだハムステッドには、大陸からやってきた新たな住人達が住み始めた。このことをリードは簡潔に纏めている。

　「［前略］ドイツでの事態は危険な状態になりつつあったので、避難するアーティスト達の最初の一群が移り住み始めた。1934 年にヴァルター・グロピウスがハムステッドのローン・ロード（Lawn Road）沿いにあるフラッツ [日本で言うマンションに相当] に住み始めた。このフラッツは、建築家ウェルズ・コーツがジャック・プリチャードの依頼を受けて建てたものだった。1935 年には、モホリ・ナジーとナウム・ガボがハムステッドに移り住んだ。1938 年には、ついにあのピエト・モンドリアンが、モールが並ぶパークヒル・ロードにアトリエを構えたのである。」[42]

　この後、ナジーとガボの英国のモダニズム運動に対する影響力の大きさについて、リードは簡略に振り返り述べているが、ここでは、グロピウスが住んだフラッツについて考えてみたい。

　このフラッツは、プリチャードが経営するイソコンが新時代の住居のモデルとして計画したもので、イソコン・フラッツと呼ばれた[43]。このフラッツには、グロピウスの他に、モホリ・ナジー（Moholy–Nagy László, 1895–1946）と、1935 年に渡英し、1937 年に渡米したマルセル・ブロイアー（Marcel Breuer, 1902–1981）も住むことになった[44]。この建物の 1 階には、イソ・バー（Iso

Bar）と呼ばれたパブがブロイアーの室内設計によって併設されたが、ここには
ナウム・ガボ（Naum Gabo, 1890–1977）も姿を現した。このフラッツは、今
も居住可能であるが、同時に、歴史建造物の指定を受けている。

　現在では、世界中に偏在する小さなマンションに似ているこのイソコン・フラッ
ツがどれほど革新的なものであったのか、想像するのは難しいかもしれない。し
かし、グーグル・アースなどで、その建物の周りを疑似散策すると、誰もがその
革新性に気づくはずである。周囲の一軒家［デタッチハウスと呼ばれる］や棟続
きのタウンハウスの外装は、新築のものも含めて、いまだにレンガ造りもしくは
それを模したものであり、屋根や破風の形状も古めかしい。良かれ悪しかれ、英
国人の好みを反映した保守的な家並みの中で、イソコン・フラッツはきわめて異
色で斬新に見える。

　この建築を依頼したプリチャードも、建築設計を行ったウェルズ・コーツ
も、1931 年に、デッサウのバウハウスを訪問し、その革新的な造形思考の意味
と方法論を観察している [45]。たしかに、プリチャードはル・コルビュジェ（Le
Corbusier, 1887–1965）からの影響も強く受けていた [46] し、ウェルズ・コー
ツも同様であろう。また、建築史関係の研究者には周知のことのようだが、コー
ツは日本の居住空間に対する独自の考察を彼の建築思想に活かしている [47]。し
かし、両者共に、バウハウスからの影響はとりわけ大きかった。

　「優しき芸術家達の巣」のハムステッドは同時に、人の交流や住居等の環境形
成の観点から見て、バウハウスの影響が直接的・間接的に浸透したエリアだった
と言えよう。

7．グロピウスが洞察したリード思想の核心

　1961 年に舌癌と診断されたリードは、仕事を続けながら、辛い放射線治療を
受け続けていたが、1964 年と 1966 年には舌の部分切除手術を受けた。そのダ
メージは大きく、舌の痛みと著しい体力の衰弱に悩まされながらも、仕事を続け
た [48] が、1968 年 6 月 12 日、ストーングレイブ（Stonegrave）にある彼の邸宅 [49]
にて、息を引き取った [50]。

　翌年の 1 月には、カナダのヴィクトリア大学が発行する文学系専門誌「ザ・

マラハット・レビュー」（*The Malahat Review*）が、ハーバート・リード追悼号を発行した。この中にグロピウスがリードの仕事の意義を振り返り述べた貴重なエッセイ[51]が収録されている。わずか4頁のエッセイだが、なかなか含蓄のある内容である。ここでは要点のみ訳出しておきたい。

「ヒトラーが支配するドイツを離れ、ロンドンに身を落ち着け、新たな暮らしを始めたとき、それまで私の生活を支配してきた芸術と建築の諸課題をすすんで受け入れるハーバート・リードに出会いました。私は、彼のなかに同族のごとき精神［a kindred soul］を見出したのです。諸芸術の再統合を図るという熱い想いをバウハウスでの実験に繋げようとした私の試みに、彼は強烈な関心を抱いたのでした。後になって、彼が語ってくれたところによると、解決すべき教育の基本問題について、互いに考えを交わしたことに鼓舞され、子どものための創造的教育の研究に着手する決心をしたということです。」

「私は、この本［『芸術による教育』のこと］が人間にとっての未来の教育と社会との関わりにとって、欠くことができないほど重要だと確信するに至りました。リードが自らの研究に与えた論拠は、科学的な重要性と正確さに関して、人を圧倒するものです。」[52]

2箇所を訳出したが、ハムステッドの地にて、自分を温かく迎え入れてくれたリードの業績について、グロピウスが如何に高く評価していたのかが、直接、伝わると共に、二人の交流が濃密であったことを示唆する言葉だと言えよう。

さらに続けて、リードは既製の芸術概念を超えて、人間の生き方そのものがアートであると考えていたとグロピウスは語っている。ほかにも青年期前期以降の教育や教師論など、リードの考えをグロピウス自身が反芻して綴った部分が興味深いが、ここでは割愛する。

リードの追悼記念号に寄稿したグロピウスは、おそらく本人も予期していなかったであろうが、雑誌が出版された1969年1月から半年も経たない、同年7月5日に肺の出血が原因で亡くなった[53]。

8．グロピウスの考えを支持し続けたリード

グロピウスがリードの功績―特にその教育論―を高く評価していたことは、上

述の通り、「ザ・マラハット・レビュー」掲載のエッセイから明白だが、いっぽうのリードは、本稿3章で見た『アートとインダストリー』初版で表明したグロピウスを賛美する姿勢を変えなかったのだろうか。

　第一次に続き、第二次世界大戦による戦禍を垣間見た、平和主義者のリードは、1946年に『芸術の草の根』（The Grass Roots of Art）を出版した。それは、戦後社会の復興を新たな理想的社会の建設の契機へと捉え直そうとする努力であった。同時にそれは、戦前・戦中にリードが考え続けてきた理想的社会像の提示という記念碑的な著作でもあった。

　この著作は1947年に第2版、1955年に第3版として、内容に大幅な改訂が加えられた。1956年には、増野正衛によって訳された第3版が岩波書店から出版されている。その第3章「偉大な建築の社会的基盤」に、次のような1文がある。

　「戦後の社会の再建事業を完遂させる鍵は、われわれが人間的要素を支配的な要因にしようと決意するか否かにかかっている。」[54]

　この言葉はグロピウスの著作[55]からの引用文であり、リードは人間的要素という言葉に、個人の自由に基づく相互扶助の精神、そして、それらを基にした統一感ある集団の精神と個人の精神との調和という意味を託している。

　リードは、このグロピウスの言葉に先立ち、芸術家の創作力にとって最適な社会的要因について考えを巡らした結果、「実際に私が到達した結論は、ワルター・グロピウスが私とは全くちがった分析の方法で到達した結論と一致するものになった」と述べている。

　この記述は、グロピウスを視るリードの視点を顕著に表していると同時に、渡米後のグロピウスの仕事について、彼が継続的に熱い眼差しを向けていたことを物語っている。そこから、私達はグロピウスの思想に対するリードの信頼もまた継続していたことを導き出せるであろう。

9．おわりに

　長らくテイトに勤めた美術史家のジュディス・コリンズ（Judith Collins）は、ハムステッドに「優しき芸術家達の巣」が誕生した1930年代のリードの歩みを振り返り、意味深長な言葉を残している。この論考の終わりに、彼女のその言葉

を置き、若きアーティストのなかで勇躍するリードの姿を思い浮かべ、想像上の
スクリーンに留めておきたいと思う。

　「1930 年代に、彼［リード］がまだエジンバラに暮らしていたならば、新た
な造形言語を創り上げようと切磋琢磨していたハムステッドの芸術家達と接触す
る機会は、著しく少なかったにちがいない。彼らのなかで暮らし、共に働く幸せ
によって、リードは芸術家達の成長に与ることができたし、間近に居て、彼らを
媒介する最も重要な人物になりえたのだ。」[56]

註

1)　宮脇 理「本書への接近―解題にかえて」、ハーバート・リード著、宮脇 理、岩崎 清、直
　　江俊雄共訳『芸術による教育』フィルムアート社、2001 年 10 月
2)　宮脇 理は、北アイルランド紛争のこれまでの歴史を振り返り、その火種が完全に消えたわ
　　けでは無いと指摘する。たしかに、いわゆるブレグジットに伴う関税管轄地域に関わる問
　　題というかたちで、再び、北アイルランドに注目が集まっている。
3)　彼の批評がいわゆるフォーマリズム的なモダニズムを超えた世界観から生まれていること
　　は、彼の彫刻批評である *A Concise History of Modern Sculpture*、1964（ハーバート・リー
　　ド著、藤原えりみ訳、『近代彫刻史』言叢社、1995 年初版）を一読すれば、明らかである。
4)　Herbert Read, *Art and Industry: The Principles of Industrial Design*, Faber and Faber（London），
　　1953
5)　ハーバート・リード著、勝見 勝・前田泰次共訳『インダストリアル・デザイン』、みすず書房、
　　1957 年（原著：註（4））
6)　前掲書 11 頁
7)　同上
8)　前掲書 15 頁
9)　この段落の引用箇所は全て、前掲書 42 頁からのものである。
10)　前掲書 69 頁
11)　Design and Industry Association の略語として、しばしば DIA が使われている。この組織
　　は、現在も存続しており、奨学金の付与、各種イベントやコンテストの開催などを行って
　　いる。この組織のサイトに依れば、「1915 年にデザイナー、ビジネスマン、実業家によっ
　　て設立され、「醜いものは全て不要」（Nothing Need be Ugly）というスローガンのもとに、
　　製品がデザインされる方法と、一般の人々の製品についての見方を変えた」のである。なお、
　　勝見 勝と前田泰次は前掲書（リード著『インダストリアル・デザイン』）のなかで、DIA を「産
　　業デザイン協会」と訳している。
　　　この組織が生まれた歴史的背景やその意義については、菅 靖子の『イギリスの社会とデ
　　ザイン―モリスとモダニズムの政治学』（彩流社・2005 年）がひとつの章を充て、詳しく
　　論じている。菅は、この組織名を「デザイン・アンド・インダストリー協会」と訳している。

12）要約に当たっては、ハーバート・リード著、勝見 勝・前田泰次共訳『インダストリアル・デザイン』の 64 〜 65 頁と、*Art and Industry–The Principles of Industrial Design* の第 4 改訂版ともいえる、アメリカの Horizon Press から出版されたペーパーバック版 pp.42–44 の原文を共に参照して、山木が作成した。

13）ハーバート・リード、前掲註（5）67 頁

14）分業化された職能を意識化させてしまうデザイナーという言葉を使わずに、アーティストという言葉を選ぶことによって、生活全般に及ぶアートの浸透を強く印象づけていることは、バウハウスという組織を意識しつつ、リード自身の関心の在処を浮き彫りにしている点で興味深い。

15）James King,*The Last Modern*,George Weidenfeld and Nicolson Limited(London),1990,p.141

16）ノエル・キャリントン著、中山修一・織田芳人共訳、『英国のインダストリアルデザイン』晶文社、1983 年、218 頁（原著 :Noel Carrington,*Industrial Design in Britain*,George Allen & Unwin Publishers Ltd.(London),1976）

17）前掲書 216 頁

18）前掲書 218 頁

19）村上俊介「バウハウス創設者ヴァルター・グロピウス―ドイツ・イギリス・アメリカの足跡」専修大学人文科学研究所月報、No.246,2010,15–39 頁

20）前掲論文では、ジャック・プリッチャードと表記されている。この人物は、大英帝国勲章（OBE）を授与された、モダニズム建築家として著名なウェルズ・コーツ（Wells W.Coates, 1895–1958）が創設したウェルズコーツ・アンド・パートナーズ（Wells Coates and Partners, 1929 年創業）に参画している。この会社は 1932 年にプリチャードが共同経営者として名を連ねるだけでなく、実質的に経営の実権を握ったイソコン（Isokon）に名称を変えた。イソコンは Isometric Unit Construction の略である。Isometric とは「等角投影の」という意味である。プリチャードは、エストニアの大手合板メーカー傘下のベネスタ（Venesta）との強力な関係のもとに、それまで普及していなかった合板の家具生産と販売をイソコンで行った。そのデザインはバウハウスに影響を受けたモダニズムのデザインの典型である。

21）村上、前掲（19）によれば、プリチャードの他に、モダニズム建築の代表者であるマックスウェル・フライ（E.Maxwell Fry, 1899–1987）と建築家のモートン・シャンド（P.Morton Shand, 1888–1960）が、グロピウスの渡英に尽力したとある。なお、モートン・シャンドは建築批評家と記した文献がいくつかある。

22）この会議におけるグロピウスの講演内容は、ワルター・グロピウス著［書籍に記載のママ］、桐敷真次郎訳『デモクラシーのアポロン―建築家の文化的責任』（彰国社・1972）pp.175–186 に「劇場のデザイン」として収められている。（原著 APOLLO IN THE DEMOCRACY : The Culteral Obligation of the Architect by Walter Gropius, macGraw Hill (New York）, 1968.）

23）村上、前掲（19）の情報を基に山木が再調査したところ、インペントン・ビレッジ・カレッジ（Impington Village College）、劇作家ベン・レヴィー（Ben Levy）と女優コンスタンス・カミングス（Constance Cummings）がチェルシーに構えた住居、1952 年まで続いた英

282

国大手の映画製作会社であるデナム映画研究所（Denham Film Studios）のスタジオなど、グロピウスの建築思想を反映した建築物が、マックスウェル・フライとの共同制作の建物として建てられた。

24）スコットランドの著名な肖像画家、J.W. ゴードン（John Watson Gordon, 1788–1864）を記念して設けられた教授ポストである。1583 年に開校したエジンバラ大学は、その歴史と共に世界有数の研究水準を誇っている。

25）エヴァリンはリーズ大学出身者で、リードとは 1914 年に「リーズ・ユニバーシティー・ユニオン」と呼ばれる学生自治会主催の討論会で知り合った。彼女とリードの間には、後に BBC のドキュメンタリ番組の製作者として約 30 年以上勤め、名を馳せたジョン・リード（John Read, 1923–2011）が生まれている。King: 前掲（15）によると、リードが子どもの描画に深い意味を見出すようになったのは、エヴァリンの影響だと言われている。彼女は長らく甲状腺機能低下症に悩まされた。また、離婚後は錯乱状態に陥ることもあった。

26）発音は 2 種あるため、日本語ヨミはラドウィグも可能。彼女の両親は共にドイツ系である。

27）リードがエジンバラ大学に掛けた期待は非常に大きかった。この頃、リードはエジンバラでサロンを開催していたロシア系ユダヤ人の富豪、マルク＝アンドレ・ラファロヴィチ（Marc–André Raffalovich, 1864–1934）と知り合ったが、彼の資金援助や文壇などへの威光を助けとして、モダンアートを中心に様々なアートを総合した英国版のバウハウスをエジンバラの地に創りたいと考えていた。参照文献と該当頁は、King: 前掲（15）105 頁。

28）マーガレットとハーバートの間に、ノンフィクション作家で、世界的なヒット作『生存者』（*Alive: The Story of the Andes Survivors*）を書いたピアス・ポール・リード（1941–）、コートールド美術研究所に勤めた著名な美術史家であるベネディクト・リード（Benedict W.Read, 1945–2016）、BBC に勤務したトーマス・リード（Thomas Read, 1937-2015）の 3 人の息子とソフィア・リード（Sophia Read, 経歴等未詳）と名付けた娘が生まれた。

29）ムーアがリードに提供したのは、その頃所有していた自身のアトリエだった。ムーアが長期にわたってケント（Kent）に滞在する間、数週間、リードに提供したものである。そのアトリエはハムステッドのパークヒル・ロードにあったが、第二次世界大戦中にドイツ軍の空襲によって破壊され、ムーアはアトリエをペリー・グリーン村（ロンドン中心部から北東方向 40km）に移した。なお、ムーアとリードの関係についてだが、リード自身は、彼がまだヴィクトリア・アンド・アルバート美術館学芸員として勤めていたとき、館長のエリック・マクラガン（Eric R.D.Maclagan, 1879–1951）が、ムーアをリードに紹介したと言っている。それは、1928 年の頃だとリードは述べているが、実は 1931 年 4 月のことだったと、ジュディス・コリンズは註（56）の文献の中で修正している。いずれにせよ、リードとムーアの二人にはヨークシャー地方の出身者であること、そして、学生時代をリーズで過ごしたという共通点があり、短期間に親交を深めたことは確かである。

30）前任者はグラスゴー出身の美術史家でデイリー・テレグラフの美術欄執筆者のロバート・タトロック（Robert R.Tatlock, 1889–1954）。リードの後任は、晩年にマンチェスター大学講師となった美術史家のアルバート・シューター（Albert C. Sewter, 1912–1983）だった。リードの編集長在任期間は、1933 年から 1939 年までである。

31）英国では、テラスド・ハウス（Terraced House）と呼ばれている形態の住居である。

32）畑井 恵「ピート・モンドリアンのアトリエ：パリ、デパール街 26 番地」（大阪大学文学部美学科発行「フィロカリア」Vol.32, 2015 年 3 月, pp.71–103）には、文献：Barbara Hepworth,"Mondrian in London", *Studio International,*（vol.172, no.884, Dec.1996）に基づき、「[モンドリアンの] 絵画を前に議論が繰り広げられたことが、交友のあったイギリス人彫刻家バーバラ・ヘップワース [中略] の証言から分かる。」という記述がある。モンドリアンとヘップワースの交流という観点から、留意したい。

33）画家ジャン・エリオン（Jean Hélion, 1904–1987）は、ステュディオ・インターナショナル（*Studio International*）誌のベン・ニコルスン特集号（巻号不明・1969, p.13）の中で、ハムステッドについて記述する際に、バトー・ラヴォワールの名前を挙げていることを、本文を書き上げた後に筆者はネット上の記事で見つけた。その URL を記しておく。（https://www.ngv.vic.gov.au/essay/raising-the-flag-of-modernism-ben-nicholsons-1938/）

34）ミース・ファン・デル・ローエは、グロピウスから全幅の信頼を得た人物で、通俗的な言い方ではあるが、ル・コルビュジェとフランク・ロイド・ライトと一緒に世界三大建築家と評されることもある。バウハウスの第 3 代校長としても歴史に名を刻むが、彼を推挙したのはグロピウスである。前掲の註(22)の記述中に掲げた著書のなかで、グロピウスは「[前略] 第一次大戦直後に、かれは妥協のない直截さをもった一連の大胆なデザインを、比類のない一貫性と勇敢さをもって創造した」（195 頁）と絶賛している。

35）James King、前掲（15）p.119

36）Herbert Read, "A nest of Gentle Artists"in Benedict Read & David Thistlewood（ed.）*Herbert Read:A British Vision of World Art*, Leeds City Art Galleries（Leeds）, 1993,pp.59–62（初出 :Herbert Read, *Appolo*, Vol.76, No.7,Sep.1962, pp.536–540 [New Series]）

37）Ibid.p.59

38）ビーコンズフィールド（Beaconsfield）は瀟洒な住宅街であり、ロンドンの西北約 35km の場所にあり、チルターン鉄道を使うとメリルボーン駅まで、約 1 時間半かかる。もう少し詳しく言うと、リードの持ち家はブルーム・ハウス（Broom House）と呼ばれ、ビーコンズフィールドの中心街から西に 2km 離れたシアー・グリーン（Seer Green）のボトムライン沿いにあり、周囲は自然に恵まれている。行政区はバッキンガムシャー（Buckinghamshire）である。

39）Margaret Read,"Moving to the Mall Studios",*Belsize Park,Living Surburb*, n.d. James King、前掲（15）の 324 頁に記載された文献名を上掲した。

40）この巨大な Take Courage のペイントは、カレッジ・ビール醸造所（Courage Breweries）がアンカー・ビール醸造所（the Anchor Brewery）に 1820 年に買収された時に掲げられたもので、ウィットに富んだ言葉ではあっても、英国人の道徳性を表してはいない。半可通のグロピウスに対する微笑ましさと辛辣さが入り交じったマーガレットの感情を表している。今も残るその文字の画像等のビール会社の情報は次の URL にある。https://www.cubitts.com/journal/take-courage-park-street-the-borough-the-iconic-london-ghost-4/

41）リードは、ウィルヘルム・ヴォリンガー（Wilhelm Worringer（1881–1965）の『ゴシックの形式』（*Formprobleme der Gotik.* München 1911）を翻訳し、1927 年に、ロンドンの出版社（G.P.Putnum's）から出版している。

42) Herbert Read、前掲（36），p.60。なお、文中のウェルズ・コーツとジャック・プリチャードについては、註（20）において詳述しているので参照して頂きたい。

43) ジャック・プリチャードが事実上の施工主のため、彼が実質的に経営していたイソコン（註20 参照）と関連付けて、当時から、イソコン・フラッツと呼ばれていたが、プリチャード自身は、ローン・ロード・フラッツと名付け、そう呼んでいた。参考とした資料は次に掲げる註（44）と同じである。

44) ナジーは 8 ヶ月ここに住んだ後に、ゴールダーズ・グリーン（Golders Green）に転居。彼ははじめロンドンにある大手テキスタイルの会社のデザイナーとなった。その後、様々な業種の大企業からポスターの仕事が次々舞い込むようになった。ロンドン陸運局からは、地下鉄がいかに最新の技術を用いているかをアピールするポスターの仕事を依頼され、ギオルギー・ケペシュ（György Kepes, 1906–2001）と共同制作をしている。
　ブロイアーは、英国に来てから、DIA のメンバーと盛んに交流した。ブロイアーはジャック・プリチャードの会社であるイソコン（家具製造会社）で主任デザイナーとなり、合板を用いた家具のデザインを行った。また、ブリストルの大手家具メーカーで、1909 から 1954 年まで続いたピー・イー・ゲイン社（P.E. Gane Ltd）のオーナーであり、英国におけるモダニズム推進者であったクロフトン・ゲイン（Crofton Gane, 1878–1967）の依頼を受けて、1935 年にはクロフトンの自宅の内装・外装の徹底したリフォームを行う機会を得て、自分のデザイン理念を反映させた。翌年には、ブリストル郊外で開催された王立農業展示会（the Royal Agricultural Show）のパビリオンの設計を任され、外装には、その地域で産出される石と合板を巧みに用い、室内にはブロイアーがデザインした倚子などの家具やアルヴァ・アールト（H. Alvar Aalto, 1898–1976）の家具が置かれていた。これら 2 つの仕事は共に、英国のモダニズム建築の発展に役立った。なお、上述の内容は、イソコン・ギャラリー（Isokon Garelly）が開催した展覧会の情報を纏めた次のサイトを参照した。https://isokongallery.org/

45) オックスフォード大学出版（Oxford University Press）編のオックスフォード・リファランス（Oxford Reference）というサイトの項目名 : Jack Pritchard
https://www.oxfordreference.com/view/10.1093/oi/authority.20110803100346801

46) Ibid.

47) Anna Basham,"Wells Coates（1895–1958）: Modernist Japonism", in Hugh Cortazzi（ed.）*Britain and Japan: Biographical Portraits,* Vol.7,2010, pp.456–458

48) 1962 年にはアメリカ及び南米、1963 年にはニュージーランド、オーストラリア、カナダ、1964 年にはアメリカとスイス、1965 年にはアメリカ、スイス、そして周知の通り、来日。歿年の 1968 年にもキューバとハイチを訪れている。これらの旅は、そのほとんどが講演目的である。下記文献参照。
Terry Friedman and David Thistlewood,"Herbert Read 1893–1968:The Turbulent Years of 'Pope of Modern Art'A Chronology and Select Bibliography" in Benedict Read & David Thistlewood（ed.）*Herbert Read:A British Vision of World Art,* Leeds City Art Galleries,1993

49) 1949 年以降、住み続けた。ストーングレイブの巨大な邸宅は、リードが生まれたマスカーツ・グレインジ（Muscoates Grange）から直線にして 4km しか離れていない。

50）James King、前掲（15）p.313 及び Terry Friedman and David Thistlewood、前掲（48）p.165

51）初出 :Walter Gropius,"On Herbert Read"in *The Malahat Review*（Robin Skelton（ed.）Sir Herbert Read: A Memorial Symposium）,No.9, Jan.1969

書籍化後の再録 : Walter Gropius,"On Herbert Read"in Robin Skelton（ed.）*Sir Herbert Read: A Memorial Symposium*,Methuen & Co,Ltd（London）, 1970, pp.27–30

52）Ibid.

53）村上俊介、前掲（19）、p.37

54）ハーバート・リード著、増野正衛訳『芸術の草の根』岩波書店、1956、p.86

55）Walter Gropius,*Rebuilding Our Communities*, Paul Theobald（Chicago）, 1945

56）Judith Collins, "An Event of Some Importance in History of English Art"in in Benedict Read & David Thistlewood（ed.）*Herbert Read:A British Vision of World Art*,Leeds City Art Galleries（Leeds）, 1993,p.63

山木 朝彦（やまき あさひこ）
・鳴門教育大学名誉教授（2020 年 4 月授与）、同大 特命教授（2020 年 4 月〜）
・1955 年東京生まれ 横浜国立大学大学院修士課程修了
・編著書／『今、ミュージアムにできること』（学術研究出版 2018）、『アートエデュケーション思考』（学術研究出版 2016）、『美術鑑賞宣言 学校＋美術館』（日本文教出版 2003）
・分担執筆／『美術教育学の現在から（美術科教育学会叢書1)』（学術研究出版 2018）、『教育方法学研究ハンドブック』（学文社 2014）、『現代アートの本当の学び方』（フィルムアート社 2014）、Lesson Study in Japan(Keisuisha[渓水社] 2011)、『日本の授業研究―授業研究の歴史と教師教育』(学文社 2009)、『アート・リテラシー入門』（フィルムアート社 2004)、『緑色の太陽 学校新生のシナリオ』（国土社 2000）、『美術教育学』（建帛社 1997）、『メディア時代の美術教育』（国土社 1993）、『〈感性による教育〉の潮流』（国土社 1993）など多数。
・論文／「美術教育思潮におけるリアリズム表現の受容とその問題点」（美術教育学 [美術科教育学会誌] 第 29 号 2008）、「テイトギャラリーの歴史及びその変貌と教育機能の現代化」（大学美術教育学会誌 第 38 号 2006）など多数。
・社会的活動／美術科教育学会代表理事（2019 年〜）、大塚美術財団評議員、せとうち美術館ネットワークアドバイザーなど。

シュタイナー学校の手作業科（Handwerk）における造形活動の地域性
—スプーンづくりの題材に着目して—

吉田奈穂子

はじめに

　シュタイナー学校では、「教育方法はすべて芸術的なものに浸されていなければならない」[1] という創始者シュタイナーの言葉の通り、芸術教育を重視した教育が行われている。本稿ではこの学校の専門教科として、木工や彫塑などの造形活動を扱う手作業科（Handwerk）を取りあげ、ドイツを発祥とする手作業科が東アジア地域でどのように展開しているのか、その地域性について論じる。

1．シュタイナー学校における造形教育

　通知表や成績のためのテストがなく、学校における芸術教育の重視など独特な教育方法で知られる学校は、シュタイナー学校、または自由ヴァルドルフ学校と呼ばれている [2]。ルドルフ・シュタイナー（Rudolf Steiner、1861~1925）がヴァルドルフアストリア煙草工場（Die Waldorf-Astoria-Zigarettenfabrik）の工場長からの要請をうけたことをきっかけに、1919 年ドイツのシュトゥットガルトで最初の学校がつくられたことが学校名の由来である。

　シュタイナー学校では、日本の学校教育における図画工作科や美術科の授業のように、造形活動を専門に扱うだけではなく、読み書き計算を教科横断的に学ぶエポック授業においても造形的な活動が取り組まれている。それゆえ、学校全体に造形活動が浸透していると言える。たとえば、文字を何度も繰り返し書いて覚えるのではなく、絵を描いて、そこから絵文字のように文字の形と言葉の意味を学ぶ方法はよく知られている。本稿で取りあげる手作業科は、この学校の多様な芸術科目の中で、専門教科として造形活動を扱う授業である。

手作業科はドイツ語で Handwerk といい、これまで国内では「手工業」「工芸」「手工芸」「手工作」などと訳されてきた[3]。Handwerk は Hand と Werk という単語から成り、Hand は「手」、Werk は「仕事」「作業」を意味している。つまり、簡単な道具を使いながら、主に人間の手作業の熟練によってつくられたものを意味している。しかし、学校教育における授業科目名としての Handwerk は、師弟・職人・親方という序列の師弟身分関係の中で熟練した技を習得し、生産した製品を市場で販売する生産形態という意味をもつ「手工業」や、言葉の定義づけが時代と共に変容し、日本独自の言葉の解釈がされてきた「工芸」「手工芸」などと訳すことはできない。さらに、シュタイナー学校には、縫物や裁縫などを学ぶ Handarbeit という専門教科があり、日本では「手仕事」と呼ばれている。そのため、本稿では授業名の混合を避けつつ、もとのドイツ語の意味を考慮し、「手作業科」とする。以下では、ドイツにおける手作業科の授業内容を説明する。

2. ニュルンベルクシュタイナー学校における手作業科の内容

シュタイナー学校における手作業科は、子どもの心身の成長発達にあわせて、5、6年生（10、11歳）から時間割に加えられる。ニュルンベルクシュタイナー学校（Rudolf-Steiner-Schule Nürnberg）では、5年生から手作業科の授業が始められている。手作業科の授業内容は、既習内容と関連させた題材、用途のあるものづくり、凹凸や内外など対立する概念を扱いながら、それらのバランスの良さ、調和を探求する題材の3種類から成る[4]。

まず、既習内容と関連づけられた題材についてである。手作業科では、木材や金属、粘土や石といった自然界に存在するものが材料として使われる。自然界にあるものを自らの手で加工することで、自分の周囲へと意識を向けることができ、植物学、地理学、地学、化学など自分の周りの世界に関する学びに親しみをもつことができる。その材料でつくられるものは、動物や人間の形態など授業に関連したものである。

また、既習内容と関連づけられた題材は、学習後少し期間をおいて取り組まれている。たとえば、4年生で動物学を学び、5年生の木工で動物づくりに取り組んでいる。すると、子どもたちは自然と授業の中で学んだ知識や経験、自分で描

いた絵などを思い出しながら活動することができる。シュタイナーによれば、授業に対して意欲をもった子どもが自分で忘れていた既習内容を思い出して、呼び起こす時に、記憶力を好ましい方向に育てられるのだという[5]。既習内容と関連づけられた造形は、子どもの意欲を引き出し、学びに向かう力になりやすい。

　2つ目の活動は、用途のあるものづくりである。具体的には、木工の料理用スプーンやボール型の器、金工のお皿やコップづくりである。生活で用いるものの他に、木のヨットなどの玩具もつくられている。自分自身がつくったものが、その後、実生活の中で使われるという達成感や喜びを感じさせる。そうすることで、社会における自分の意味や役割を考え、将来世界に積極的にかかわっていける人間を育てている。

　そして、3つ目の対立する概念を扱いながら調和をテーマにつくる題材は、9年生以上の生徒に、塑像、木彫、石彫と材料を変えて繰り返し取り組まれる。できあがった作品は一見、抽象彫刻のように見える。しかし、生徒は内側に向かう力と外側へ向かって押し返す力、凹凸など目に見えない力やものの動きをイメージし、調和的なバランスの取れた形を自分なりに考えながら造形している。それにより、子どもは、対立する概念の調和を制作の中で探求することで、思春期に訪れる心身のバランスの不釣り合いや反抗期を克服し、調和のとれた人間に近づいていく自己教育を行っている。

　したがって、手作業科は単なる技術や手の器用さのためのものづくりではなく、自分の手で何かをつくりあげようとする意欲、他人や世界にかかわっていくことによる喜び、制作において調和や美を探求する考える力や判断力が育てられている。つまり、人間の「意志」「感情」「思考」、知情意に働きかけている。

3．手作業科における木工の実践

　2019年に最初の学校がドイツに誕生してから100年の節目の年を迎えたシュタイナー学校は、2020年5月時点で1857の幼稚園と1214の学校まで増えている[6]。毎年、学校数は増え続けているが、近年はアフリカ、アジア地域における学校数の増加が顕著である。そこで、筆者は中国、韓国、台湾、日本の東アジア地域のシュタイナー学校で訪問調査を実施した[7]。なお、訪問先の学校は、

自由ヴァルドルフ学校連盟に登録された学校で、国内で最初に開校した学校や、12 年間の一貫教育を実施し、教育実績が 10 年以上の学校を選んでいる。

　上記の東アジア地域のシュタイナー学校の手作業科の授業では、地域性や風土、伝統や文化を生かした授業が展開されていた [8]。具体的にあげれば、中国の学校では革工芸や、中国西南部の少数民族の伝統工芸である「蝋染（la ran）」といういわゆる蝋結染に取り組まれている。台湾の学校では台湾の歴史の学習と関連して、先住民族の文様づくりや伝統舞台芸術である布袋戯（bu dai xi）という指人形がつくられていた。韓国や日本では、陶芸やかご編みなどに取り組まれていた。つまり、東アジア地域における手作業科のカリキュラムには、欧米の手作業科の授業を基盤としながらも、国や地域性の強い工芸の要素がつけ加えられている。一方で、ドイツでは熱心に取り組まれていても、東アジア地域では取り組まれていない造形活動もある。ヨーロッパは「石の文化」、日本は「木の文化」といわれるように、ドイツでは 10 年生と 12 年生で石彫の課題があったが、東アジア地域では、材料の入手の難しさや材料費、作品の置き場所や管理などの問題から、取り組まれていないシュタイナー学校が多かった。

　そのような多様性のある、ドイツ、中国、台湾、韓国、日本のシュタイナー学校の手作業科において、木でスプーンをつくる課題は訪問した全ての学校で取り組まれていた。以下、各学校のスプーンづくりの題材に着目し、東アジアの地域性や文化などがどのような点に反映されているのかを考察する。

（1）ドイツのシュタイナー学校における手作業科

　ドイツ、ニュルンベルクシュタイナー学校の 6 年生は、料理する際に鍋をかき混ぜたり、料理をすくったりするためのスプーンやヘラを半年ほどの期間をかけて制作している。主にのみと金やすり、仕上げに紙やすりが用いられる。

　まず、友達と協力して斧で薪を割り、1人 1 つの角材を用意する。そして、その角材の中に隠れている料理用スプーンの 5 角

（図 1）ニュルンベルクシュタイナー学校のスプーン

形と棒状の部分という大まかな形をイメージし、のみで余分な部分を落としていく。ある程度形が彫り出されると、ものをすくったり、混ぜたりするスプーンのつぼの外側をのみで成形していく。児童はのみと金やすりで表面を滑らかにし、ある程度できあがると、ひっくり返して、スプーンのつぼの内側をのみで彫っていく。力を入れすぎたり、彫りすぎたりしないように、子どもは真剣かつ緊張感をもって活動していた。その後、スプーンの持ち手にあたる柄の部分を手でもったときにしっくりくる、太さや形をイメージしながら仕上げる。金やすりで木を削ぎ取るように削り、その後、紙やすりの目を細かいものに変えながら、何度もやすって形を整えていた。（**図1**）

（2）中国のシュタイナー学校における手作業科

中国四川省成都市にある成都シュタイナー学校（Chengdu Waldorf School）は、中国で最初に開校されたシュタイナー学校である。

この学校では、6年生が木のスプーンづくりに取り組んでいる。（**図2**）は、できあがった子どもの作品である。作品をよく見てみると、一般的につぼとよばれるスプー

（図2）成都シュタイナー学校のスプーン

ンのものをすくう部分は、深くて大きくどっしりとした形をしている。表面にはのみで削った荒々しい削り跡が残っている。多くの作品は、スプーンの先から柄尻にかけて、直線的であるが、手で持つ柄の部分は多少、形に違いが見られる。左右や上下が非対称になっていて指のひっかかりがつくられているものが見られる。

（3）台湾のシュタイナー学校における手作業科

台北からバスで1時間ほど走った、北東部宜蘭に慈心シュタイナー学校（Cixin Waldorf School）がある。公立学校の実験校として教育を実践しており、児童生徒数が1000人を超えるマンモス校である。

この学校では、5年生で小刀を使ってペーパーナイフづくり、その後の課題と

してスプーンづくりに取り組まれている。作品を見てみると、大きさや柄の長さにドイツや中国の学校とは大きな違いは見られず、料理の際に使用するスプーンであり、装飾はあまり見られない。しかし、スプーンの表面は、のみの彫り跡が見えないように、やすりで丁寧に磨かれて仕上げられていた。この学校の木工の授業の大きな特徴は材料である。宜蘭県には、三大林場の1つで、台湾檜や紅檜の産地として知られる太平山がある。手作業科で使われている木材は、地域とかかわりが深い檜が用いられ、エポック授業における林業や台湾の歴史など他教科の学びと連携させて授業が行われている。（図3）

（図3）慈心シュタイナー学校のスプーン

（4）韓国のシュタイナー学校における手作業科

　韓国のソウル郊外に12年間の一貫教育を行っているプルンスプシュタイナー学校（Purunsup Waldorf School）と9年生までの教育を行う童林シュタイナー学校（Dongrim Free School）がある。童林シュタイナー学校の卒業生は、近くにあるプルンスプシュタイナー学校に転入する生徒が多い。

　どちらの学校でも料理用のスプーンをつくる課題に取り組まれている。以下、紙面の関係上、童林シュタイナー学校の木工の授業について説明する。童林シュタイナー学校の生徒は5年生で箸づくりに取り組んだ後、6年生でスプーンづくりを行う。料理用のスプーンではあるが、スプーンのつぼは丸か雫型で、スープをすくえる位の深さがある。柄は長いものが多い。学校のすぐ裏が山である自然豊かな立地もあり、この学校の手作業科ではさまざまな種類の木が材料として使われている。木のそれぞれの色やかおり、硬さの違い、加工のしやすさなども体験的に学ぶことができる。子どもは自分好みの木を選び、作品づくりに取り組む。仕上げ

（図4）童林シュタイナー学校のスプーン

に関しては、多少ののみ跡が残されているもの、部分的にやすりがけされたもの、紐を通す穴があけられているものなど、生徒個人の想いに合わせた制作が行われているようである。（図4）

現地の教員によると、韓国では金属の箸やスプーンが日常的な食事に使われていることが多いが、本来の朝鮮人は木のお椀や箸を使っており、高い木材加工の技術をもっていたのだと語っていた。

（5）日本のシュタイナー学校における手作業科

日本にあるシュタイナー学校において手作業科の教科名の統一はされていない。木工、金工など慣習的な分類に従って授業名をつけている学校もあれば、日本の学習指導要領に対応させて「美術」「工芸」としている学校、より授業の実践的な活動の意味合いを込めるために「PKE：Praktische Künstlerische Epoche（実践的芸術的科目）」という独自の名称を使う学校もある。教科名は学校ごとに異なるが、木工のスプーンづくりは、訪問先全てで取り組まれていた。しかし、日本のシュタイナー学校では、いわゆるテーブルスプーンのような小さいスプーンが制作されていた。以下、東京賢治シュタイナー学校の木工の授業について述べる。

5年生から木工の授業が始まる東京賢治シュタイナー学校では、学校近くで枝を拾ってきて、その枝を削って箸づくりを行い、6年生でバターナイフやペーパーナイフをつくった後で、より凹凸面があるスプーンの制作が行われる。口に直接ものを運ぶスプーンであるため、持ちやすさだけではなく、口当たりの良さも考えながら形を工夫してつくられる。表面は丁寧にやすりがけされ、表面に削り跡が一切残らないように、徹底的に磨かれていた。実際の作品では、持ち手の形がらせん状になっていたり、角ばったごつごつとした形になっていたり、柄の多様なデザインも見られる。（図5）

（図5）東京賢治シュタイナー学校のスプーン

4．シュタイナー学校におけるスプーンづくりの授業の実際

　シュタイナー学校には決まったカリキュラムや教科書はないため、シュタイナーの思想に沿ったものであれば教師が自由に考えて授業を行うことができる。そのため、東アジア地域では国や地域の特色や文化、風土などを生かした独自の授業が展開されているが、共通して取り組まれていた題材が、木工のスプーンの制作であった。

　多くの学校では、料理の際に使用されるスプーンがつくられていた。シュタイナー学校の手作業科の授業を紹介した本の中では、母親から『あなたのつくったスプーン以外では料理したくないわ。』と言ってもらうことが、子どもにとってなんと幸せなことかと、自分が作ったものが他人を喜ばせるという体験の重要性について書かれている[9]。シュタイナーによれば、9歳を境に世界と一体化していた子どもは、自分個人となり、自分と世界、自分と周囲との区別が徐々にできるようになると言う[10]。そこから、スプーンづくりの題材は、自分以外の人に自分がつくったものが使われ、他人の役に立つという喜びを子どもに与え、造形活動や学びへの意欲やモチベーションを維持し、使い手のことを考えたり、友達の作品と比べたりすることで、子どもに自己と他人との区別をもたせる意味合いをもつと考えられる。つまり、スプーンであるための最低限の条件、すくう部分と持ち手があるということと、使用者や使いやすさ、用途を考えて、スプーンのつぼの大きさや深さを工夫したり、ヘラの先端を斜めに削り、ヘラの先が鍋の底の方からかき混ぜられるようにしたり、形を工夫することがスプーンづくりの題材では必要不可欠である。そして、スプーンとしての機能と使いやすさを保持しながらも、芸術的な形、より美しい形をデザインして形に表すことが大切だとされている[11]。

　日本のシュタイナー学校では、料理用スプーンではなく、小さいスプーンの制作が行われていたが、スプーンづくりの前にペーパーナイフやバターナイフの制作が行われていたことを考えると、これらの題材を通して子どもたちは、自分で作ったものが他人を喜ばせるという体験をしていたのだと考えられる。

　以上のことから、各学校の子どもの作品を比べてみると、同じ題材であってもスプーンとしての最低限の条件をもったもの、使いやすさや使い手を考えた形の造形に主眼を置いたもの、スプーンとしてのデザインの美しさを追求したものま

でさまざまであることが分かる。つまり、その国、地域に合った材料を使ったり、より生活に身近な題材を設定することでスプーンの制作は、欧米のシュタイナー学校のカリキュラムそのままではない東アジア地域の各シュタイナー学校の授業になっている。一方で、スプーンのデザイン性や美の探求、完成度に関する指導に関しては学校間で差が見られたことからまだ課題がありそうである。

おわりに

　筆者はニュルンベルクシュタイナー学校の教育を8年にわたり参与観察を行ってきたが、ドイツ国内の他の学校と比べてみても、手作業科でつくられている題材に大きな違いは見られない。また、ドイツでは、東アジア地域のように地域の工芸や伝統工芸などを手作業科に積極的に取り入れた題材は見られない。これには、ドイツのマイスター制度が少なからず関係しているように思うが、これに関してはまた別の機会に譲りたい。

　シュタイナー学校で行われている手作業科は、自然にある材料を使ったハンドメイドの、素朴なものづくりのように見られるが、制作しながら、用途と美、人工物と自然物、形体と装飾など、さまざまな対極の事柄を考えさせることができる授業である。そして、子どもは9年生以上の高学年の手作業科で、凸凹や内外など対極のもの両方を兼ね備えた造形（調和）を探究することを通して、部分だけでなく全体的に見る視点、論理的に考える力を身につけ、シュタイナー教育の目指す調和的な人間に近づいていく。シュタイナーは、7年周期で人間の成長を捉え、人間の完成は63歳以降と考えている。つまり、シュタイナー学校における芸術を重視する教育は、子どもが卒業後も自ら学び成長し続けるための基盤づくりであり、いわゆる自己調整学習を支えていると言えるだろう。

注

1)　Rudolf Steiner, *Erziehungskunst Methodisch-Didaktisches*, Dornach, 1975, S.11.
2)　文章の簡素化のため、学校名を「シュタイナー学校」に統一する。正式名称は（　）内に示す。
3)　以下参照。①天貝義教『応用美術思想導入の歴史―ウィーン博参同より意匠条例制定まで―』2010、思文閣出版。②谷口健治『ドイツ手工業の構造転換―「古き手工業」から三月前期へ』2001、昭和堂。③若宮信晴『西洋工芸史―古き良き生活文化への誘い』1987、文化出版局。

4）　吉田奈穂子「シュタイナー学校における手作業科の意味─ニュルンベルク・シュタイナー学校の実践に着目して─」『芸術学研究』22 号、2017、p.61-70.

5）　Rudolf Steiner, *Allgemeine Menschenkunde als Grundlage der Pädagogik*, Dornach, 1968, S.139-140.（ルドルフ・シュタイナー著、高橋巖訳『教育の基礎としての一般人間学』筑摩書房、1989、p.127.)

6）　自由ヴァルドルフ学校連盟「ヴァルドルフワールドリスト」2020、自由ヴァルドルフ学校連盟ウェブサイト、2020 年 9 月 3 日閲覧。<https://www.freunde-waldorf.de/fileadmin/user_upload/images/Waldorf_World_List/Waldorf_World_List.pdf>

7）　各学校における調査実施日は以下の通りである。ドイツのニュルンベルクシュタイナー学校に関する記述は、筆者の 2014 年から 1 年間の教員養成課程における講義と実習に加え、2012 年 3 月 12 日～3 月 16 日、2014 年 10 月 16、22 日、2018 年 3 月 16 日、2020 年 2 月 20 日の調査に基づいている。その他、成都シュタイナー学校は 2017 年 10 月 23 日、慈心シュタイナー学校は 2018 年 5 月 15 日、プルンスプシュタイナー学校は 2018 年 5 月 18 日、童林シュタイナー学校は 2018 年 5 月 17 日、学校法人シュタイナー学園は 2018 年 4 月 27 日、京田辺シュタイナー学校は 2017 年 6 月 10 日と 2018 年 2 月 26 日、東京賢治シュタイナー学校には、2018 年 5 月 8 日に訪問調査を行い、可能な範囲で授業観察や教員へのインタビューを実施した。

8）　吉田奈穂子「東アジア地域のシュタイナー学校における造形教育の展開」『美術教育学』41 巻、美術科教育学会、2020、pp.353-364.

9）　Michael Martin, *Der künstlerisch-handwerkliche Unterricht in der Waldorfschule*, Stuttgart, 1991, S.50.

10）ルドルフ・シュタイナー著、西川隆範訳『子どもの健全な成長』2004、アルテ、p.88.

11）Michael Martin, *Der künstlerisch-handwerkliche Unterricht in der Waldorfschule*, S.101.

付記
本研究の一部は、JSPS 科研費 19K23353 の助成を受けたものである。

吉田 奈穂子（よしだ なほこ）
・奈良県生まれ
・千葉大学教育学部、筑波大学人間総合科学研究科博士前期課程、ドイツニュルンベルク・シュタイナー学校教員養成課程（学級担任教師）、筑波大学人間総合科学研究科博士後期課程修了。小学校講師、関西外国語大学特任助教を経て、現在、筑波大学芸術系助教。
・博士（芸術学・筑波大学、2019 年）
・吉田　奈穂子『シュタイナー学校における造形教育の実践─日本の公立学校の図画工作科への導入をさぐる─』NSK 出版、2019
・吉田　奈穂子「東アジア地域のシュタイナー学校における造形教育の展開」『美術教育学』第 41 号、2020、p.353-364.

エッセイ 肥前地方の民芸
—海外との交流から生まれた造形—

前村　晃

1．はじめに

　「肥前」は旧肥前国のことで現在の佐賀県と、壱岐、対馬を徐いた長崎県を合わせた地域である。この地は西の中国大陸、北の朝鮮半島、南のアジアの国々や、遠くはヨーロッパの国々と交流をする日本の玄関口であった。特に、江戸期は幕府直轄地長崎には出島や唐人屋敷があって、海外の文化をいち早く摂取した。

　「民芸」は三省堂の『大辞林　第三版』（2006）によると「一般の人々が日常生活に使う実用的な工芸品。」とある。もちろん、海外との交流から生まれた民芸に限っても、肥前地方には魅惑的な工芸品が多種多様にある。

　しかし、本稿はエッセイである。肥前地方の民芸を網羅的かつ学術的に扱うわけではない。ここでは長崎の「ハタ（凧）」と佐賀の「肥前びーどろ」と同じく佐賀の「鍋島段通」について思うところを自由に述べることにしたい。

2．長崎のハタ（凧）

　凧は平安時代初頭に中国から伝来し、元々「紙鳶（しえん：鳶はトビ）」と呼ばれた。江戸期以降は、関東ではタコ（凧）と呼び、関西ではイカノボリやイカと呼んだ。長崎ではハタ（旗）と言う。しかし、厳密には南方系の菱形の凧をハタと呼ぶ。大陸系の凧では平戸の「オニヨウチョウ（鬼洋蝶）、五島のバラモン（婆羅門）や、壱岐のオンダコ（鬼凧）がある。

　長崎のハタの由来には、オランダ商館の使用人で、良く凧揚げをしたインドネシア人が、凧をパタンと呼んだことによるとか、オランダ商船の旗に因んだとかがある。寛政9年（1797）成立の『長崎歳時記』には「あごはた」があり、文

政年間（1820年頃）、長崎奉行の命で編纂した『長崎名勝図絵』にはアゴハタがある。アゴは長崎方言でトビウオのことであるが、「アゴみたいなパタン」あるいは「アゴみたいなハタ」からアゴバタと言うようになった、とも言えよう。

　ただ、一部でパタンをインドネシア語としているのは無理がある。現在もインドやパキスタンでは凧をパタンと言う。しかし、インドネシアでは凧はラヤンラヤン（layang-layang）であり、パタンとは言わない。ただし、出島のインドネシア人たちは、オランダ東インド会社の拠点があったジャワ島バタヴィア（ジャカルタ）で雇用されたものと思う。ジャカルタには、紀元前1世紀にはインド商人が訪れ、ヒンディー語を話す移住者も多数いた。当時のインドネシア人が凧の呼称にヒンディー語のパタン（पतंग）を使っても不思議はないのである。

　また、長崎のハタは、ガラスの粉をハタの糸（長崎方言でヨマ）に塗り付け、糸の切り合いをする喧嘩バタである。同様の風習は現在の東南アジアの国々でも見られるそうだが、特にヒンディー語を使うインド中部や北部では“凧の糸切り合戦”が盛んで、ガラスの粉を塗り付けた糸による負傷事故や死亡事故がニュースになったりする。残念ながら、ハタをヒンディー語由来とするには裏付けが足りない。しかし、日本語に借用されているヒンディー語のバンガロー、ジャングル、パジャマ、シャンプーなどにハタが加わるならば愉快だと思う。

　長崎の喧嘩バタは、江戸時代から盛んであったが、春の例祭に重ねて毎年何度も行われた。往時、ハタ合戦の日は、近郊からも大勢の人々が集まった。長崎のハタ屋たちはそれぞれ二間半四方の陣を構え、幕を巡らし、緋毛氈や茣蓙（ござ）を敷いて客人をもてなした[1]。

　一般の観客も弁当持参は当たり前で、中には酒肴を用意し、芸者を侍らせて宴

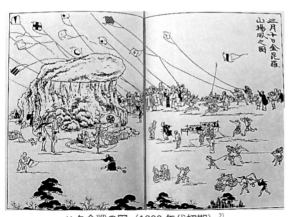

ハタ合戦の図（1800年代初期）[2]

会をする者もあった。切り落とされたハタの取り合いは激しく、古絵図の中には切られたハタを、長い竿で根ヨマを絡め取ろうとする人も描かれている。中にはハタの奪い合いで喧嘩をしている人々もいる。長崎奉行所は風紀の乱れを理由に何度もハタ合戦禁止令を出している。

　長崎のハタは色も形もシンプルである。これは切り合うハタを識別しやすくするためである。これは喧嘩バタの「用」である。また、長崎バタには尾がない。これもハタをあえて安定させず、自由自在に操るための「用」である。とはいえ、長崎バタの絵柄は"粋"である。空に揚がった時の見栄えも計算されている。民芸も工芸である以上「用」と「美」は不可欠なのである。

　ところで、"オランダ国旗様のハタは「丹後縞」と呼ぶから、オランダ国旗と言えない"という説がある。確かに斜め縞模様のハタを「○○縞」とする例はある。しかし、明らかに信号旗を真似たものもある（国際信号旗は1858年英国で制定）。長崎の人々が、商船や商館ではためくオランダ国旗を意識しないはずがない。おそらく、"阿蘭陀国旗"と呼ぶのをためらったのは「阿蘭陀（キリスト

阿蘭陀国旗のハタ（大守屋）

教を含め）」を賛美しているという誤解を避けたかったからではないかと思う。オランダ商館ではクリスマスの祭りすらできなかったので「阿蘭陀冬至」として祝うぐらい神経を使っていた時代だったのである。

　今回、長崎のハタ作りの大守屋を訪ねた。店主の大久保学氏は元サラリーマンで、定年を待たず退職し、ハタ作りを始めた人である。「なぜハタ作りをやろうと思ったんですか。」という私の野暮な質問に「長崎のハタが好きだったということに尽きますね。」と答え、続けて、長崎の人とハタとの関わりを説明してくれた。

　また、数年前、来店したフランス人の誘いで、長崎の書道家と共に、フランス西部の地方都市の凧揚げ大会に参加し、長崎のハタを紹介したところ、子どもに

も大人にも大好評だったことも語ってくれた。現在、同店にはハタの図柄をデザインした手拭いやミニ・ハタグッズなどの商品もある。これらを求める客も多いからである。去り際に「ハタ作りには後継者がいないので将来が心配です。」と語った大久保氏の言葉は私の胸に刺さった。後継者難は各地の民芸共通の課題だからである。

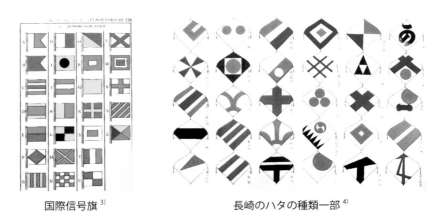

国際信号旗 [3]　　　　　　　　　長崎のハタの種類一部 [4]

3．肥前びーどろ

　寛永19年（1642）、佐賀藩は幕府から福岡藩と一年交代で長崎警備をするよう命じられた。重い任務であったが、いち早く海外の文物に接することができるという役得はあった。幕末、いわゆる「蘭癖大名」の一人、鍋島直正は、嘉永3年（1850）、佐賀に築地（ついじ）反射炉を築き、翌年には鉄製大砲の鋳造に成功している。また、嘉永5年（1852）、多布施に精錬方（理化学研究所）を設置し、蘭書の翻訳や、各種技術の研究、開発をした。嘉永6年（1853）、ペリーが来航すると、幕府が佐賀藩に多数の大砲鋳造を命じたため、多布施にも反射炉（多布施公儀石火矢鋳立所）を築いた。また、精錬方では酸に強い薬瓶や実験器具の必要もあって硝子の製造も始めたが、この面では一足先輩の薩摩にも学んだようである。

　明治維新後は、明治4年（1871）、精錬方は鍋島家管理の精錬社となり、明治12年（1879）、同社の青木熊吉、岡部才太郎、副島源一郎らは工部省工作局の

品川硝子製造所（この時正式名称は品川工作分局）の伝習生として派遣され、英人技術者のジェームス・スピードらに洋食器製造等を学んだ。ここには佐賀精錬方出身で唯一の日本人技師・藤山種廣（翌々年、工場総轄就任）もいた。明治15年（1881）には、エマヌエル・ホープトマンがカット技術の指導を始めている。しかし、同分局は赤字続きで、明治16年（1882）、廃止され、藤山は同年帰県（3年後死亡）したが、佐賀の伝習生も同時期に帰県したものと思う。

　明治15年（1882）、スピード送別会の写真の中には藤山（44歳）と青木（18歳）が確認されている。ここの伝習生たちには、その後の日本のガラス産業の担い手となる錚々たるメンバーがいた。

　佐賀の精錬社は、紆余曲折を経て、明治27年（1894）、佐賀精錬合資会社となったが、青木と共に副島も経営に加わったようである。明治36年（1903）4月、副島は同社から分離独立し、副島硝子工業所を設立したが、同社は、昭和58年（1983）、副島硝子工業株式会社となり、現在に至っている。精錬方跡で経営していた青木の会社は、昭和15年（1940）、閉鎖した。前年12月、青木熊吉が死亡したため、やむなく工場を閉じたのであろう。幕末の精錬方の伝統は現在"副島硝子工業"のみが受け継いでいる。明治、大正、昭和初期の佐賀ガラス全体の製品には、ランプのホヤ（火屋または火舎）、コップ、燗瓶、醤油入れ、油入れ、金魚鉢、魚取器、蠅取器などがあったようである。

　副島源一郎は8歳で精錬方に入り、当時主任だった佐野常民に可愛がられている。源一郎の父と佐野は親しい間柄であったが、家庭の事情もあって、源一郎を佐野に預けた（源一郎の孫で現社長・副島太郎氏談）。源一郎は精錬方生え抜きの職人だったのである。平成5年（1993）4月、副島硝子工業のガラス工芸技術は、佐賀市重要無形文化財指定となっている。また、同

長崎の硝子職人（1800年代初期）[5]

社のガラス製品は佐賀県伝統的地場産品の指定も受けている。ただ、現社長・副島太郎氏は、伝統を守りながらも、新しい挑戦もしなければ企業は生き残れない、と考えている。副島硝子では、40年以上前開発した「縄文シリーズ」、最近では、7年前開発の「虹色しずく型グラス」、2年前開発のアクセサリー作りなどにも挑戦している。

　しかし、同社は精錬方以来の伝統も守り、古くから作り続けている燗瓶（写真参照）は高度な技術を要する、二本のガラス竿を使う「ジャッパン吹き」で作っている。これはガラスが空気以外他の物質に触れないため、器はあくまでもなめらかでやわらかくあたたかい。

　ところで、この「ジャッパン吹き」の語源は不確かであるが、長崎、中国、薩摩が絡んでいそうである。長崎の硝子作りはかなり早く、1600年代後半頃までには始まっているが、長崎の硝子は当時西洋主流のソーダ硝子でなく、鉛硝子だったことから中国由来とする説が有力である。

　ここでいきなり飛躍するが、昭和中期まで日本の数ヶ所に残っていた「ジャッパン吹き」のジャッパンは中国語の「リャンバン（両棒）」の訛りではないかと私は思う。もちろん、後に伝わった鉄の竿で吹くことを「舶来吹き」と呼び、日本旧来の「硝子の竿で吹くこと全体」を「和吹き」と呼び、訳語に「ジャパン吹き」を当てた可能性はある。しかし、ここで問題にしたいのはあくまでも「二本の硝子竿を使う宙吹き」の古称である。

　ところで、鹿児島の仙厳園（別名磯庭園）の元硝子工場のあった「尚古集成館」の隣に慶応元年（1865）創業の「元祖両棒餅中川家」がある（両棒餅屋は磯地区に数軒固まっている）。ここで売る両棒餅は丸い小さな餅に二本の串を刺したもので「ぢゃんぼ餅」と呼ばれている。

　「ぢゃんぼ」は中国語の「リャンバン（両棒）」を語源とする。リャンバンあるいはリャンボウが「ぢゃんぼ」に訛ったものと思う（鹿児島では「ラ行」を「ダ行」に訛る。悋気（りんき）→ヂンキ。来年→デネン。楽（らく）→ダッ）。鹿児島県出水市出身で佐賀在住の私は、この"ぢゃんぼ餅"から二本の竿を使う"ジャッパン吹き"をつい連想してしまう。また、昔の硝子職人が「とも竿」に巻き取る硝子の生地を"餅種"と呼んでいたことも気になるのである。

大阪硝子も、宝暦年間（1751 ‐ 1764）、長崎の職人・播磨屋清兵衛が当地で製造したのが始まりである。

　江戸でも 18 世紀初めには硝子作りを始めている。しかし、江戸の硝子製造は長崎や大阪のように盛んでなかったので、文政 11 年（1828）、浅草の上総屋留三郎は長崎に行き、数年間硝子製造を修行し、同じ頃、日本橋加賀屋の使用人・皆川文次郎（後の加賀屋久兵衛）は大阪に行き、播磨屋一門の和泉屋嘉兵衛に弟子入りし、数年間修行した。その後、二人は江戸硝子普及の功労者となった。特に、加賀屋久兵衛は、天保 5 年（1834）、金剛砂による硝子器の表面加工をしたが、これが江戸切子の始まりとなったのである。

　鹿児島では、弘化 3 年（1846）、藩主・島津斉興が製薬館を作ったが、酸に強い薬瓶を作る必要もあって、江戸の加賀屋久兵衛一門の高名な四本亀次郎を招聘した。四本は曲芸のような二本の硝子竿を操る硝子器作りなども披露し、薩摩の職人の卵たちを大いに刺激したと思う。硝子工場を見学した鹿児島の人々も、二本の硝子竿を巧みに操る「リャンバン吹き」の技には、目を丸くし、讃嘆の声をあげたことだろう。その時の感銘が丸い餅に二本の棒を刺した「両棒餅（ジャンボモチ）」作りに繋がったのではないかと私は考えるのである。両棒餅はかなり古い頃から作られていたという記述も見たことはある。もし、それが事実だとしても、幕末の薩摩の商人が「リャンバン吹き」と「両棒餅」をダブらせて売り出そうとしたということかもしれないと思う。

　嘉永 4 年（1851）、藩主を継いだ島津斉彬も西洋技術の研究、開発を奨励し、仙厳園（磯庭園）で集成館事業を盛んにし、硝子製造工場もここに移した。薩摩では蘭書にあった色被（いろきせ）技法の「赤硝子」の製造に成功し、斉彬は重厚で深い輝きを持つ薩摩切子を将軍への献上品や他藩の大名への贈答用品とした。幕末、薩摩の硝子工場では 100 人以上が働き、集成館全体では 1200 人が働いていた。実は、安政 4 年（1858）6 月、佐賀藩士千住大之助（脇役）、佐野常民（精錬方主任）、中村奇輔（精錬方）の 3 人は、直正から斉彬に贈る電信機を携え、薩摩に行き、集成館等を見学し、千住の「薩州見取絵図と風説書」[6] を残している。3 人は硝子工場も訪ねたが、ここで「ジャッパン吹き」を見た可能性は高い。「ジャッパン吹き」と「ぢゃんぼ餅」の間に何か関係があったら面白

いと思うのだが、残念ながらこれも現在のところは決定的な史料はない。翌年、斉彬が亡くなると、集成館事業は縮小され、硝子職人の中には江戸に向かう者もいたし、後に大阪に行った者もいる。硝子業界では、国内各地の相互交流があったのである。その後、文久3年（1863）、3日間の薩英戦争で集成館は灰燼に帰し、明治10年（1877）2月に勃発した西南戦争で決定的な打撃を受けた。

　硝子の世界はロマンに満ちている。しかし、ガラス作りにも課題は少なくない。副島太郎氏は、私の後継者に関する質問に「技術習得に10年かかりますからね。後継者問題は大きな課題です」と語った。

ジャッパン吹きによる燗瓶

縄文シリーズのグラス

4．鍋島緞通

　現在、佐賀県伝統的地場産品及び福岡県知事指定特産工芸品に指定されている、鍋島緞通の製造、販売元の「株式会社　鍋島緞通吉島家」の本社は、旧佐賀城西堀の通り沿いにある。ここには工房を核にミュージアムとショールームを併設している。緞通は、中東を起源とし、シルクロードを経由して中国に伝わり、中国からわが国に伝来した。元々は中東の厳しい自然環境下で生まれた生活必需品の民芸品であった。緞通の語源は中国語の毯子（だんつ）である。

　鍋島緞通は、元禄時代（1688-1704）、肥前国佐賀郡扇町（現佐賀市嘉瀬町大字扇町）の古賀清右衛門の使用人が長崎で中国人から製法を学んでいたというこ

とで、その技術を近隣 12 戸に教え、農民たちの手で作った。当初はまさに民芸品だったのである。経糸、緯糸、パイル糸すべてに綿糸を使う敷物は、高温多湿の日本の気候にも良く合っていたが、佐賀藩ではこの珍しい " 敷物 " を御用品とし、清右衛門には扶持米を与え、一般への販売は禁じた。佐賀藩はこれを幕府献上品や他藩大名への贈答用品に用いた。古い資料は殆どないが、扇町の苗運寺に明治 17 年（1884）建立の緞通碑があり、由来他が記されている。

　古くは「花毛氈」とか「扇町紋氈」と呼ばれた。維新後は、緞通とか佐賀緞通などいろいろに呼ばれたが、しだいに「鍋島緞通」が定着していった。維新後は、一般への販売も自由となり、神埼出身の大島貞七が鍋島家から緞通の製造・販売の権利を譲り受け、数名の織師とタイアップして事業に当たった。ただ、大島は緞通の安売りや輸出などは考えず、鍋島緞通の良さを世に広く知らしめることに傾注したように見える。大島は鍋島緞通を看板にしながら、綿ネルやタオルなどの製造、販売で稼いだのである。大島は、明治 21 年（1888）頃には神埼実業銀行の専務をし、明治 34 年（1901）、佐賀緞通製造所（伝習費無料の職業訓練学校）の設立時は発起人の一人となっている。

　また、明治 10 年（1877）、鍋島家の援助で設立され、士族授産を目的とした「更生会社」は、鍋島緞通を主要製品として製造、販売したが、大正初期、「厚生舎」に組織替えし、大島が事業を引き継いでいる。大島は、大正半ば、同舎の生産の重点を綿ネルや軍用綿布に移し、大正 15 年（1926）、厚生舎の名称を佐賀織布会社に変え、主に敷布やタオルの生産をした。大島は、大正半ば、鍋島緞通から遠ざかったが、鍋島緞通のブランド化に貢献した最も重要な人物であった。

　大正半ば以降、鍋島緞通の製造、販売を続けたのは、吉島正敏商店（明治 45 年 –）と原田商店（大正 7 年 – 昭和 30 年）の 2 ヶ所であった。両社とも旧鍋島藩御用品を " 売り " にしたのは大島と同じである。

　明治 45 年（1912）4 月 1 日（大正改元は 7 月 30 日）、鍋島緞通吉島家の前身「鍋島緞通製造販売元吉島正敏商店」は、佐賀市赤松町で創業した。創業者・吉島正敏は、佐賀監獄を退官（当時 45 歳で早いようだが）し、退職金を全部はたいて事業を開始したと言う。正敏は同監獄の更生事業として取り入れていた鍋島緞通の製造、販売に、織師の藤戸精一と共に関わっていたようである。

昭和6年（1931）8月30日、創業者の正敏は63歳で亡くなるが、その後、吉島家では何度か大きな試練に見舞われている。その一つは、昭和17年（1942）、2代目の吉島正清が30歳の若さで死去したことである。この時は正清の妻・義子が前々から鍋島緞通の製造に携わっていたことから事業の継続を可能とした。ただ、この時期にはもう一つ大きな試練があった。昭和12年（1937）7月、戦時体制下に入ったわが国では軍需物資補給が優先され、また、国際関係の悪化から綿糸輸入制限などもあって、内外の綿糸確保が難しくなった。昭和18年（1943）、吉島商店と原田商店は緞通技術保存者資格（吉島家では義子）を得て事業の継続が保証されたが、材料確保の困難は免れず、同年、緞通の製造、販売を中断している。昭和29年（1984）、吉島家は久留米に移転し、昭和38年（1963）から昭和41年（1966）までは休業している。吉島家が久留米から再び佐賀市赤松町へ戻ったのは平成18年（2006）のことである。

　日本の三大段通には鍋島緞通、堺緞通、赤穂緞通がある。赤穂緞通については、宮原香苗[7] 氏の綿密な鍋島緞通の研究を参照し、堺緞通とも絡めて、その位置付けを究明した高嶋忍[8] 氏の学位論文がある。日本の緞通について詳しく知りたい方は一読されたらいいと思う。

（財）鍋島報效会蔵（明治後期）[9]

鹿島市・願行寺蔵（江戸末 – 明治前期）[10]

今回、吉島家では、経験 10 年の男性職人さんに案内と丁寧な説明をして戴いた。会話の中で意外だったのは、織師見習いの募集をすればけっこう応募者があるということだった。現在ここには後継者難はないのである。これには鍋島緞通の"ブランド品効果"もあるのだろう。

　鍋島緞通は安くはない。一畳サイズでも手作業で完成まで 2 ヶ月は要すること、大切に使えば 100 年以上もつこと、などを考えれば、それなりの価格になるのも当然であろう。そして何よりも旧鍋島藩ゆかりのブランド品であることから相応の価格になるのだろう。ただ、吉島家でもすべて手織りの製品以外に、一部だけ機械を使った、手刺繍仕上げの新製品＝新鍋島緞通もある。これなら製作時間も価格も半分程になる。座布団サイズだと数万円で買える。私でも手の届く鍋島緞通があるのである。

　最後に、職人さんに「ご家族に家にも一つ欲しいと言われませんか」と訊いたところ「2 年前、祖母が亡くなったので、仏間には私が手織りした緞通を敷いています」とのことだった。また、「玄関や椅子に敷くものなら新鍋島緞通もいいですよ。手入れも楽ですし」とも言い添えてくれた。

5．おわりに

　海外との交流から生まれた肥前地方の民芸 3 点について、あれこれ思うところを自由に記述した。想像や推測が過ぎた面はあるが、学ぶことも多々あった。最初は、民芸の国際間の関係にばかり目を向けたが、国内の地域間交流が存在することにも気付いた。また、民芸にも「守り」と「攻め」が必要なことも再認識した。生活様式の変化で庶民の求めるものも変わるからである。

　いい民芸品との出会いはいい友人との出会いに似ている。いい民芸品はいい友人と同じように私たちの人生を味わい深いものにしてくれると思う。

注
1), 5) 越中哲也・注解『長崎古今集覧名勝図絵』（長崎文献叢書第二集第一巻）、長崎文献社、限定本 1000 冊中 第 542 号、昭和 50 年
2), 4) 渡辺庫輔『長崎ハタ考』、長崎県民芸協会、非売品、昭和 34 年
3)『国際信号旗と手旗信号』、海文堂、昭和 38 年

6）「薩州見取絵図」及び「此節於薩州凡聞取手覚」、（財）鍋島報效会、安政 4 ～ 5 年

7），9），10）宮原香苗編『鍋島緞通―木綿の華―』、佐賀県立美術館、1992 年

8）高嶋忍（学位論文）「地域文化としての伝統工芸：赤穂緞通の歴史と文化に関する研究」、奈良女子大学提出、2016 年

前村 晃（まえむら あきら）

・1947 年（昭和 22）鹿児島県生まれ
・佐賀大学名誉教授／元西九州大学教授
・前村 晃（執筆者代表）他 3 名共著『豊田芙雄と創草期の幼稚園教育』建帛社、2010
・前村 晃著『豊田芙雄と同時代の保育者たち 近代幼児教育を築いた人々の系譜』三恵社、2015
・E.W. アイスナー著、前村 晃・仲瀬 律久他共訳『美術教育と子どもの知的発達』黎明書房、1986
・ハワード・ガードナー著、部分訳担当／仲瀬 律久・森嶋 慧訳『芸術、精神そして頭脳 創造性はどこから生まれるか』黎明書房、1991
・受賞／日本保育学会保育学文献賞（2011 年／同学会最高賞）

日本工芸の多様性と工芸教育のこれから

尾澤　勇

1. はじめに

　新型コロナウイルスの蔓延の中、世間の風潮として、学校教育の中で、美術や工芸の教育に対する無関心が進行していることをとても心配している。大学でも、五感の中の視覚と聴覚の一部のみによるリモート授業がスタンダードになりつつある。美術の中でも特に、触覚や味覚、嗅覚などを駆使して感じ取り味わう「工芸の学び」については、なおさら危惧の感を強くしている。

　私は、小学校の時から図画工作と理科、特に生物、歌、社会科が好きであった。中学校では、好きなものしか勉強しないので、英語、数学、国語の成績が振るわず、高校受験の時になって、はたと困った。父がSONYのテープレコーダーの設計技術者であったことから、家族は、手に職をつけた方がよいということであったし、私も手仕事が好きだったので東京都立工芸高等学校（1907-）の金属工芸科（現：アートクラフト科）に入学した。ここで、金工の鍛金・鋳金・彫金の基礎や旋盤、製図、レンダリング、描写などを学んだ。都立工芸高校在学中に渋谷の東急本店で開催されていた第2回日本新工芸展（日本新工芸家連盟主催、1980）を見に行き、東京学芸大学の越智健三先生、宇賀神米蔵先生の鍛金作品に触れ、東京学芸大学に進学する決意をした。都立工芸高校は工業系であったため、普通科の内容を授業で行わない。一浪して予備校で共通一次と受験用デッサンを学び直して入学することができた。日本の工業科と普通科の受験体制の不自由さについて身をもって実感した。日本のものづくりは、江戸期までは科学技術、医学、工業、生活の道具などが全てつながっていた。例えば、葛飾北斎（1760-1849）が、百物語「こはだ小平二」で髑髏を表したり、解体新書で「秋田蘭画」の小田野直武（1750

−1780)が解剖図を描いたりした。医学では、木で精巧につくられた実物大の人体模型、「奥田木骨」（1800頃）、「生き人形」（幕末−明治）の精巧な生首、明治期の象牙彫刻の旭玉山（1843−1923）の牙彫の髑髏など、医学と絵画、彫刻、大衆風俗などは綿密につながっていることがわかる。通称「からくり儀右衛門」、田中久重（1799−1881）は、からくり人形師でありながら、蒸気機関車や蒸気船、織機なども開発した。後に田中製作所（現：東芝）を創業する。このように江戸期までは、手仕事を通してものを考えたり工夫したりすることが、我が国の文化や文明を拓く基礎であった。

　法隆寺や伊勢神宮に代表される建築は日本の造形の源流の一つである。自然を神や仏とし、美的な感性のもと、素材、自然を生かしながら、人々を幸せで豊かにする造形が、現在まで、大切に残されている。その精神が濃厚に残っているのが、いわゆる、「工芸」の分野である。

　「工芸」は美術分野なの？　工業分野なの？　ということを私の受験体験から制度の狭間について触れた。私は、明治の工部大学校付設の工部美術学校（1876−1883）の廃校以来、美術と工学・工業は分断されてしまったのではと感じている。都立工芸高校が工業高校に位置付けられているのもその名残だと思う。例えば、日本で建築を学ぶのも、美術系と工学系の大学に分断されている。美術の感性と工学や材料学、物理学など、結局どちらの学びも修めなければ人間の生活を豊かにする建築はつくれない。

　明治以降、ファインアートの考え方が我が国に入ったとたん、それまでの自然を生かし、生活を豊かに幸せにするという日本古来の造形が、分断されてしまった。明治に個別の分野に細分化されたものが、今日、「STEAM教育」[1]などの考え方により再び、科学・技術・工学・数学・芸術が有機的に繋がろうとしている。五感を大切にする「手仕事を通した教育」はその架け橋になると考えている。

　本稿では、日本の工芸と日本の工芸教育について、工芸の作り手であり、工芸教育の実践者でもある尾澤が考えている根幹について、エッセイとして記述したい。

2．明治以後、今日の工芸の認識

　日本は、明治期に西洋の思想を取り入れる中で、ギリシャ以後の西洋の「真・善・美」の思想に裏打ちされ、究極の美を追究することこそ、神の境地であり、正しく、善なるものであるという、ファインアートの考え方を受け入れた。江戸期以前の日本の有象無象のものづくりは、仏像や襖絵、手鏡、装身具、食器、化粧道具、服飾、建築などある意味、道具や装飾、信仰などの機能や用途を兼ね備えていた。今日的に言えば、「工芸的」なものであった。ところが、いわゆる「ファインアート＝純粋美術」の考え方が導入され、それまでの造形を切り分けていった。ファインアートの筆頭は、絵画である。今日、私が美術の作家で教育者であると自己紹介すると、「画伯」ですか？　というような返答がなされる。今日の日本においては、美術はまるで絵画が代表のようなイメージを皆が持つようになってしまった。絵画や彫刻の美に対する純粋性や精神性の高さこそ崇高なものというような刷り込みが私たちの心の中に確かに形づくられている。工芸的なものは、「美」を応用し、装飾や機能などを形体にしている。「美」に近いけれど、「美」とは少し違う、「アプライドアート＝応用美術」だという考え方である。ある意味、「二等美術」扱いである。世の中の人々に意図した差別意識のようなものがあるわけではない。しかし、西洋美術、及び絵画中心教育が長年行われてきたことは事実で、その結果として現状があると思う。

　私が勤務する、秋田公立美術大学の１年の学生に、尾形光琳の国宝の紅梅白梅図屏風と尾形乾山の色絵竜田川文透彫反鉢（重要文化財）を見せると、紅梅白梅図屏風の認知度は、まずまずなのに対して、弟の乾山の焼き物に対する認知度はほぼゼロである。作者の乾山についても知らない。学生に作者の光琳が兄で乾山は弟で、共に制作した作品もあると紹介すると、全く知らなかったと言う。今の学生は、絵画と工芸という明治に分化された価値観で未分化であった江戸期の作品を鑑賞してしまう。また視覚美術の「みかた」で形と色のみで捉えてしまう傾向もある。触覚美術としての工芸の「みかた」についても経験が少ないのである。その後、高村光太郎（1883-1956）のブロンズの「手」を見せる。高村光太郎という作者については、少し知っている学生がいる。ブロンズの手の作品については見たことがある学生が多くなる。その後、高村豊周（たかむら　とよちか1890-

1972）の真鍮でできた鋳金の花器、「挿花のための構成」を見せると、作者、作品共に誰もわからない。父の高村光雲は明治期の彫刻家。兄の高村光太郎は彫刻家で詩人。弟の高村豊周は、鋳金家でモダニズムの影響を受け、後に重要無形文化財保持者（いわゆる人間国宝）及び日本芸術院会員に認定された人物である。豊周は、光太郎の死後、光太郎の詩集や兄嫁の心を病んだ智恵子の業績を世間に広く伝えようとした。昭和時代でさえ、「彫刻家」は美術史年表に掲載されているが、「工芸家」は学校教育の中で全くというほどに無視されている。日本の美術を学ぶ人たちが、知らされていないのであるから、学生が知るよしもない。美術の教員の研修会で、このプレゼンを行うと、尾形光琳と乾山については、さすがに認知されている。高村光太郎の弟の豊周に関していえば、教員の認知度も低い。

３．日本工芸の多様性

　明治以後、今日に至るまで、工芸に関しては様々な主張や表現が行われた。ここでは尾澤が大切だと感じているものを、大まかに取り上げた。今日様々な研究書があるので詳細については、それを参照していただきたい。

（1）明治の工芸

　明治の工芸は、江戸期に必要とされてきた高度な手仕事技能を生かす場として、世界に日本の工芸の素晴らしさを誇示することで、列強に文化国家として日本を認めさせたいという国の政策と作り手の意向が合致した部分が多い。万国博覧会に出品された超絶技巧の作品の数々は今日見ても圧巻である。シカゴ万博（1893）に出品された鈴木長吉（1848-1919）作の「十二の鷹」（東京国立近代美術館蔵、重要文化財）は日本古来の各種の色金を駆使し12羽のポーズの違う鷹を生き生きと表した優品である。近年、明治の超絶技巧の工芸品は、TV番組や展覧会などでも取り上げられるようになった。京都三年坂美術館や三井記念美術館、東京国立博物館などに明治期の七宝、金工、刺繍、陶磁器、象牙彫刻など多くの作品が所蔵されている。

（2）民芸運動

　それまで評価されてきた工芸は、貴族や権力者が時間と手間を与えた技巧中心の工芸であったが、柳宗悦（1889-1961）は、職人が無心につくった器や道具に

素朴で健康な美が宿るとした。これを「民藝」と呼び、柳の思想に共感した作り手が生まれた。柳の指導で自信を取り戻した窯元や産地（壺屋焼、小鹿田焼・小石原焼、益子焼など）も多い。ただ無心につくる職人の手仕事を支える封建的な社会が大正から昭和にかけて既に滅亡しかけていた。民芸の作り手の中には作家として自身の作品をつくり、高い評価を受ける者もいた。民芸が尊ぶ無名性と作り手の作家性の矛盾も抱えていた。素朴な美しさや民衆の雑器の「美」について価値観を提示したことは意義深い。民芸の影響を受けた作家としては、河井寛次郎（陶器）、富本憲吉（色絵磁器）、濱田庄司（陶器）、芹沢銈介（染織）、黒田辰秋（木工・漆）、バーナード・リーチ（英国人・陶器）などがいる。

（3）モダニズムの工芸

西欧にはジャポニズムという形で、日本趣味の絵画や工芸品が作られた。またアール・ヌーボー、そしてアール・デコの時代に、日本の工芸家も西欧の影響を受けて作品をつくった。先に紹介した、高村豊周（鋳金）なども球や円弧、立方体などを組み合わせた、アール・デコの影響を強く受けた鋳金作品などを手がけている。

（4）戦後の工芸

①「用の美」にとらわれない工芸

戦後の工芸の潮流の中で、いわゆる「オブジェ工芸」と言われるものがある。その先駆けとなったのは走泥社である。1948年に八木一夫（1918-1979）、山田光（1923-2001）、鈴木治（1926-2001）など京都の若手陶芸作家を中心に実用性を伴わない「オブジェ焼き」という新たな陶芸分野を生み出した。八木一夫の代表作、「サムザ氏の散歩」（1954）はカフカの小説「変身」をモチーフにした衝撃的な作品である。戦後の日展工芸を牽引した「現代工芸美術家協会」の主張（1962）を引用すると、「─前略─　然し工芸の本義は作家の美的イリュウジョンを基幹として所謂工芸素材を駆使し、その造型効果に依る独特の美の表現をなすもので、その制作形式の立体的たると平面的たるとをとわず工芸美を追求することにある」とある。工芸は長らく「用の美」を持つものが主流だと思われていた。しかし、用にとらわれず、作家が表現に対する明確な制作意図を大切にして、工芸素材を工夫した表現をも工芸と言ってよいと宣言したのだ。私は、東京学芸大学の教授

である越智健三（1929-1981）先生の作品を見て鍛金を志した。「実」、「植物の印象」は代表作。52歳で早逝された。この時代の鍛金作品の金字塔を築いた作家である。

②クラフトデザイン

戦前のバウハウスの家具などの受容を経て、戦後、機能美と日常生活の両面を生かした日本のクラフトを目指した。当初は、生活の中で、アパートやマンションのリビングに似合う、北欧風の白い、スタイリッシュなクラフトからスタートした。波佐見焼の白山陶器のデザイナー、森正洋（1927-2005）の「G型しょうゆさし」などは、1960年の第1回グッドデザイン賞を受賞している。家庭の食卓から居酒屋のテーブルまで、どこでも見慣れたクラフトデザインである。どこまでが工芸か曖昧になる。クラフトデザインというと、大量生産的手法もとられる。工業デザインとの狭間にある。

（5）産業工芸試験場（産工試）

仙台に「工藝発祥」の碑がある。昭和3年（1928）に仙台のこの地に国立工芸指導所（後の産業工芸試験場）が作られた。ブルーノ・タウト（1880-1938）やシャルロット・ペリアン（1903-1999）らを招き、日本の工芸の産業化、産業工芸振興を主導した。後の戦後の工業デザインにつながる国主導のセンターであった。東京学芸大学の鍛金の越智健三先生もかつて産工試で研究されていた。私が学芸大学の学生時代に親しんだ技法で、アルミ板に銅や真鍮のメッシュの文様を打ち込む、打ち込み象嵌の技法も産工試での研究成果である。産工試の研究では、宮城の新しい工芸として、金属粉を塗りに応用した、玉虫塗などがある。工業デザイナーの秋岡芳夫氏なども産工試の研究員だった。戦後はアメリカの家具などのデザインや、フィンランドのカイ・フランク（1911-1989）やアルヴァ・アアルト（1898-1976）などの北欧デザインの研究を通して我が国の産業工芸・工業デザインを開発し牽引した。ラタンチェアや秋田木工のスタッキングスツール、乳酸菌飲料ヤクルトの容器デザインでも知られる剣持勇（1912-1971）も産工試出身。

（6）2つの伝統工芸　―文化財保護法（文化庁）と伝産法（経済産業省）―

一般に「伝統工芸」と言われているものには、国の2つの機関によって別の法律

で振興されている。

　一つ目は、文化庁所管の「文化財保護法」1950年（昭和25年）における重要無形文化財保持者（人間国宝）・各個認定と保持団体認定制度である。戦前の日本には1890年（明治23年）制定の帝室技芸員制度はあったものの戦後は無形文化財の保護・指定制度は存在しなかった。重要無形文化財保持者や伝統工芸作家、技術者等で組織する公益社団法人日本工芸会と文化庁他が主催する日本伝統工芸展を中心に、無形の工芸技術の「わざ」を振興し、後世に伝えることを使命としているものである。

　二つ目は、経済産業省所管の「伝統的工芸品産業の振興に関する法律」1974年（昭和49年）に規定されている「伝統的工芸品」をいう。

　「伝統的工芸品」の条件は、

①伝統的な技術または技法

②伝統的に使用されてきた原材料

③当該伝統的工芸品の製造される地域

の3つの指定内容を満たしたものをいう。

　伝統工芸士認定制度による伝統産業従事者の振興も行われている。一般財団法人伝統的工芸品産業振興協会により認定が行われる。受験資格は、経済産業大臣が指定している伝統的工芸品の製造実務経験が12年以上あり、なおかつ産地内に居住していること。

　文化庁の人間国宝を頂点とした、「伝統工芸」は、高度な伝統技術を高め、その技術を振興し後世に伝えていくことが必要である。経済産業省の「伝統的工芸品」は地域の伝統産業を振興する目的がある。手仕事だけではなく、機械を使うことも許容されており、「的」という曖昧な字が入っている。両者は重なって指定されていることもある。越前和紙であれば、人間国宝は、九代目・岩野市兵衛がいる。伝統的工芸品としても「越前和紙」が指定されている。

　このほかにも工芸技術の振興に関係する制度として、厚生労働省が認定する、「現代の名工」1967年（昭和42年）による技能者表彰がある。卓越した技能者表彰制度に基づき、厚生労働大臣によって表彰された卓越した技能者（卓越技能者）の通称である。

4．工芸と工芸教育の関係

(1) 工芸教育の根本

　工芸の教育は、1860年代に北欧フィンランドでウノ・シグネウス (Uno Cygnaeus,1810-1888) が北欧の生活の中で受け継がれていた「手工・手仕事＝Käsityö (フィンランド語)・Slöjd (スウェーデン語)」を世界で初めて普通教育に位置付けた。宮脇　理先生はシグネウスについてこのように述べられている。「彼は物が作られるということは単に物が具体化するだけではなく、その過程では同時に人間も作られるということに気付いていく。彼の脳裏にはおそらくあの冬の寒い日々、貧しいながらも炉端を囲んでスロイドする行為の中に、父が子へ、母が娘に技術を伝えると同時に、人間が作られるあらゆる場面が思い起こされたに違いない。それは産業主義によって分断されたあの体温のある自然な教育システムへの回想であったのであろう。」[2]

　北欧から戦前の日本に伝えられた手工は、図画と共に、図画工作科、美術科や工芸科の源流となった。

　シグネウスの一滴は、世界に広がり、今日の私たちの教育の根本になっている。工芸教育は父や母と共に、手や頭、身体を駆使して、様々な知恵を投入し、つくりながら生活を心豊かに工夫し、学んでいくという場をつくることと、その行為を楽しく行うこと、それによって人間としての全人教育を行うことである。

(2)「作り手」と「使い手」育成

　私は、金属工芸の作り手で、工芸教育の実践者である。日本の工芸と日本の工芸教育というのは、日本の人間づくりの両輪を成すものだと思う。しかし両者が有機的に作用しているかといえば、今までの学校教育の中で日本の工芸について伝えたり、地域の伝統産業のよさや美しさ、自然を生かした日本工芸の造形的な美しさに子ども達を触れさせたりする機会を意図的につくってきたかと言えば、それは不十分でだと考えている。

　今までの作り手教育は、専門教育として、産地や人間国宝制度、伝統工芸士、現代の名工などの顕彰、専門の高校や専門の養成機関の振興は行われてきた。例えば、工芸立国を自認している石川県なども石川県立工業高校の工芸科や石川県挽物轆轤技術研修所などの専門の手仕事従事者育成には力を入れているが、普通高

校における、芸術科必修選択４科目の音楽、美術、工芸、書道のうち、工芸の開設率は非常に低い。備前焼で有名な、岡山県では、普通高校の芸術必修選択４科目の中で、工芸の開設が無いと聞く。

　日本の手仕事やものづくり、おもてなしの心など世界的に見ても評判がいい。しかしそれを支える、一般の使い手を育てる教育が非常にお粗末である。

　地域の伝統産業の元気が無いのは、それが原因であると思う。

　「自分のふるさとの漆塗りのお椀を普段から使うように促す教育をやっていますか？」私たちの教科は、「造形的な視点で捉える」ことが教科の根幹である。工芸において、造形的な視点で捉えることは、見た目だけではなく、持ってみて、使ってみて、素材感や心地よさ、使い勝手などを実感することが必要である。実感的によさを理解する人材を多く育成する必要がある。

①工芸の振興をはかる人物

・秋岡芳夫（1920-1997）

　工業デザイナーで、三菱鉛筆ユニのデザイン、学研の科学の教材のデザインなどを手がける。大量生産・大量消費社会に疑問を投げかけ、「暮らしのためのデザイン」という持論を実践した。普段別の生業を持っている人が週末に凝りに凝った究極の手仕事を行う「裏作工芸」などを推奨した。地域の木工の器を地元の生徒に使ってもらう取り組みなど、手仕事やクラフト産業の育成のために尽力した。工業デザインから手仕事の教育に戻って来た実践者。

・森本喜久男（1948-2017）

　京都の友禅染めを主宰していた森本は、内戦後の荒廃したカンボジアに入る。内戦を生き延びたおばあさん達が、高度なクメールシルクの技術を持っていることを知る。1993年に３人のおばあさんを中心にクメール伝統織物研究所を設立。カンボジア伝統の絹織物の復興と、伝統的養蚕の再開に取り組む。おばあさん中心に娘や男性も集まって来て、織物の復興や産業化を通した村ができる。持続可能な伝統文化の復興を果たした。森本の「伝統は守るのではなく、つくるもの」という言葉が耳に残っている。

・矢島里佳（1988-）

　職人の技術と地方の魅力に惹かれ、19歳の頃から日本の伝統文化・産業の情

報発信の仕事を始める。「21世紀の子どもたちに、日本の伝統をつなげたい」という想いから、2011年、大学卒業と同時に株式会社和えるを設立。職人（作り手）と若い家庭（使い手）を「和える」という会社が間を取り持って、0歳児から、日本の工芸を身近に使ってもらう活動をしている経営者。「和える」では、こぼしにくいカップやスプーンですくいやすい、深皿など、各産地の異素材で同じデザインで制作を依頼している。私など、工芸の作り手の意識では、素材が違えば、器の形体は変化させる必要があると考えるが、新しい視点で商品企画している。作り手の意識改革と若いよき使い手を育んでいる。

・中川政七商店十三代 中川政七（1975-）

　高級麻織物、奈良晒の商いで1716年に創業した中川政七商店十三代。2002年、家業である株式会社中川政七商店に入社。衰退し続ける工芸業界の現状に危機感を抱き、2007年「日本の工芸を元気にする！」というビジョンを発表。翌年、社長就任。精力的に直営店や展示会を通じて商品の流通やサポートを行い、全国の工芸産地の元気な工芸メーカーをつくる取り組みをしている。「遊中川」、「日本の贈りもの」、「中川政七商店」というコンセプトの異なるブランドを立ち上げ、日本工芸の魅力をアピールしている。中川政七商店企画のボードゲーム、「日本工芸版モノポリー」をご存じだろうか。日本工芸の産地の工芸のコマを使ってゲームを行う。上野駅では、日本工芸をモチーフにしたガチャガチャもある。

　4名の方を取り上げた。ここで共通することは、「共感」である。「作り手」を育てる時に手から手へ、共感と共によさや勘所が伝えられ、面白さを実感し創意工夫が生まれる。「使い手」を育てる時、「作り手」と「使い手」の間に入り、素材のよさや技法、作り手の思い、世界への発信やブランド力、生活の中での活用の場面などを丁寧に説明している。実際のものや、映像などを使って、工芸のよさに触れたことのない方を実感的な理解に導く場や機会をつくっている。かつての近江商人の商いのように「作り手」と「使い手」、「問屋」が全て得をする「三方よし」の考えなども「共感」が要であり、現代にも生かしたいところである。工芸のよさは、触覚を中心に素材感やさわり心地などが重要である。見た目より伝え難いところがある。だからこそ「共感」できるための場や機会を工夫していくことが必要である。

5．おわりに ―手仕事を通した学びを家庭内に―

　日本工芸の多様性と他分野の架け橋となる工芸の学びについて概観してきた。はじめに、新型コロナ蔓延の状況下で、学校教育の中で工芸を通した教育が行われ難くなっている現状を憂いた。2018年6月5日の大臣懇談会の資料では、『今後おとずれる「Society 5.0」の社会に必要な力とは、予測困難な社会の変化の中で豊かに生きるためには、変化に対して受け身で対処せずに、むしろ目指すべき社会像を議論し、共有し、実現していくことが重要となる。我々が目指すべき社会は、経済性や効率性、最適性だけを追求した無機質なものではなく、あくまでも人間を中心として、一人一人が他者との関わりの中で「幸せ」や「豊かさ」を追求できる社会を目指すことである。』[3]とある。手仕事が学校教育に導入されたのは、産業革命後のフィンランドであった。家庭の中で、先祖の文化に対して手を通して継承することと、親子の手仕事を通した学び合いの中から人間教育がなされていた。それが失われつつある中で、学校教育に導入されたのだ。今日、新型コロナの蔓延下、学校で手仕事や体感を通した学びが難しくなっていることも踏まえ、もう一度、家庭内の教育力を育むことに力を入れるチャンスではないだろうか。現代の家庭内で家族から伝える伝統文化などは無いと言われるかもしれない。そのような伝統があれば伝える機会となるであろうが、本当に大切なのは、家庭内の親子対話や一緒に手仕事の体験や鑑賞を行うことを通して、親子の深い理解や、異世代間での違いを確認しながら、「共感」の場をつくり、身近な生活を豊かに創意工夫していく学びの機会であろう。学校の先生方が家庭内での工芸という複合的な学びを核に実践的なSTEAM教育[1]の推進ができるような家庭学習に向けた、発問・課題提示の工夫が欠かせない。学校内の教育のみを注視するのではなく、小・中・高の図工、美術、工芸の先生方が家庭内の家族を巻き込んだ学びの場をつくる指導の工夫が必要となるであろう。今後は、現職教員研修や、教職学生の指導にも以上の視点を盛り込んで実践指導の研究を行っていきたい。

注

1) STEAM 教育

   Science（科学）、Technology（技術）、Engineering（工学）、Mathematics（数学）を統合的に学習する「STEM 教育（ステムきょういく）」に、Arts（リベラルアーツまたは芸術）を統合する教育手法である。技術や工学を応用して、想像的・創造的なアプローチで、現実社会に存在する問題に取り組むように指導する。

2) 大橋晧也・宮脇 理編、『美術教育論ノート』、開隆堂、1982

   宮脇 理、「3. スロイドシステムとロシア法 ―工作・工芸教育の源流」、 P.20-25

3) Society 5.0

   Society 5.0に向けた人材育成～社会が変わる、学びが変わる～

   平成30年6月5日 Society 5.0に向けた人材育成に係る大臣懇談会新たな時代を豊かに生きる力の育成に関する省内タスクフォース

   https://www.mext.go.jp/component/a_menu/other/detail/icsFiles/afieldfile/2018/06/06/1405844_002.pdf

参考文献

前田泰次、『「現代の工芸」―生活との結びつきを求めて―』、岩波書店、1975

秋岡芳夫、「工房生活のすすめ」、みずうみ書房、1979

「季刊装飾デザイン29　特別企画昭和の工芸　個性と暮らしの伝統の美」、学習研究社、1989

北澤憲昭、『美術のポリテックス ―「工芸」の成り立ちを焦点として』、ゆまに書房、2009

「幕末・明治の超絶技巧　世界を驚愕させた金属工芸」、佐野美術館、2010

「DOMA 秋岡芳夫展　モノへの思想と関係のデザイン」、目黒区美術館、2011

笹山 央著・市川文江編、「現代工芸論」、蒼天社出版、2014

矢島里佳、「和える ―aeru―」、早川書房、2014

中川政七商店十三代　中川政七、「日本の工芸を元気にする！」、東洋経済新聞社、2017

尾澤 勇（おざわ いさむ）

・1964（昭和39年）東京都生まれ

・公立大学法人 秋田公立美術大学教授（大学院修士課程兼担）

・教育学修士（東京学芸大学大学院、1989）

・「金属 さまざまな特性と用途・技法」『ベーシック造形技法 ―図画工作・美術の基礎的表現と鑑賞―』建帛社、2006

・「フィンランド美術・工芸系教育について」『アートエデュケーション思考 ―Dr.宮脇 理88歳と併走する論考・エッセイ集―』ブックウェイ、2016

・受賞／第10回日本新工芸展 日本新工芸賞「躍」、（社）日本新工芸家連盟、東急本店、1988

　第25回日本新工芸展 日本新工芸会員賞「風にそよぐ」、（社）日本新工芸家連盟、上野の森美術館、2003

　第35回日本新工芸展 日本新工芸会員賞「竜の歩」、（公社）日本新工芸家連盟、国立新美術館、2013

現代的な教育媒体としての剪紙についての考察
—中国伝統文化の継承と現代化—

徐　英杰

1．はじめに

　20世紀90年代以来、グローバル化の推進と技術革新により、現代社会と生活は急速に変化し、メデイアなどの新しい文化が形成される一方で、伝統文化の継続が厳しい挑戦に直面している。多くの国は小中学校の美術教育を通して伝統文化の継承と発展を図っている。

　中国の小中学校の美術教育においては、現行している『義務教育美術課程標準（2011年版）』（日本の図画工作科と美術科の学習指導要領と相当する）は、教育理念の項目で「祖国の素晴らしい文化を愛し、世界の多元文化を尊敬する」と明記し、「優れる民族や民間の美術と文化遺産を大切し、民族としての誇りを高め、世界の多元文化を尊敬する態度を養う」[1]の教育目標を定めており、民間美術[2]が伝統文化の教育にとって重要な役割として期待されている。

　本稿では、中国の民間美術である剪紙を対象に、小中学校の美術教科書に関わる剪紙の題材と教育実践を考察し、文化の継承と発展について論述する。

2．中国剪紙について

　剪紙（paper-cu／切り紙）は、中国の民間では長い歴史があり、「絞紙」、「窓花」、「窓染花」などとも呼ばれ、主に紙を材料として、はさみや彫刻刀などで透かし彫りを行う伝統的な民間美術である。それは語呂合わせ、象徴、寓意などの手法によって、自然の形象を洗練させ、その風格が独特なグラフィックの世界を形成する。

　現存する最古の剪紙作品は北朝（西暦紀元386-581年）の団花の剪紙の作品であり、新疆のトルファン阿斯塔那の北朝の墓から出土された[3]。剪紙に使用する

道具と材料は普遍的で、簡単であるため、はさみと紙だけで、思い通りに作る者の考えを反映させ、見る者にも愛される作品を作り出すことができるため、中国で最も普及した、最も単純な民間美術だといえる。

　しかし、コンピューターでの芸術的デザインのプロセスや工業化された製品生産過程におけるコピーのレベルが高まるに伴い、剪紙などの伝統工芸美術の世界に惹かれ、制作をしようとする者や愛好家の数が大幅に減り、人々の生活から徐々に消えていく。

　これらの状況が背景にあり、2006年5月20日、剪紙は中国の国務院により国家級無形文化遺産に認定された。そして、2007年6月5日には、中国の国家文化部により、河北省蔚県の王老賞の弟子である周兆明が、この文化遺産における代表的な伝承者に認定された。これは、剪紙が中国の民間美術における特殊な地位を持つことを示している一方で、剪紙に対する伝承と発展の課題を浮き彫りにした。

3．美術教科書における剪紙の教育
⑴美術教科書について
　中国の小中学校の教科書は1988年以後、教科書検定制度が導入され、『義務教育美術課程標準（2011年版）』（以下は「課程標準」と略記する）に基づいて、編集された各出版社の美術教科書には、それぞれ特色があり、美術の授業に欠かせない重要な教育資源である。

　剪紙は中国の各出版社の小中学校美術教科書においても1つの学習内容として扱われている。ここでは、人民美術出版社が2017年に出版し、全国各地で幅広く使用されている小中学校美術教科書を調査対象とする。人民美術出版社（以下、「人美版」と略記する）は小学校の1年生から中学校の3年生まで各学年に向けて計18冊の教科書を出版した。教科書は、『課程標準』が定めた「造形・表現」「デザイン（工芸を含む）・応用」「鑑賞・評価」「総合・探求」という4つの学習領域に基づいて、赤、緑、青、紫の四色で各学習領域の題材を目次で区分し、内容を構成している。

⑵剪紙に関わる題材

　表1に示すように、剪紙に関わる題材は人美版教科書で9つの題材が掲載されており、民間美術の領域に限っていえば、その題材数は最多である。学習領域にしたがって、「デザイン・応用」、「総合・探求」、「鑑賞・評価」の3つ学習領域に分けて配置されているが、「デザイン・応用」領域に扱われる剪紙の題材が最も多い。9つの題材を見ると、主に以下の4種類に分けられる。

表1　人民美術出版社の小中学校美術教科書に掲載される剪紙に関わる題材の一覧表

番号	学年	題材名	学習領域	剪紙の作品数
1	小・3（上）	「花模様を刈り込む」	デザイン・応用	12
2	小・4（上）	「剪紙の吉祥模様」	デザイン・応用	9
3	小・4（上）	「剪紙の陰刻と陽刻」	デザイン・応用	6
4	小・4（上）	「多彩なクッション」	デザイン・応用	1
5	小・4（下）	「対称形をうまく使う」	デザイン・応用	1
6	小・5（下）	「多彩な民族伝統模様」	デザイン・応用	1
7	小・6（上）	「故郷の芸術」	総合・探求	1
8	小・6（下）	「カラーボールのデザイン」	デザイン・応用	2
9	中・3（上）	「民間美術に入る」	鑑賞・評価	1

注：①「（上）」は第1学期であり、「（下）」は第2学期である。②剪紙の作品は、芸術家、教員、
　　学生の作品を指している。

①剪紙に関する知識や技法の学習を中心とした題材

　このような題材は、中国の伝統文化へのアイデンティティの形成を促すため、剪紙そのものの伝承を教育の目的としている。例えば、教科書で「花模様を刈り込む」[4]という題材は、小学生にとって剪紙を初めて触れ合う教育内容である。子どもに興味や理解を促すために、花と動物に関わる剪紙の作品が多く取り入れられている。題材の左ページには、剪紙についての基礎概念が紹介され、「成功に近づく（馬到成功）」と「夏の蓮の花（夏目蓮花）」などの祝福の意味を込めた親しみやすい剪紙の作品が配置されている。右ページには、花模様がある4つ折りの剪紙の作り方を写真で提示し、子どもに制作を促している。そのほか、「剪紙のめでたい模様」[5]と「剪紙の陰刻と陽刻」[6]という2つの題材も剪紙の学習を中心とした題材であり、より多様な表現技法を身につけるため、対称剪紙、陰刻、陽刻の技

法を学生に提示している。

②地域や民族の文化への理解を促す題材

　中国は多民族国家であり、地域によって文化が大きく異なっている。したがって、芸術を通して文化と社会との関係性への理解を促す題材が必要である。例えば、「多彩の民族伝統模様」[7]という題材では、伝統模様の形成が各少数民族の生活習慣と関わっていることを子どもに理解させるため、剪紙が１つの事例として掲載されている。また、「故郷の芸術」[8]という題材では、文化と地域との関係性を子どもに理解させるため、中国の各地域に生まれた建築、陶芸、剪紙、彫刻などの芸術作品を探究の対象として選出された。中には「花虎剪紙」という中国陝西省の剪紙が１つの探究の事例として掲載されている。

③美術の基礎知識や一般概念の学習を中心した題材

　このような題材は、剪紙それ自体が学習の対象ではなくて、「構図」「色彩」などのような美術の基礎知識や一般概念の学習のための教育媒体として活用されている。例えば、日常生活には対称形がよく見られる。この対称形も美術教科の基礎的な造形知識である。「対称形をうまく使う」[9]という題材では、中国の古代建築、民間剪紙、凧などの伝統的な作品を鑑賞させることで、学生に対称形を理解させている。題材の終盤には、剪紙の表現方法を用いた、対称形がある作品の制作プロセスと学生作品の事例を提示し、子どもに体験させてみる流れになっている。

④剪紙が現代生活やデザインに応用される題材

　このような題材は、現代の生活と関連させることによって、剪紙は単に古代から伝承された美術なのではなく、現代の生活とデザインに活かせるものであると、発展的に考える視点が用意されている。例えば、「カラーボールのデザイン」[10]という題材は、主にカラーボールの作り方を学ぶ題材であり、その作り方のプロセスが教科書に詳細に紹介されているが、めでたい事柄や幸せの寓意を表すために、カラーボールの表面に剪紙が飾られる作品を事例にしている。また、他の題材にもこのように剪紙を取り入れる事例がよく見られる。例えば、剪紙を

日常生活によく使う茶器、バッグ、クッションに貼り付ける作品は他の題材にもよく取り入れられている。

4．中学校における「剪紙の構成」題材の教育実践

筆者は2018年から華東師範大学美術学院で「教育実習」を指導してきた。この授業を履修する学生は美術教育専攻の大学4年生で、11週間の教育実習を渡って、教員としての実践的指導力を身につけることになっている。

一方、指導者である私は、題材研究の課題を学生に与え、探究力や研究力も身につけさせることを計画した。その結果、この3年間で行った題材研究を振り返ると、剪紙などの民間美術への実習生の関心が非常に高いことがわかった。

本稿では、伝統文化の伝承と創造力の育成という教育課題をめぐって、学校現場で実践した「剪紙の構成」という題材研究を取り上げる。この題材は中学校2年生を対象に、3つの単元を分けて6回目の授業を行った。

単元1の題材名：「剪紙芸術の鑑賞と模様デザイン」
活動内容：

第1単元の授業では、平面構成の知識と結びながら、「虚実相間」（虚と実の関係性）と「陰陽混切」（陰刻と陽刻の組み合わせ）の剪紙作品を鑑賞し、その表現方法を学び、装飾としての窓花を作る。
目標：

剪紙芸術の鑑賞と実践を通して、剪紙に興味を持たせ、北地方と南地方の剪紙の特徴を理解し、陰刻と陽刻の技法を身につける。
主な材料と用具：

赤い紙、ハサミ、彫刻刀、ゴムのり、剪紙作品
授業の流れ：

時間	主な活動内容
0.45時間	剪紙芸術について知る。 剪紙の作品を鑑賞し、主に陰刻、陽刻、陰陽混切の3つの表現方法を観察させ、ワークシートで中国の各地域の剪紙と表現技法と結ぶことで、その特徴への理解を促す。

0.45 時間	剪紙が日常生活に応用される作品を鑑賞する。 剪紙の技法を使い、窓花を作る。 教室の窓に飾ってみる。

単元2の題材名：「篆書体を取り入れよう！
立体の蝶々剪紙のデザイン」

活動内容：

　第2単元の授業は、立体構成の知識と結
びながら、中国の伝統文字である篆書体で
学生の名前を書き、その文字の形を蝶々の
翼に合わせてデザインし、立体の蝶々剪紙
を作る。

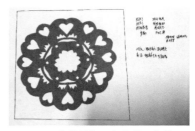

図1　生徒が作った窓花の作品

目標：

　立体構成の基礎的な知識を理解した上で、漢文字を変形する方法と線の造形法
則を身につける。

主な材料と用具：

　色紙、ハサミ、彫刻刀、ゴムのり、剪紙の作品

授業の流れ：

図2　模様を工夫している生徒

図3　立体の蝶々剪紙を作っている生徒

時間	主な活動内容
0.45 時間	図形と線のリズムについて知る。 篆書体で自分の名前を書く。 蝶々の翼に合う文字や好きな文字を選ぶ。 翼の形と構図を配慮しながら、選んだ文字を変形し、図案を作る。
0.45 時間	図案をモデルして、立体の蝶々剪紙を作る。 完成した蝶々を教室に飾り、互いに鑑賞する。

単元3の題材名：「色刷りの剪紙プレゼントカードのデザイン」
活動内容：

　第3単元の授業では、色彩構成の知識と結びながら、中国の伝統模様の意味を探究し、単元1と単元2の授業で身につけた剪紙の表現方法を生かして、剪紙プレゼントカードを作る。
目標：

　色刷りの剪紙の表現方法を理解し、面白い剪紙のプレゼントカードを構想し、どのように表すかを考えることができるようにする。発想や表現の工夫を互いに伝えることができるようにする。
主な材料と用具：

　色紙、ハサミ、彫刻刀、ゴムのり、発表案
授業の流れ：

時間	主な活動内容
0.45 時間	色刷りの剪紙を鑑賞し、その表現方法について学ぶ。 プレゼントカードしたい相手を想定しながら、祝福や感謝などのメッセージを表す文字を決め、篆書体で書く。 語呂合わせ、象徴、寓意の表現方法で、その文字と動物や花などの形と合うように変形する。（例えば、中国語の「福（幸せ）」は動物の「こうもり（蝙蝠）」の「蝠」と同じ発音である。学生は語呂合わせの表現方法を使い、幸せの意味を込めるプレゼントカード（図4）の構図を考えた。） 色刷りの剪紙の図案を作る。
0.45 時間	図案に沿って、色刷りの剪紙プレゼントカードを作る。 完成した作品を教室に展示し、鑑賞会を行う。 作品の意図と工夫点を周りの人に伝える。

図4　生徒作品1　　　　　　　　　　　　図5　生徒作品2

　本題材では、平面構成、立体構成、色彩構成の基礎知識と結びつけて、剪紙を学習する。具体的に言えば、剪紙の鑑賞を通じて、中国の伝統的な表現方法を学んだ後、古文字を取り入れた剪紙の制作という新しい学習につなげる流れである。この一連の学習を通して、現代的な視点から剪紙を再考する機会を生徒が得たこと、そして創造的な表現を体験できたことは、この題材がもたらした成果であると言えよう。

5．おわりに

　大量の材料を用意しなくても、紙を一枚用意するだけで、様々な発想を引き出すことができる剪紙は、中国の小学校の美術教育において重要な位置を占めており、伝統文化の継承、地域や民族の文化への理解、美術の基礎知識や一般概念の学習、さらには、現代生活やデザインへの応用などの教育媒体として取り入れられている。

　一方、グローバル化の現代社会においては、個人が国際社会の一人として、多種多様な文化の価値を知り尊重するために、国内・国外の伝統と同時代の芸術を理解する必要がある。そして、伝統文化を深く理解し、現代につなげるためには、自分と他者、自分と社会との関係について深く考察することが求められている。したがって、古代から伝承されてきた伝統文化が持つ価値を理解するためだけの美術教育ではなく、学生が他の国や地域の文化と自らの文化を比較し、それぞれ

の魅力を吟味することができる美術教育を目指す必要がある。これらの活動を通して、世界的なレベルでの文化の相互交流を活性化し、未来志向の文化創出力を培うことが重要であろう。

　こうした目的に照らし、現代の教育媒体として剪紙の教育を行う場合には、伝統文化、同時代の文化、未来志向の文化創造へと繋げていけるように剪紙の教育内容と方法を考えていかなければならない。

注）

1）中国教育部『義務教育美術科カリキュラム標準（2011 年版）』北京師範大学出版社、2012 年
2）民間美術（Folk art）は、中国の伝統文化から生まれ、主に労働者が中国の伝説や物語などを素材にして創作した美術作品である。中国の民間美術は剪紙、年画、刺繍、泥作りなど多くの表現様式があり、独特な民族性と地域性を持っている。
3）張雲仙『剪紙』寧夏人民出版社、2016、p.12
4）人民美術出版社『美術（3 年級・上冊）』人民美術出版社、2017 年、p.50-51
5）人民美術出版社『美術（4 年級・上冊）』人民美術出版社、2017 年、p.44-45
6）同上、p.46
7）人民美術出版社『美術（5 年級・下冊）』人民美術出版社、2017 年、p.20-21
8）人民美術出版社『美術（6 年級・上冊）』人民美術出版社、2017 年、p.36-38
9）人民美術出版社『美術（4 年級・下冊）』人民美術出版社、2017 年、p.15-17
10）人民美術出版社『美術（6 年級・下冊）』人民美術出版社、2017 年、p.12-14

参考文献

1）張雲仙『剪紙』寧夏人民出版社、2016、p.12-14
2）銭初熹「中国中小美術教科書中的伝統文化」『全球教育展望』332 号、2015 年、p.117-128
3）李万斌「中国民間剪紙芸術魅力与美育価値研究」『四川師範学院学報（哲学社会科学版）』2 号、2000 年、p.88-92

徐 英杰（じょ えいけつ）
・1987 年 中国・洛陽生まれ
・華東師範大学美術学院講師（中国・上海）
・博士（芸術学・筑波大学、2017 年）
・徐 英杰「中国の師範大学における美術教員養成の分析」（分担執筆）『アートエデュケーション思考』学術研究出版／ブックウェイ、2016
・宮脇 理、佐藤 昌彦、徐 英杰、若林 寿子『中国 100 均の里・義烏と古都・洛陽を訪ねて』学術研究出版／ブックウェイ、2020
・徐 英杰「中華人民共和国における美術教員養成課程のカリキュラム—1980 年代を中心に—」『美術教育学』第 36 号、美術科教育学会、2015、p.207-221
・第 13 回『美術教育学』奨励賞（2016、美術科教育学会）

日本の伝統文化「折り紙」の持つ可能性について
―折り鶴からミウラ折りまで―

劉　叡琳

はじめに

　世界の国々はそれぞれ独自の伝統文化を有している。その中でも「紙」は中国の偉大な発明であり、その「紙」を時の掛け橋として、中国文化の伝統は途切れることなく四千年も続いてきた。古の日本は中国を手本とし、中国から学んだ様々な知識が日本文化の根底に存在すると言える。漢字、仏教、書画、工芸、建築等にその証拠を見ることが出来る。中でも、紙による造形的遊びの一つ「折り紙」には、日本人の簡素で簡潔な美意識、潔い精神性や、祈りの心や感情が内包されており、広く民衆に流れる文化的遺伝子として受け継がれ伝統文化の中で類い稀なる独自の輝きを放っている。日本の折り紙は中国や西洋の折り紙はと違い、限定された厳しいルールの中で、その対象を捉えたユニークな造形性を持っている。一枚の正方形の中に、無限の造形性を見出す折り紙は、日本が持つ精神性、神秘性、更に、万人に愛される遊びと学びと驚きが包含されている。私はその様な独特な日本の伝統文化に強い興味を持っている。この独自の美意識は、極めて簡素でありながら宝石の様に美しい。幼児から高齢者まで、手の中に「ささやかな造形の喜び」を生み出す、素晴らしい伝統文化「折り紙」について深く研究したい。

　近年、少子化や核家族化、急速なグローバル化と情報化に伴う、生活スタイルの変化により、その素晴らしい日本の伝統文化は伝承することが難しくなり、大人や高齢者と幼い子供と触れ合う機会は、少なくなっているのが悲しい現実ではないか。そこに、世界を震撼させた新型コロナウィルス感染拡大が追い打ちをかける。家庭内に於いて、TV ゲーム等の多様なメディアに子供の生活は曝され、

折り紙の折り方を祖父母や両親や兄姉から教わるといった伝承体験そのものを子供から奪うこととなっている。教育分野に於いて、伝統的文化への関心も薄くなっていくように感じる。どんなゲームより、折り紙には伝承する価値が在ると信じたい。本文の目的は、日本独特の伝統的造形的遊びの折り紙の魅力に着目し、継承される遊びの中に存在する造形性の重要性を再発見することである。

『折り紙の歴史と保育教材としての折り紙に関する一考察』（2012）の中で五十嵐裕子は折り紙遊びの魅力を再考し、保育現場に於いて、折り紙遊びの意義を論じている。しかし、幼い子どもへの視点が殆どで、折り紙が高齢者に齎す良さに関する視点が不足している様に思える。ここまでの研究では、幼児の発達に於ける折り紙遊びの意義が指摘されていながらも、折り紙は日本の伝統文化として、高齢者や親から子供への世代を超えた伝承の価値についての研究は殆どない。その気付きをきっかけにして、その視点から折り紙を更に研究したいと考える様になった。

本文は先ず、古代から現代までの折り紙の辿って来た歴史とその変遷を調査する。また、折り紙の教育的意義の重要性を論証する。そして、教育インターンの機会を利用し、幼児の学年に於ける折り紙に対する意識を調査し比較検討するだけでなく、高齢者に対する効果についても検証したい。日本の伝統文化の美と価値を再認識し、継承され続ける価値の本質を明らかにしたい。最後に、折り紙で培われた智慧が「国際宇宙ステーションの太陽電池液晶パネル」や人体で活躍する「医療用ナノロボット」にまで活かされている「折り紙」の持つ驚異的な可能性についても論じたい。

１．折り紙の辿って来た歴史とその変遷
（１）　折り紙の発祥とその伝統
　①　折り紙の起源
　折り紙の起源には、中国起源説、スペイン起源説、日本起源説など諸説があり、折り紙は日本だけのものわけではない。折り紙は 2000 年ほど前に中国で始まっ

たとする説がある。五十嵐は論文『折り紙の歴史と保育教材としての折り紙に関する―考察』で折り紙の中国起源説について以下のように述べている。

　中国起源説は、製紙の起源が中国であることから、折り紙も中国で発祥したのではないかとする説である。本多（1969）は、アメリカで折り紙研究家として知名なオッペンハイマー女史が、本多が1936年にカナダで出版した著書 "How to Make Origami" の序文に「折り紙の技術は6世紀の初めの頃、紙の製法とともに、中国から日本の伝わったものである」と寄稿したことに驚いたと記している。そして本多は、女史のその知識は日本の百科事典の記述から得られていたこと、仏教とともに伝わった象代（かたしろ）の作り方を、折り紙の最初のものであるかのように伝えたことが中国からの伝来説になったと考えられること、しかしながら、「象代はその後、現代も鳥取地方に残存する"流しびな"に見られるような姉様人形体に進化し、続いて現代のひな人形にまで進歩したもので、折り紙とは別途に進んだものと解される」ことを明らかにしている。

　五十嵐は、紙が発明されてすぐに折り紙が始まったというのだが、遺跡から紙が出土しても折り紙が行われた形跡はないので、折り紙は中国から発明されることは今のところ根拠がないだろうかと考える。一方で、ヨーロッパには古くから折り紙があり、15世紀にはナプキンを鳥や風船に似たように折ることが流行し、18世紀のドイツでは学校で折り紙を教え始めた。
　西欧起源説について、五十嵐は以下のような事項を根拠としてあげている。

　一つ目は、西欧に製紙法が伝わったのは12世紀であるが、13世紀の書物で17世紀中葉まで版を重ねたヨハネス・デ・サクロボスコ（ジョン・オブ・ハリウッド）の『天球論』の、1490年にベニスで印刷された版の挿絵に、日本の『欄間図式』(1734年刊) に収められている「荷船」と同じ図案が見られることである。
　二つ目は、1614年頃にイギリスで初演され1623年に出版されたジョン・ウェブスターの戯曲『もルフィ侯爵夫人』に「紙の牢獄」という記述が見られることである。これは現在「風船」と呼ばれている折り紙の可能性があると考えられる

が、日本で「風船」が史料に登場するのは明治時代以降である。

　三つ目は、19世紀には折り紙に言及した史料がヨーロッパ各地に散見されるようになり、ニュルンベルクのゲルマン国立博物館やドレスデンのザクセンフォークアート美術館には1810年から1820年頃に折られた騎士や馬の折り紙が収められていること等である。このように、日本において遊戯折り紙が広まる以前に、西欧においてすでに独自の折り紙文化が発祥していたことが明らかにされている。

　五十嵐氏が述べた通り、当時のヨーロッパで折られた折り紙の形の中に、同じ時代の日本の記録にない折り方が多いとされる。スペインで「小鳥」と呼ばれる折り方は多くのスペイン人になじまれていた。しかし、日本の折り紙を代表する「折鶴」の折り方は同じ時代のスペインには見られない。つまり、折り紙はヨーロッパと日本で、それぞれ独立して発生したことが推測できる。

　②　日本における折り紙の起源
　折り紙は、日本人がその発展に大きく貢献したという。日本の折り紙の発展には幾つか重要な時代がある。平安時代に始まった紙を、折って使う習慣が武家の礼法となり、江戸時代になると紙の普及とともに、遊戯折り紙として庶民の間に広まった。しかし、最初の起源は平安時代なのか、実は正確なことは分かっていない。
　西川は『折り紙学起源から現代アートまで』に以下のように述べている。

　現代でも着物を包むのに使われる「畳紙」と呼ばれる紙があるだが、その歴史は、化粧道具等を包むのに使われた平安時代（794年から約400年間）の中頃に遡るとされる。しかし、それが直接折り紙に繋がったかどうかは分からない。

　西川氏が述べた様に、日本の折り紙の起源は、平安時代にあったと推測されるのだが、「折り紙」という言葉は平安時代からあって、当時は横長の紙を横に折った文書の形式を意味していた。日本文化の黄金時代であった平安時代は、儀礼作

法の最も重んぜられた時代でもあり、各種の儀礼様式に附随する儀礼用折り紙も多く生まれたと考えられる。

　室町時代、武家が贈り物や手紙を送る際に折り紙が「折形」という形式で現れ、これが現在の折り紙の原点と考えられている。その形式は幾つかの流派があり、小笠原流、伊勢流などが生まれた。13世紀、室町時代中期、足利義満（1358–1408）が弓馬の師範であった小笠原長秀に儀礼様式の道一規制を行わせたのが「小笠原流」、17世紀、江戸時代に有職古実家伊勢真丈によって改正増補された儀礼様式が「伊勢流」である。

　下図は伊勢家の伝書による結婚式用の男蝶女蝶と神前にお神酒を捧げる場合の儀礼様式で「おみき徳利口花形」である。現代の折り紙の紙風船、百合の花はこの二つの折形に基づいて改良した折り方である。

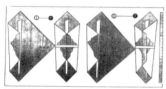
本多功 (1969)『日本のこころ　伝統折紙』p.23より引用

本多功 (1969)『日本のこころ　伝統折紙』p.22より引用

本多功 (1969)『日本のこころ　伝統折紙』p.23より引用

図1：熨斗　　　　　　　　図2：雄蝶雌蝶　　　　　　図3：おみき徳利口花形

　また、この礼法用の折り紙は、多くは「熨斗」のような様式的なものだったが、蝶に見えるような形もあったようだ。上図の「のしあわび」という形式は現代の熨斗の形の基本形となっていて、「のし」という名称も、この「のしあわび」を語源としたものとのことである。江戸時代に入ると紙の生産量が増え、紙の普及とともに「折り紙」は、ようやく一般庶民にも親しまれるようになっていた。

（2）　現代の折り紙　千羽鶴の関連

　「折り鶴」は、折り紙の中でも最もポピュラーな作品の一つであり、長い間、色褪せることがなく、親しまれてきた。平和の象徴の造形作品として「折り鶴」の成立には二つの要素がある。一つは「鶴」そのものへの意味づけである。もう

一つは「紙を折る」という文化が存在することである。田中は論文『造形芸術の「折り鶴」が果たす平和への役割―コミュニケーション・ツールとしてのアートの力―』で折り鶴の歴史について以下のように述べている。

「折り鶴」が日本の文献上に現れるのは、1682 年に出版された俳諧師、井原西鶴の「好色一代男」である。主人公の世之介が 7 歳の話として、「をり居を遊ばし、『比翼の鳥の形はこれぞ』」との記述がある。しかし、この文献には「比翼の鳥」がどのようなものなのか、具体的に図や絵は掲載されていない。「折り鶴」が図像として確認できる文献資料としては、1700 年に出版された雛形本『当流七宝　常磐ひいなかた』の中の 121 番「落葉に折鶴」の着物に、「折鶴」という言葉と図が初めて同時に現れる。また、「折り鶴」の図像が描かれている出版物として、1717 年は発刊の『けいせい折居鶴』がある。

その後、更に「折り鶴」1797 年には、世界最古の遊戯折り紙のテキストと考えられる『秘伝千羽鶴折形』が出版される。その中での「千羽鶴」は現在、一般的に言われる「千羽鶴」とは違い、つなぎ折り鶴のことを示している。「一枚の紙から数羽の連続した鶴を折る独特の連鶴」という折り方は桑名市の無形文化財に指定されている。

中国、前漢代の『淮南子』には、鶴は長寿の象徴として現れる。日本においては、鶴は瑞鳥といい、鶴の別名として仙界の霊鳥で尊い鳥という言葉が使われる。また、中国の古典から「鶴は千年、亀は万年」という諺として広く知られている。これらの意味を持ち合わせる鶴のイメージは、「折り鶴」にも受け継がれ、紙の造形として存在してきた。

佐々木禎子という人物と折り紙の関連は深いという。それによって折り紙は平和の象徴となり、更に意味を持ち合わせていくこととなる。1945 年、広島に住んでいた被爆者である少女で、広島平和記念公園で折り鶴を揚げ立つ「原爆の子の像」のモデルと言われる佐々木禎子。禎子の物語は国内外へと伝わって、毎年、1000 万羽の折り鶴が世界中から広島に寄贈される。鶴が長寿のシンボルであることから、「病気からの回復」の祈りを込めて千羽鶴を病人のお見舞いとして贈るほか、災害の被災者や、スポーツチームへの激励の贈り物としても使われることが多い。今、世界各地で、平和を祈り、困難を乗り越える「ツール」として折

り鶴を共通認識するようになってきている。

　また、「折り鶴」は造形芸術として成立できると言える。何故なら「折り鶴」の存在は、単なる作られた紙の造形のものではなく、「人が祈りを込めそれを伝えること」に主眼が置かれているからである。理学者のミハイ・チクセントミハイが提唱する『フロー』という概念は意識がバランスよく秩序づけられた際の心の状態を記述するための言葉である。具体的には、フロー状態の構成要素として次の8項目が挙げられている。

・明確な目的意義を持っていること
・集中し、深く探求していること
・体の活動と精神が融合し、無意識に動くこと
・時間感覚が失われること
・何かあったら自動的に調整すること
・スキルと難易度のバランスが合っていること
・状況や活動を自分でコントロールしていること
・本質的な価値を理解しており、活動が苦にならないこと

　折り鶴の制作において確認してみると、特に「本質的な価値を理解しており、活動が苦にならないこと」は、佐々木禎子の物語における平和の象徴としての折り鶴と以前に意味づけられてきた長寿や繁栄としての象徴を持ち合わせ、本質的な価値を持つと思われる。また、折り鶴の制作は禎子自身のフロー状態だけではなく、アーティストや特別なスキルを持つ制作者や一般市民と子供たちにもフロー状態が起こり、折り紙文化のない地域でも、広く受け入れられている。

2．折り紙と教育

　19世紀の中頃、世界最初の幼稚園を作ったことで知られるドイツの教育家、フリードリッヒ・フレーベルの教育法の中に「恩物」と呼ばれる遊具がある。その一つに折り紙が含まれていた。フレーベルの理論に含まれていたヨーロッパの

古典折り紙が江戸時代からの遊戯折り紙と混交し、今日の伝承折り紙の核になったと考えられる。明治時代になると、日本政府は外国を手本とした幼児教育理論の導入する際に、ドイツを始めとするヨーロッパの折り紙が日本に紹介された。

　フレーベル主義の幼稚園として創設した玉成幼稚園、玉成保育専門学校では恩物の体系を今も継承して行っている。折り紙は、玉成保育専門学校出版のテキストで「第15恩物」として紹介されている。フレーベルの教育遊具、手技工作に折り紙が含まれ、教育制度の始まりとともに、折り紙は保育教材として位置づけられていくことになる。

　以下の表は、恩物の体系（種類と並び）である。

「恩　物」		「手技工作」	
第1恩物	球体（まり）	第11恩物	穴をあける
第2恩物	球、円柱、立方体	第12恩物	縫う
第3恩物	積み木（立方体）	第13恩物	描く
第4恩物	積み木（直方体）	第14恩物	組む・編む・織る
第5恩物	積み木（立方体、三角柱）	第15恩物	紙を折る
第6恩物	積み木（直方体）	第16恩物	紙を切る・貼る
第7恩物	色板	第17恩物	豆細工
第8恩物	棒	第18恩物	厚紙細工
第9恩物	環	第19恩物	砂遊び
第10恩物	粒体	第20恩物	粘土いじり

玉成高等保育学校幼児教育研究会（1976）『フレーベルの恩物（手技・工作編）』
玉成保育専門学校恩物研究会（2000）『フレーベルの恩物で遊ぼう』より五十嵐作成

　日本の美術教育研究の第一人者である宮脇 理は「手で考える教育」という教育理念を提唱した。民芸的な「手の働き」を重視し、材料の形や感触を確かめながらモノづくりをする姿勢を幼少期から育む。また、『造形教育事典』の中で、造形教育は造形的な感性や表現の能力を伸ばす、創造性を育てる、情操豊かな人間性を養うものとして、人間形成に欠くことができないと述べている。最近、家庭内に於いて、TVゲーム等の多様なメディアに子供の生活は曝され、本来の素材の手触りを失っていると考えられる。世界を震撼させた新型コロナウィルス感染拡大が追い打ちをかける。

　折り紙は、単純な中にも、対象の観察やその表現、論理的で数理的な思考が含

まれる「手遊び」として紙を自由に用いることにより、子供たちの内界に形成されたイメージを外界に表現するために、3次元と2次元を繋ぐ変形学習として有効性が認められる。折り紙を折ることで、「頭」だけではなく「手」を通じて立体的に感じ取り、自然から学ぶことができる。モノづくりを通して自然に対する振る舞い方を身に付けること、ものを大切にする心が育つことは子供たちにとって何よりも道徳的な教育になる。

3．折り紙を用いた実践考察
　－横浜国立大学附属横浜小学校－

実施概要

日付：2月13日（木）13：00 ～ 13：45（昼休み）

場所：横浜国立大学附属横浜小学校

対象：一年生一組
　　　　二年生一組

人数：約50人

参加方法：事前に知らせ、自由に参加できる

事前用意したもの：折り紙に関するアンケート調査、折り紙用紙

図4：子供達のお母さんが作った折り紙装飾

活動の記録

　教育インターンの機会を得て、横浜国立大学附属横浜小学校で折り紙を用いた教育実践とその考察を実施した。当日、一年生一組、二年生一組を対象として、折り紙の折り方を教えた。テーマは、日本伝統折り紙の代表的な二つ「カエル」と「折り鶴」であった。

　折り紙を折ることで、子供たちが協力しながらコミュニケーションの時間が増えた。活動の中で、

図5：カエルを折る様子

ある二年生の子供が「今回、もっと難しい折り紙を教えてもらってもいい？」こういうふうに言った。名前が言えない複雑な折り紙が折れる子もいた。子供たちが折り紙に対して予想以上の関心を持っていることがわかった。

活動の様子

この実践を通して、子供たちの手の動く活動機会やお互いのコミュニケーションの機会を増やすことができた。また、手で紙の質感を触り、独特な感触も楽しむことができた。日本伝統文化の一つとしての折り紙の素晴らしさや重要性を認識させ、子供たちの繊細な感性を育むことに「折り紙」は有効ではないかと考える。

図6：折り鶴を教える筆者と学んでいる様子

3．折り紙の高齢者に対する効果

日本の超高齢社会は、今後、更に進むため、これからの社会において重要となってくるのは、高齢者がより長く自立して生活を送れることではないだろうか。一方で、高齢者に年々発症例が増加している認知症を未然に防ぐことが急務になってきている。

故に「折り紙」は子供の教育面に使われるだけではなく、介護施設などで多く取り入れられている。何故なら「折紙」は、指先や指の腹・親指の付け根などを器用に使い分ける必要があるため、手と脳が連動する良い頭の体操になるからである。

折り紙は多くの日本人に馴染まれ、準備に時間もかからないことから気軽に始めることができる。更に、短時間で完成させることができるため、脳のトレーニング成果が具体的に見え易い。こういった手軽さや効能、折る作品の種類の豊富さが、人々が折り紙を自然に続けられる理由となっている。杏林大学名誉教授：古賀良彦先生は「脳を活性化させるには、指と口を動かすことが重要だ」と語っている。折るだけでなく、色や紙質を変えたり、知らない折り方に対してどうす

れば創意工夫の機会を得ることができる。折り紙を折る時、目の前の紙と展開図を見比べて考えることで、更にそこからどう展開していくのか、脳の司令塔である前頭葉を中心に脳全体を使い、立体的に考えることができるのだ。つまり、日々創意工夫の機会と3次元的にものを見る「空間認知」が認知症予防に繋がるのである。

　また、アメリカの精神科医者ロバート・バトラーは創始した「回想法」という心理療法が主に高齢者を対象として、人生の歴史や思い出を受容的で共感的に聞くことである。高齢者が折り紙を折ることで、周りの人と話しながら昔作ったことを思い出し、脳の衰え防止にも役に立つことができる。これは、認知症に効果があるとされる「回想法」に近い行動に関連している。

4．折り紙の技術を応用した科学的研究
ミウラ折り
　ミウラ折りは東京大学名誉教授の三浦公亮が1970年に発表した折り方で、平行四辺形が敷き詰められたものである。紙の2箇所を動かすだけで、全体を開いたり閉じたりできる仕組みになっており、開きやすい地図に応用された。また「キリンチューハイ氷結」のアルミ缶も「ミウラ折り」が利用されている。最初から潰れていることで強度が増した形を活かして作られたアルミ缶は、開けた途端に収縮が起こり、強度も上がる。強度が増すということは、従来よりも缶の素材を薄くできるため、コストカットにも繋がる。

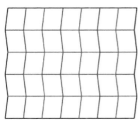

「ミウラ折り」の展開図

折り紙の技術が応用された氷結缶

また、人工衛星の太陽電池パネルを小さく畳んで宇宙に運び、大きく広げる仕組みにも、巧みに応用されている。折り紙の技法「ミウラ折り」を宇宙開発に活用することのメリットは太陽光発電用の液晶機材の縮小と拡大、宇宙空間での作業の軽減である。ロケットで宇宙へ運べる荷物の量は極めて限られているが、太陽電池パネルをコンパクトに折り畳むことで、１回のロケット発射で、部品を分解せずに打ち上げることができる。将来、巨大な太陽電池パネルがそのまま衛星となり「宇宙太陽光発電」に用いる構想もある。

医療用ナノロボット

　ハーバード大学 Shawn Douglas 博士らは、「DNA 折り紙」を利用した薬を運べるナノロボットを開発した。この「DNA 折り紙」技術は折り紙の原理を原点とし、DNA の螺旋構造を加工し、２次元や３次元の複雑な構造を作り出すことができる。DNA をナノデバイス組み立てのためのプログラム可能な素材として扱えるようにしたツールキットの開発がポイントで、DNA の塩基の強い結びつきと、比較的弱い別の結びつきを組み合わせることで可能になっている。

終わりに

　日本独特の伝統的造形的遊びの「折り紙」は長い歴史を持ち、古人の知恵が含まれる。「折り紙」には、日本人の簡素で簡潔な美意識、潔い精神性や、祈りの心や願いが含まれ、広く民衆に流れる文化的遺伝子として受け継がれてきた。「折り紙」には現代のデジタルゲームに比べものにならない素晴らしい価値を持つと考えられる。指先や手の動きの活性化に役に立つため、子供の脳を発達させ、創造性とコミュニケーション能力、子供の豊かな人間性を培わせる。また、老人認知症の予防についても役に立つ。折り紙は子供の伝統的な造形遊びだと思われるだが、その可能性は、宇宙工学まで広がっている。折り鶴からミウラ折りまでの多くの可能性は、美術教育の一環として、折り紙或は伝統文化の題材を多く提供すべきだと考える。今の時代だからこそ、「温故知新」の精神を忘れず伝統文化の美と素晴らしさを見直し、新しい未来の喜びを生み出せると考える。

劉 叡琳（りゅう えいりん）
・横浜国立大学 教育学研究科 教育実践専攻 教育デザインコース 美術領域 修士２年
・1995（平成７年）中国遼寧省瀋陽市生まれ
・2017 中国大連外国語大学日本語学部高級通訳学科卒業
・2021 横浜国立大学教育学研究科教育実践専攻卒業見込み

第 5 章

研究の道程

山口喜雄

H・リード卿の令息ベン氏に聴く

山口 喜雄

1．コロナ禍で遠退く「リアル面談」

　「情報化」という用語が汎用されて久しい。制度文書での用語「情報化」の初出は 1989 年 4 月中央教育審議会の西岡武夫文部大臣への諮問における理由の 1 行目「今後の我が国の社会については、国際化、情報化、高齢化など大きな変化が予想されている」の記述で、それ以前は未見である。実態調査・アンケート調査・実験など直接集めた一次情報ではなく、他者が集めて加工・再編した二次情報による文献研究が少なくない。さらに、2020 年の新型コロナの世界的な感染拡大により海外はもとより国内でさえもリアルな面談は遠退かざるを得ない時代となった。本書名『民具・民芸からデザインの未来まで ─教育の視点から』に関する重要な研究者として H・リードがいると筆者は考える。そのため、本稿は H・リード卿（Sir Herbert Edward Read、1893-1968）の著作『芸術による教育』（1943 年 *Education through Art.* New ed., ）[写真1・2] との筆者の出会い、その令息で元リーズ大学美術史学上級講師のベン・リード氏（本名：ベネディクト・リード、Ben（Benedict）Read, Former Senior Lecturer of History of Art, University of Leeds）への面談聴取 [3・4] まで、つまり二次情報との出会いから一次情報「リアル面談」への過程を叙述する。なお文字数に限りがあり、掲載写真には敬称略で氏名を記す失礼をお許し願いたい。

2．『芸術による教育』の習知からベン氏面談への長い過程
⑴習知、リカレント期の〔旧訳〕活用、〔新訳〕出版記念会発声人

　筆者は 1970 年 4 月に横浜国立大学教育学部美術科に入学した。しかし、ハー

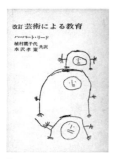

【写真左から】1. ハーバート・リード著『芸術による教育』改訂13 植村鷹千代・水沢孝策訳、版のカバー、1975 年刊、美術出版社〔旧訳〕　2. ハーバート・リード（前掲書）はしがき　3. 英国リーズ大学ハーバート・リード・コレクション入口に立つベン氏　4. 同室掲示のハーバート・リード写真（背景は撮影する筆者）

バート・リードの名も著作も授業で耳にせず、自ら知る努力もせずに過ごしていた。『芸術による教育』は美術教育界を牽引する書になるので購入するといいと、4 年時の附属中学校教育実習で指導教官の相場秀夫教諭に勧められた。教員採用試験、横浜市立洋光台第一中学校着任、新採用教員研修、授業準備や校内業務に精一杯で、2 年後に同書を手にした。同書扉の「芸術は、答を用いないで人間を教育する唯一の手段である」とバーナード・ショウの言葉が強く心に残った。一部運動部顧問教師の強引な生徒指導の日常化に接していたからである。とはいっても、筆者は教育理念の重要性を自覚していなかった。同書を開いても文章が難解で、いつしか書棚にしまい込んでいた。

　同書所持に喜びを感じたのは、リカレントの機会を得た 1986 年度である。横浜国立大学大学院で『芸術による教育』〔旧訳〕をテキストにした宮脇理教授[5]による講義を受けた。入手から 10 余年後の当時、同書は完売で入手困難であった。受講生 4 名が交代で各章を要約発表、筆者は「第二章芸術の定義」「第五章児童の芸術」「第九章教師」を担当し、課題である図式化したレポートを作成した。コピーの場合は当該章のみの視界に陥るが、同書所持で全体構成を把握したレポートを作成できた。他者への解説というアクティブラーニングで主体的な読解となり、本質に迫る宮脇教授の助言を得て研究の意義を自分の言葉で語ることに繋がった。

　飛んで 2001 年 10 月、『芸術による教育』〔新訳〕宮脇理・岩崎清・直江俊彦

【写真左から】5．宮脇理教授、1990年ころ　6．ハーバート・リード著『芸術による教育』宮脇理・岩崎清・直江俊雄訳〔新訳〕、2001年刊、フィルムアート社　7．H・READ著『芸術による教育』〔新訳〕を祝う出版記念会発声人の新井哲夫（群馬大学）・天形健（福島大学）・山口喜雄（宇都宮大学）、2001年、東京・市ヶ谷

の3氏による新訳本が刊行され、その出版記念会発声人 [6・7] として活動した。翻訳者3氏挨拶や祝辞諸氏の熱い思いはもちろん100名を大きく越える参加者からも『芸術による教育』〔新訳〕への斯界の期待の大きさを感じた。〔旧訳〕は参考文献10頁・訳者あとがき4頁に対し、〔新訳〕は原注48頁・本書への接近－解題にかえて22頁があり、同書研究を多角的に考察できる特長がある。新訳大扉に付された劇作家のショー（Bernard Shaw、1856〜1950）の文言が象徴的に示している。前述したが、植村鷹千代・水沢孝策による旧訳の「芸術は、答を用いないで人間を教育する唯一の手段である」に対し、新訳の本書は「私はただ、芸術は苦痛以外の唯一の教師であるという事実に注意を促しているのである」と訳され、問題行動多発中学校での授業実践の指針になった。

(2)問題行動多発中学校2校での授業実践を支えたH・リードの理念

　いわゆる内地留学の2年間を終え1987年4月、問題行動が多発する横浜市立大鳥中学校に転勤した。大学院でのリカレント学習、論文「美術教師十年の軌跡」執筆（1986年第21回教育美術佐武賞受賞）により問題行動多発下を越える授業実践のコアを形成することができた。同校の実態は、一般生徒でさえ授業中の私語・立ち歩き・飲食が日常茶飯事で授業が成立しない状態、問題生徒の校内自転車乗り入れ・喫煙・日に数回の非常ベル・半数以上の教師への暴力行為の連続であった。生徒指導の教師が、校内巡回中に注意をした3年生に刺されテ

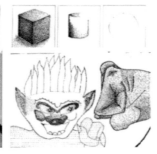

【山口喜雄授業実践】8. 性格表現の仮面づくりの展開 (中 1 男)、教育美術 50 巻 3 号、教育美術振興会、1989 年、49 〜 51 頁　9. 生徒の「関心事」との関連 1) 点描で立体を描く (中 3)、2) 雷神にパンチ (中 3 男)、3) 大仏の手のひらに乗りたい (左同)、『〈感性による教育〉の潮流』宮脇理・山口喜雄・山木朝彦、1993 年、146 〜 153 頁

レビ報道される事件が起きた。臨時 PTA 総会が開催され毎日父母が交代で授業参観と決議、職員会議でこの状況を改善するために毎週生徒指導研修会、毎学期の各学年研究授業を実施、保護者と教師が一丸となって取り組み、少しずつではあるが正常化に向かった。

　筆者は学級指導係で生徒リーダー養成講座責任者として活動した。「第五章児童の芸術」を読み返し [1]、芸術としての美術を通した授業実践に傾注した。自己の内面を見つめ表現する中 1「性格表現の仮面づくり」[8]、修学旅行で出会う古美術に自分が感じた主題を点描で表す中 3「日本美と私」[9] など生徒一人一人の興味に基づいて主体的に学習できる「関心事」を題材にした。学年副主任として毎週末に学年会を行い次週の活動を焦点化する提案を行い、荒れた生徒や無気力になりがちの一般生徒が主体的自覚的に学び活動しようとする学年運営や生活指導を他の同僚と共に展開した。中学校区内の小学校 3 校の 6 年生が私学に相当数が進学して、勤務校への入学者が 1 学級減となり教員定員が 1 名過員になった。これからという時に、3 名在籍の音楽か美術と指名されて残念であったが、勤務年数が最長であった筆者の転勤が決まった。

　次の横浜市立菅田中学校も問題行動が多発していた。前任校と同様に教務副主任と学年副主任を担当、人口 350 万人の横浜市中学校教育研究会美術部会研究部長の任にあり毎年度研究発表会を起案し運営しつつ、生徒の自己変容を促す授業実践を更新した。前任校での経験を生かして学校・学年運営にも H・リードの

【本欄全て山口喜雄著、『教育研究』筑波大学附属小学校初等教育研究会編】 10. 秋をたのしむ造形あそび、1078号、グラビア、1995年 11. 12歳のクリエーターたち、1093号、1997年 12. 少しずつ素敵な人に1100号、136〜139頁、1993年 13. こどもの目：先生との三年間の思い出、1108号、42〜43頁、1996年

理念を援用、同校の3年間に所属学年教師と共に問題行動ゼロの2学年を具現した。この前後の筆者の動向は「美術教育における〈学校現場経験〉の可能性」（『アートエデュケーション思考』BookWay、2016、198〜211頁）に詳述した。

⑶筑波大学附属小学校転勤で授業実践の視界が広がる

　縁あって筑波大学附属小学校に転勤、『教育研究』誌や美術教育雑誌に執筆できる機会が増え、視界を横浜市や神奈川県から日本や世界へと広げた。同誌第1078号「秋をたのしむ造形あそび」[10] は日本の伝統文化の底流にある四季の秋に、ここでは近くの野原で児童が秋を主体的に感受して造形あそびに取り組む授業を行った。第1093号「12歳のクリエーターたち− 40人の造形バラエティー」[11] では、児童たちとの事前協議で「材料・技法・主題」から材料を共通すると決めた。さらに、8×8×20㎝の木材を選択、一人一人が創意で表現する題材とした。従前の単線型図画工作学習を短い適応としてのメイン題材で表現し、4ヶ月間のメイン題材での毎回の余暇を各自が判断して長い適応として別な表現を進展させる複線型の学習形態を展開した。5年生たちは短・長期に適応して表現した。材料（物質文化）・技法（制度的文化）・主題（精神的文化）のいずれかの課題をも自己決定することで「どのような状況にも対応できるソフトな自我」の形成を試みた。また、鑑賞により表現の多様性を体感させた。その現代性を第1100号「未来を拓く教育」特集の「少しずつ素敵な人へ−〈ソフトな自我〉

を育みジオカタストロフィを回避する」[12] に論述した。第 1108 号では 3 年生の視点から 3 年間という時間帯を「人生三分の一」ととらえ、95 × 135㎜の画用紙に虫メガネで見ながら 0.2 ないし 0.05㎜の細ペンで描き、色鉛筆での着彩と設定した。自然と集中力が持続し丁寧な描写となり、学級担任の「先生との三年間の思い出」[13] を鳥瞰するという芸術作用による絵の表現を児童たちは幸せな表情で取り組んだ。

⑷科学研究費基盤研究 B 申請 2003 年度不採択から 2004 〜 06 年度採択へ

　宇都宮大学美術科教育教員公募に応募し、専任講師として 1997 年 9 月に着任、翌年度から大学院担当授業の隔年テキストの一方に『芸術による教育』を使用し、2002 年度からは〔新訳〕で院生と共に自らも学び直しを継続した。その過程ですでに他界した H・リード（1893 〜 1968）本人に会うことは叶わないが、彼の家族にインタビューして父親について聴いてみたいと夢想するようになった。とはいえ、家族の存在を調べるだけでも相当な研究費が必要である。大学当局から科学研究費補助金の申請を毎年度要望されたが、教育科学に分類される美術教育を当時は「科学」の範疇外と思い込み見送っていた。2000 年に美育文化協会の穴澤秀隆編集長を介して千葉大学教育学部の藤澤英昭学部長から、同協会に寄贈された元上越教育大学教授の熊本高工氏旧蔵の「熊本文庫」整備の推進役を要望された。熊本氏との接点もなく一度は辞退したが、度重なる熱心な要請に心を動かされて 2001 年に同協会を訪ねた。200 箱超の資料の山を直視すると不安であったが、明治期から戦前・戦中・終戦直後の貴重な資料を手にして、翌年度からの研究準備の協議を受諾した。1991 年のバブル崩壊から日本経済は長期的閉塞状況下で、美育文化協会も大学支給の研究費でもその費用が捻出できず、科学研究費補助金の獲得をめざした。2002 年の協議当初の課題は資金・組織・題目・方法・範囲等、研究の全体像の具体的構築に取り組んだ。基盤研究 C 申請ですら未経験なのに基盤研究 B で申請した。2003 年度の結果は当然の不採択であった。研究分担者は前出の藤澤英昭教授、東京学芸大学の柴田和豊教授、福島大学の天形健教授、熊本氏の教え子で東京造形大学の春日明夫教授に依頼した。研究計画・方法や設備備品費の使途を検討し修正を重ねた。研究課題名を「日本の美

【2004 - 06 年度科研基盤研究 B 報告】14. 熊本文庫総目録、2007 年刊　15. 第 1 回アーカイビング研究会、宇都宮大学、2004 年　16. 第 2 回、熊本高工、東京、2005 年　17. 第 3 回いま映画『絵を描く子供たち』を熱く語る、左から板良敷敏（視学官）・天形健・藤澤英昭（千葉大学）・野々目桂三・山口喜雄、東京、2006 年

術教科書・美術教育文献資料の空白部分に関する研究」から「日本の美術教科書・美術教育文献資料のアーカイブ化に関する研究」と改めて申請、2004 年 4 月に内定通知を受けた。以後 3 ヶ年度は、想像を超えた活動量であった。文献総数 11,521 点を書名・書名ふりがな・号数、著者ふりがな・著者（1 〜 3 まで）、発行元・発行年・発行月、ページ数・サイズ、表紙画像で整理した熊本文庫のデータベース構築、その集約として全 401 頁の『熊本文庫総目録』[14] を美育文化協会の全面的協力を支えに 2007 年 3 月に刊行した。前後するが、熊本高工氏 [16] は翌 2008 年 7 月に 90 歳で逝去、寄稿された「長生きしてよかった」が絶筆となった。2004 年 7 月〜 2006 年 2 月の分類作業を美育文化協会の島崎正明事務局長ほか 2 氏を中心に全 52 回、データ入力と照合確認は 8 氏の協力を得た。また、美育文化誌に掲載された総目録内の主要文献を 600 字程度に記述した解題を 262 冊分、うち日英対訳解題 10 選を含み『日本美術教育主要文献解題』全 166 頁に編集し同時刊行、諸学会等にて頒布した。他に、宇都宮 [15] と東京にて宮脇理博士、熊本高工氏、1956 年岩波映画『絵を描く子供たち』出演の野々目桂三氏 [17]、元三重大学の浜本昌宏教授、元上越教育大学の大橋晧也教授ほか多数を招聘した講演・シンポジウムなど全 5 回の連続公開研究報告会、同時開催で全 4 回の美術教育文献展覧会を催し、毎回 50 〜 80 名の参加者があった。2004 〜 2006 年度毎に大学美術教育学会・日本美術教育連合・美術科教育学会の研究大会で口頭発表、日本美術教育連合編『日本美術教育研究論集』に審査付論文が掲

【2007－10年度科研基盤A実績報告】18. 20世紀後半の日本美術科教科書研究、2008年 19. パンフ「Webサイト初公開」、2008年 20. 右から錦織嘉子（通訳）、学芸員、山口、新関伸也（滋賀大学）、H・ハイン（コートールド協会美術館課長）、天形健、穴澤秀隆（美育文化編集長）、2010年〔22〕グラビア7頁

載された。国内において H・リードや著作を重視する多くの研究者から直接学ぶ機会を得たが、国際調査には至っていなかった。また、2005〜2007年度は宇都宮大学教育学部附属小学校校長兼務により1コマ代替のみの授業実施、週末を含め終日多忙を極めた。

⑸ 2007〜2010 度基盤研究Aによる国際面談調査活動の展開

　宇都宮大学研究協力課から2007〜2010年度の基盤研究A申請を奨励された。課題名を「美術教育文献のアーカイビングに関する発展的研究」とし、研究分担者をInSEA（国際美術教育学会）評議員・兵庫教育大学の福本謹一教授、美術科教育学会誌編集委員長・和歌山大学の永守基樹教授、日本美術教育学会編集部長・滋賀大学の新関伸也教授に新任依頼してチャレンジした。また、前研究成果を反映するWebサイト新設、アーカイビング研究国際面談調査、美術教育文献アーカイビング研究会開催、『20世紀後半の日本美術科教科書研究』[18] 刊行ほかを計画し採択された。2008年8月に第32回InSEA（国際美術教育学会）世界大会2008 in大阪が開催され国内外から1,000余名が参加した。その前月末に『20世紀後半の日本美術科教科書研究』全333頁刊行、大会会場にて同書と既刊『総目録』『文献解題』の3種を400部頒布した。『教科書研究』には、筆者が執筆した日本美術教育連合2000〜2008年9編の審査付論文「20世紀後半の美術科教科書における掲載作品の研究」他3編も日英対訳、分担者等9氏の「刊行

【2007 － 10 年科研基盤研究Ａ実績報告】21. 左からＲ・ワッツ教授(ローハンプトン大学、ロンドン)、錦織嘉子（通訳)、山口、2010 年、〔22〕グラビア 7 頁 22. 美術教育のアーカイビング&、表紙、2011 年 23. チラシ「芸術教育文献のチカラ」、宇都宮、2012 年 24. 芸術教授文献解題ブックレット [起]、表紙、2012 年

によせて」、巻頭に宮脇理博士の玉稿「教科書研究へのさらなる展開を期待して」全 26 頁を記載した。玉稿には、教育学者の周郷博（1907 ～ 1980)が『美育文化』6 巻 2 号に提示した「芸術は教育の基礎たるべし」とのＨ・リードの言に基づいて巧みに叙述され『教科書研究』報告書を編集した筆者に対して、当時の不十分な理解への深い示唆を示された。他の事業として、1）美術教育文献 Web サイトを初公開し、同名の日英対訳パンフ [19] を 4,000 枚印刷して頒布。2）前科研Ｂから継続で連続公開研究報告会を《アーカイビング研究会》と名称更改し東京・滋賀・宇都宮・和歌山で計 4 回実施。3）新設した《美術教育論文・実践報告ライティングリサーチ》を東京 3・千葉・福島の計 5 回。4）美術教育文献展覧会を計 4 回開催した。だが、Ｈ・リードに関する話題は部分的にふれるに留まった。5）研究分担者の藤澤英昭教授と共同で《第 32 回 InSEA 世界大会 2008 in 大阪》招待セミナー「20 世紀後半の日本美術科教科書研究現代日本の美術科教科書編集」の口頭発表、他に 4 ヶ年度連続で 3 学会等で口頭発表と日本美術教育連合編『日本美術教育研究論集』に審査付論文が掲載された。6）現在進行形で研究調査を記録する意で名付けた「アーカイビング国際調査」を 8 ヶ国の著名美術館教育普及担当者に行った。ちなみに、アメリカのシカゴ市美術館とメトロポリタン美術館、イタリアのピッティ宮殿美術館、ヴァチカン美術館、フランスのルーブル美術館、スペインのピカソ美術館、イギリスのコートールド協会美術館、オランダ国立ファン・ゴッホ美術館など 12 美術館で面談調査を実施した。『美術教育

のアーカイビング＆ライティングリサーチ 2011』[22] のあとがきに通訳 6 氏の氏名と顔写真を掲載して謝辞を記した。その中で、コートールド協会美術館 [20] 担当で、ローハンプトン大学のロバート・ワッツ教授の授業参観時の錦織嘉子氏 [21] による同時通訳が極めて優れていた。けれども、取材中に H・リードの名さえ耳にすることなくイギリスでの面談調査を終えた。

⑹東日本大震災で 2011 年度科研基盤研究 A 不採択とベン・リード氏情報

　基盤研究 B・A など大型科研の連続採択例は稀少と学内外の研究者や研究協力課職員から聞いた。筆者は 2015 年度末に定年退職であったが、2011 ～ 2014 年度の基盤研究 A 申請に再度挑戦する意志を固めた。研究対象を美術教育文献から芸術教育文献に拡張、研究協力課長の助言をヒントに研究課題名の発展を還元に変更、「芸術教育文献のアーカイビングに関する還元的研究」とした。前研究分担者の意志を伺って天形健・福本謹一・新関伸也の 3 教授が残留、新たに前図画工作教科調査官・聖徳大学の奥村高明学部長、宇都宮大学書道教育の中島望教授、フランス芸術教育研究・東京家政大学の結城孝雄教授、アイヌ文化研究・北海道教育大学の佐藤昌彦教授、美術教育著作権研究・香川大学の安東恭一郎教授、前美術教科調査官の村上尚徳教授など 6 教授が新任、「美術教育文献アーカイビング研究会」業務を続行する編成替えををを行った。加えて、宇都宮大学教育学部内に「芸術教育文献研究会」を新設、連携研究者は教育学の渡邊弘教育学部長、国語教育の森田香緒里准教授と田和真紀子准教授、音楽教育・声楽の石野健二教授、美術教育・絵画の株田昌彦講師、美術科教育の本田悟郎講師、保健体育・舞踊学の茅野理子教授、英語の渡辺浩行幼稚園長・教授、哲学の山田有希子准教授、美術教育の村松和彦准教授の 10 氏を新構成員に迎えた。だが結果は不採択、2011 年 3 月 11 日の東日本大震災発生直後の 4 月末の通知である。未曽有の大震災は大学学舎・インフラ設備・交通網ほかの大被害を生じさせ、長期の不自由な日常生活に連動した。震度 6 強を記録した宇都宮や首都圏も大震災からの復旧が不完全ながら日常生活が行えるようになった時期に、通訳の錦織嘉子氏が一時帰国されると知り、イギリス調査参加者と共に氏を招いて横浜にて感謝会を開いた。その席上で錦織氏から H・リードの子息と思われるベン・リード先

【2012 年アーカイビング研究国際面談調査】 25. ソウル市教育委員会招聘でソウル市成績優秀選抜
高校生を対象に無償講義「芸術学習と科学学習の統合が人類の未来を拓く」2 月　26. メキシコ・
タスコの中学校訪問、3 月　27. 北川民次居住跡地の民家前で新関・天形・奥村・須美（通訳）・
山口、3 月、タスコ

生の授業を受けた気がすると聴いた。存命か、健在なら所在を調べてほしいと依
頼した。科研申請強化教育学部経費補助を受けて次年度科研基盤研究 A 申請は、
期待感をもって研究計画を一目で把握できるビジュアル化を図って 10 月に再申
請し、翌年春を愉しみに待つことにした。

　ところが一転、翌 11 月に 2011 〜 2014 年度基盤研究 A「芸術教育文献のアー
カイビングに関する還元的研究」が採択され、研究活動を 12 月に開始するよ
うにとの通知を受けた。半年前に不採択のお詫びをした美術教育関係者に急遽
連絡して「全国 10 名の大学教員によるオムニバストーク《芸術教育文献のチ
カラ》」[23] を企画し、2012 年 1 月 9 日研究分担者全員によるトークを宇都宮
大学にて開催した。併行して、研究分担者および宇都宮大学芸術教育文献研究
会メンバーにも依頼して 2012 年 3 月に全 101 冊を 600 字で解題した日英対
訳『芸術教育文献解題ブックレット [起]2012』[24] 全 80 頁を編集、4,000 部
を刊行し構成員や諸学会等で頒布した。同書巻頭に H・リード著『芸術による
教育』〔新訳〕宮脇理・岩崎清・直江俊雄訳を筆者が解題した。同時に、それら
のデータを基に芸術教育文献アーカイビング研究会の Web サイトへと一新、チ
ラシ『美術教育文献から芸術教育文献にリニューアル [日英対訳]』全 4 頁を上
質厚紙に印刷し 4,000 部頒布した。その中に全構成員 20 氏がいわゆるイチオ
シの文献解題を掲載、筆者は『芸術による教育』とした。アーカイビング研究
国際面談調査は、ソウル市教育委員会等の協力を得て 2012 年 2 月 17 〜 19 日

【2012年9月アーカイビング研究国際面談調査】　28．スウェーデン国立美術館にて学芸員3氏と天形・山口・新関、ストックホルム　29．モスクワのトレチャコフ美術館で普及活動映像鑑賞と研究協議後に学芸員3氏と山口、ロシア　30．広い施設と備品完備のヘルシンキ附属小学校で少人数図画工作授業参観

に大韓民国 [25]、続く2月27日〜3月7日に創造美育運動を牽引した北川民次の足跡をメキシコに訪ねて面談調査 [26・27] を重ねた。

　2012年度のアーカイビング研究国際面談調査は9月15〜24日に3ヶ国を訪問し面談調査に取り組んだ。スウェーデンのストックホルムでは国立美術館 [28] と現代美術館の多数の美術館教育普及担当者、プリンス・エウシェン美術館では女性館長にインタビューができた。ロシアのモスクワではトレチャコフ美術館 [29] とプーシキン記念美術館の多数の美術館教育普及担当者に面談調査を実施した。また、サンクトペテルブルグに飛んでエルミタージュ美術館他では日本語が堪能なロシア人の同館美術解説資格者による解説で美術館鑑賞活動を取材できた。フィンランドでは日本人男性通訳同伴でヘルシンキ大学附属小 [30]・中・高等学校にて授業参観と各担当教師への取材を行った。そしてデザイン博物館ではスライド上映による優れた美術館教育普及活動の講義を受けた。北欧・ロシアでは義務教課程の学校施設設備が日本の美術教員養成学部以上に充実、担任児童生徒数が日本の半数以下、面談した教師・学芸員の優れた口述能力と美的な画像作成力、美術館・学校美術教育予算の高さを具体的に実感した。

　11月には芸術教育アーカイビング研究会と公益社団法人日本美術教育連合の共催で全米美術教育学会（National Art Education Association. 略称NAEA、会員数17,500人）会長ロバート・セイボル博士（F. Robert Sabol, Ph. D.）を招聘、東京国立近代美術館講堂で「アメリカ合衆国における美術教育」講演 [31・32] を

【2012年国内外諸活動】31. 全米美術教育学会長ロバート・セイボル博士講演会、日本美術教育連合と共催、東京国立近代美術館、11月　32. 左同チラシ　33. 映画『トントンギコギコ図工の時間』上映とトーク、宇都宮大学、11月　34. 《東アジア国際フォーラム》講演する山口、華東師範大学、中国上海、12月

開催し司会を担当した。その2週間後、宇都宮大学で映画『トントンギコギコ図画工作の時間』上映と野中真理子監督・出演の内野務教諭を招いてトーク[33]を開催した。さらに2週間後の12月上旬に中国上海市の華東師範大学で中国・日本・韓国・台湾の国語・社会・美術研究者による教科書研究《東アジア国際フォーラム》[34]が開催され、筆者は講演「日本の伝統文化と美術科教科書」を行った。ならびに上海博物館・子長学校・大華第二小学校において面談調査。12月中旬には韓国の大田美術館・南洋小学校・京畿道科学高等学校でも面談調査を行った。なお、不在の授業は補い、学内諸業務を果たし、大学美術教育学会総務部長他の社会活動、学会等研究発表3件と論文執筆にも例年と同様に取り組んだ。

3. 英国リーズ大学におけるベン・リード氏への面談
⑴都市リーズ、リーズ大学、面談状況と内容の概略

　『芸術による教育』〔旧訳〕の習知から40年が経っていた。2013年春に英国の錦織嘉子氏から「ベン・リード先生はH・リードの子息」であることを確認したので直接連絡を試みますとの待望のEメールが宇都宮大学の研究室宛に届いた。ベン先生・錦織氏・筆者の可能な面談日を調整し、6月訪問で60分の面談を要望した。錦織氏から安心な格安航空券や安価で安全な宿泊先のリサーチ支援も得ることができた。研究分担者で福島大学の天形健教授、滋賀大学の新関伸也教授に面談調査への同行を依頼し、出張関係の国内外諸連絡や書類作成に対応した。

35. リーズ大学はロンドンから北北西約 250km に所在（Google MAP）　36. リーズ駅前ホテル The Queens の窓辺から撮影した風景、騎馬像から左側の建物までがシティスクエア（三角広場）
37. リーズ駅から徒歩 15 分、リーズ大学附属ブラザートン図書館がある Parkinson Building
38. 歴史的建造物のリーズ大学学舎外観

　イングランド北部の人口約 79 万人（2018 年国勢調査）のリーズ（Leeds）[35] は、ロンドンから北北西に 250km 余、鉄道で 2 時間 15 分の場所に位置する。産業革命時の中心的な商業地でヴィクトリア朝の歴史的建造物が建ち並ぶ美しい景観の都市 [36] である。また、1881 創立が起源のリーズ大学（University of Leeds）[38] は学生 33,000 人超が在籍し、QS 世界ランキングで世界の大学トップ 100 位前後にランクして研究力のある国立大学と評されている。

　　訪問日時：2013 年 6 月 3 日（月）14 〜 16 時 30 分
　　訪問場所：リーズ大学附属ブラザートン図書館特別コレクション室 [37・39・40・41]
　　　　　　　（University of Leeds, Brotherton Library, Special Collection）
　　面 談 者：ベン・リード元リーズ大学美術史学上級講師〔本名：ベネディクト／略号：BR〕[41]
　　　　　　　Ben（Benedict）Read, Former Senior Lecturer of History of Art, University of Leeds
　　　　　　　H・リード卿（Sir Herbert Edward Read、1893 〜 1968 年）令息
　　　　　　　山口喜雄教授（宇都宮大学）
　　同 席 者：クリス・シェパード元リーズ大学付属図書館特別コレクション室長〔略号：CS〕
　　　　　　　Chris Sheppard, Former Head of Special Collection, University of Leeds
　　　　　　　天形　健教授（福島大学）、新関伸也教授（滋賀大学）
　　同時通訳：錦織嘉子氏（英国在住、英国大学院複数修了で美術館学修士と通訳修士の

学位修得）

内容概略：①特別コレクション室ハーバート・リード・コレクションの概要（CS &
BR）

②リードの蔵書に関するエピソード（BR）

③ 1965 年の InSEA 国際会議東京大会時の H・リード、2013 年現在の
リード評（BR）

④リードの我が子たちへの教育（BR）

⑤ベン氏にとっての父の想い出（BR）

⑥父リードへの研究者としての態度と『芸術による教育』（BR）

⑦リードの日常生活・性格・趣味（BR）

⑧ベン氏ご自身を語る（BR）

なお、以下は新関伸也・天形健・山口喜雄共著「H・リード卿令息ベン・リー
ド氏への面談調査をめぐって　－英国リーズ大学附属図書館 H・リード特別コレ
クション室にて－」（日本美術教育研究論集 47、公益社団法人日本美術教育連合、
2014、217-224 頁）の一部を加筆訂正した内容で、共著者の許諾を得て掲載する。
写真は天形健教授・錦織嘉子氏・山口による。

なお、この研究は 2011 ～ 2014 年度科学研究費補助金基盤研究 A「芸術教育
文献のアーカイビングに関する還元的研究」課題番号 23243078（研究代表者
山口喜雄）の助成を受けた。

(2)ベン・リード氏との面談詳述

特別コレクション室ハーバート・リード・コレクションの入り口の廊下には、
晩年の H・リードと三男のピアース・リード（Pierce Read、小説家）の写真 [39]
が展示されていた。リーズ大学に H・リードの所蔵品がアーカイブされた経緯を
（CS & BR）の言により次に記す。

①特別コレクション室ハーバート・リード・コレクションの概要（CS [42] & BR [43]）

1995 年頃、アーカイブ化して大学で保管することを条件に、自宅に保管されていたリー
ドによる生前からの収集資料が、リーズ大学に寄贈された。リード夫人が自宅から老人施
設に移る際、ベン先生が家族の意見を取りまとめて寄贈を決定した。寄贈にかかる費用に

39. 特別コレクション室ハーバート・リード・コレクションの入口の廊下に展示された晩年のH・リードと三男ピアース・リード（Pierce Read、小説家）　40.　内部も荘厳なリーズ大学附属ブラザートン図書館　41.　特別コレクション室にて、左から天形健、山口喜雄、ベン・リード、クリス・シェパード、新関伸也

は、宝くじ基金の資金提供を受けた。

　リーズ大学はリードの母校で、ベン氏は所蔵品を寄贈した当時に教鞭をとっていた。リードの所蔵品をアーカイブ化して残すことが、彼の業績を残す上で最も重要と考えたからである。なぜなら、彼の収集した書籍の中にこそ、彼の興味の対象や思考が反映されているからである。リーズ大学のリード・コレクションに収蔵されている書籍のほか、手紙、手書き原稿、写真、美術品などの所蔵品を合計すると 12,000 〜 14,000 点と推定される。リードのコレクションはこの他にもあり、一部の書籍は生前にカナダの大学に寄贈された。

　本コレクションの最多資料は、展覧会のカタログである。リード自身の学芸員勤務期のものや友人が開催した展覧会、リードが名声を得てからは承認を求めて数多くの展覧会カタログが送付されてきた。保管されている資料は、リーズ大学の特別コレクション室内の本棚全体の三分の一ほどで、残りは同大学が所有する郊外の倉庫に保管されている。特別コレクション室には、リード・コレクション以外にも、各種の稀覯本を保管している。リード・コレクションの本棚とバルコニーを隔てて反対側の本棚には、1460 〜 1500 年頃の書籍を保管しており、中にはグーテンベルグが発明した活版印刷機で印刷された稀覯本も所蔵されていた。

②リードの蔵書に関するエピソード（BR）

　リードの自宅は書籍であふれ返っていた。蔵書は書斎・居間・台所・寝室などの各部屋に分けて保管されていたが、部屋ごとにテーマが決まっていた。書斎に最も多くの書籍が保管されていた。リードの仕事中に他の兄姉は入室を許されていなかったが、物静かな少

【ブラザートン図書館特別コレクション室にて】 42. 左からクリス・シェパード元リーズ大学付属図書館特別コレクション室長、錦織嘉子、新関、天形　43. 所蔵の初版 Education through Art を示しながら語るベン・リード元リーズ大学美術史学上級講師　44. 望遠撮影する天形健　45. 談笑するベン・リードと山口

年のベン先生だけは許されていた。書斎で執筆中に資料が必要になると、リードはどの部屋のどの棚のどの辺にその資料があるかを明確に覚えていて、ベン氏に取ってくるよう依頼した。そのため、ベン氏はほとんどの書籍の所在を知らず知らずのうちに覚えていた。

　リーズ大学のコレクションは、当時の部屋ごとの分類をそのまま守って保管されている。この分類こそが、リードの思考を辿る手掛かりとなるからである。コレクションが持ち込まれた直後で、目録の未作成時には、ベン氏が生き字引となり、資料がどの部屋の山にあるかをシェパード氏に教えたほどである。

　コレクションの中から、特にユングやフロイドの心理分析関係の書籍を見せていただいた。ユングやフロイトのほかにも、心理分析に関する広範な書籍が所蔵されている。『芸術による教育』にもあるように、リードは心理分析に非常に興味を持ち、子どもたちの絵に内在された子どもの人格（personality）の分析について研究していた。リードについて考察する上で重要なのは、心理分析と子どもの作品についての研究である。研究の上で、現場の美術教師の助けは必須であった。机上の理論だけでなく、現場の美術教師と交流することで、子どもたちの作品と心理の関係について理解しようとした。子どもの絵に関心を持つきっかけとなったのは、1940 年代初頭に全国の子どもたちの絵画作品の展示会が初めて行われ、その展示会に関わったことである。その後、この展示会は大衆新聞のサンデー・ミラー誌（Sunday Millar）がスポンサーとなって例年行事となり（現在は廃止）、リードはこの展示会の議長を長く務めた。

　同時期に現場の美術教師が会員となる English Society for Education through Art（?）

が設立され、リードは初代の会長を務めた。その後、この会は International Society for Education through Art へと発展する。

③ 1965 年の InSEA 国際会議東京大会時の H・リード、2013 年現在のリード評（BR）

ここには筆者と天形・新関両教授の主な質問を例示して、ベン氏の回答は全て記す。

山口：1965 年に日本で初の InSEA 世界大会が開催された際、リード卿から寄せられたメッセージが開会式で読み上げられました。日本の美術教育界では、リードは 2013 年現在も重要な存在です。1965 年当時や家族の中でのリードはどのような存在でしたか。

BR：父はガンを患って 1966 年に他界したので、1965 年頃にはすでに体調が悪くて旅行ができなかったのだと思います。そうでなければ、きっと喜んで日本に行ったと思います。現在、イギリスの美術教育界では、リードが語られることはほとんどありません。『芸術による教育』の影響を受けた第一世代が活躍したのは 1970 年代のことで、それ以降もイギリスでは様々な新しい思想やアイデアが生まれていきています。

天形：1970 年代の美術教育といえば、先日訪問したテート・ブリテンで、ベーシック・デザイン（Basic Design）運動に関する展示を拝見しました。

BR：ベーシック・デザインといえば、当時、リーズ芸術大学（Leeds College of Art）で教鞭を取っていたハリー・スブロン（Harry Thubron）は、父の美術教育理論から影響を受けて、ベーシック・デザインのコースを開設しました。当時のリーズ大学（University of Leeds）には、グレゴリー・フェロー（Gregory Fellow）という研究員の地位を与えられたアーティスト・イン・レジデンス（Artist in Residence）がいました。例えば、テリー・フロスト（Terry Frost）、アラン・デービー（Alan Davie）、ポール・ゴペル＝チョードリー（Paul Gopel-Chowdhury）などです。スブロンはリーズ大学の美術学部長に掛け合い、それらの芸術家たちにリーズ芸術学校で週に 1 日教えてもらえるように取り計らったといいます。ベーシック・デザインのコースは、このようにリーズ芸術学校のスブロンから発信されたものです。テート・ブリテンでご覧になった、ニューカッスルの芸術学校のビクター・パスモア（Victor Pasmore）やリチャード・ハミルトン（Richard Hamilton）は、スブロンの始めたコースを踏襲しているのです。今では彼らがベーシック・デザイン運動を起こしたように思われていますが。また、パスモアは、ベーシック・デザイン運動に関する父の美術教育論の影響を認めていません。しかし父の伝記を書いたデービッド・シスルウッド（David Thistlewood）の調査によれば、スブロンがベーシック・デザインのコースの構想

を初めて議論したのは、まさに父の自宅だったということです。現在、イギリスにおける美術教育の歴史を書き直す作業が行われていますが、それには父の名前は触れられておらず、父の影響を受けたソブロンやトム・ハドソン（Tom Hudson）も大きく取り扱われていません。誰が書くかによって歴史が左右されてしまうのは悲しいことです。

［注］ベン氏とシスルウッドの編纂したリードに関する本は、Read, B and Thislewood, D. eds.（1993）　Herbert Read：A British Vision of World Art, London：Lund Humphries.

④リードの我が子たちへの教育（BR）

　リードには5人の子どもがいる。長男は最初の妻との間の子どもで、ベン氏との年齢差は約20才。この長男はテレビのドキュメンタリー番組を制作するプロデューサーになり、1950年代には、芸術家の仕事風景やインタビューをアトリエ内で撮影し、ナレーションなしで芸術家に直接語らせるという手法を取り、一世を風靡した。このドキュメンタリーシリーズのタイトルは、「アーティスト・スペシャル（Artist's Special）」である。

　2番目の妻とは、1931〜1933年にエジンバラ大学で教鞭を取っていた時に知り合った。「陽気な楽しい性格」でプロの音楽家だった。リードとの年の差はかなりあった。一目惚れで、駆け落ち同然だったという。

　2番目の妻との間には4人の子どもをもうけた。上から、次男トム（Thomas Read、ジャーナリスト）、長女ソフィー（Sophia、主婦）、三男ピアース（Pierce Read、小説家）、四男ベン（Benedict Read、美術史家）。（ベン氏との）年齢差は、トムが8才、ピアースが4才である。次男のトムは大衆紙デイリー・ミラー誌（Daily Mirror）の記者から、結婚後、BBCのジャーナリストになった。兄弟の中でもっとも芸術的なセンスのあったのは長女のソフィーだった。ソフィーは秘書学校を卒業した後、建築家リチャード・ロジャース（Richard Rogers）とノーマン・フォスター（Norman Foster）の事務所で秘書として働いた。その後、同建築事務所の若手の建築家と結婚し、5人の子どもと12人の孫に恵まれた。子どもの頃から整理整頓が得意だったので、父はよく、「ソフィーが看護婦になったら、いい婦長になる」といっていた。

　美術史の道に進んだのは私（ベン氏）のみである。15歳でベニス旅行をした際に、「ベリーニの聖母が自分に語りかける」のを実感したことが契機となり、美術に目覚めた。私には子どもはいない。リードの孫の世代で美術史の道に進んだものもいない。私の甥の一人は美術史に興味を持っていたが、現在はロンドンでラテン語とギリシャ語の古典の教師にな

り、姪の二人は建築家になっている。

　父はやさしい（gentle）性格で、しっかりした考えをもった人であった。しかし、自分の考えや、子どもたちの将来への期待などを押し付けることはしなかった。子どもの個性が自然に伸びるような態度だった。一方、母は子どもの教育に熱心で、プロの音楽家だったこともあり、子どもたちを音楽家にさせようと思っていた。でも、自分の子どもたちが小さなモーツアルトでないのに腹を立てて怒ることもあった。

　学校については、父は子どもたちをフリースクール（Free School、注：従来の学校教育制度にとらわれず、子ども本位の教育を行う非公式の学校）に通わせたいと思っていたと思う。しかし母がカトリック信者だったため、母の意向でベネディクト派の教会学校に通わされた。ベネディクト会は 15 世紀から教育を重視しており、しっかりした教育を行うことで有名である。この学校に通ってよかった点は、ラテン語やギリシャ語といった古典の勉強がきっちりできたことである。父は密かに、私が古典の学者になることを望んでいたのではないかと思う。イギリスの他の私立学校の伝統と同様に、この学校でも男の子はラグビーなどのスポーツを行うことが奨励されていた。しかし、私はスポーツが苦手だったため、教師である僧の一人が始めた活版印刷クラブに参加するようになった。活版印刷クラブの担当教員は、生徒の作品表現に対しても妥協せず、プロの水準を目指すように生徒たちを励ました。活版印刷クラブの活動では、簡単なチラシなどの印刷から、お祈りの時間に生徒が使う祈祷書の印刷などまで行った。祈祷書の印刷は伝統的に黒と赤の二色刷りで、それに合わせて本物のように作った。また、活版印刷クラブで印刷物を刷るうちに、本に対する興味が生まれた。

　父の教育方針でよいと思うのは、子どもたちがそれぞれ興味を持ったことなどに対して、励まし、後押し（support）してくれたことである。例えば、学校のクラブ活動の活版印刷に興味を持った時には、父はウィリアム・モリスのように、「芸術にヒエラルキーはない、よい印刷物はそれ自体が芸術だ」といって励ましてくれた。また、ピアースが小説家を目指していた時も、文章の書き方の指導をして励ましていた。父はまた、現実的で（practical）分別のある（sensible）人でもあった。私が 10 代で芸術に興味をもち始めた頃、父に将来について相談をしたら、「芸術家では食べていけない。芸術が好きなら、大学に進学して研究職に就くのがよい」と助言された。父の実務的（practical）な側面は、私がオックスフォード大学の学生だったころ、ある小論文の課題が書けなくて悩んでいた時のアドバイ

スにもよく表れている。父は、「まず何が言いたいんだい」と、順を追って質問してくれ、それに一つ一つ答えた後で、「今いった順で書けばいいんだよ」と教えてくれた。

⑤ベン氏にとっての父の想い出（BR）

学校でエリオット（T.S. Eliot）の詩について勉強した際に、教師がエリオットの友人である父のことに触れ、「文芸雑誌のクリテリオン誌（The Criterion）によく寄稿されているでしょう」といわれて、初めて父の仕事に興味を持つようになった。父は静かにしているという条件付きで、読書好きの少年に育った私を書斎に入れてくれた。ある日、父の蔵書の中から18世紀に出版されたドライデンの本を見つけ、それがあまりに美しかったので見とれていたことがある。その本が欲しいかと訊ねられ、欲しいと答えたら本当にくれたことが想い出に残っている。リード家の食卓は大変にぎやかだった。議論するのは主に子どもたちで、父はそれを黙って聞いていた。子どもの一人が「お父さん（daddy）はどう思う？」と訊ねると、父はよく、「ベンに聞いてごらん。父さんはベンの意見には一目置いているんだ」といってくれた。小さい頃から父の書斎で過ごし、父の仕事に興味をもっていた私のことを評価してくれていたのだと思う。

私が大学生の時に父は癌になり、その頃から論文や資料の整理をし始めた。私が大学の夏休みに家で時間をもてあましていたら、蔵書の目録を作る作業をしないかと父に誘われた。父の仕事には興味を持っていたので、目録作りを手伝うことになった。そのような経緯から、長男ではなく末っ子の私に蔵書等の所蔵品の全責任を父は遺言に委任すると記してくれた。

⑥父リードへの研究者としての態度と『芸術による教育』（BR）

BR：リードの和訳本は、"The Forms of Things Unknown—Essays towards an Aesthetic Philosophy"（1960）（長谷川鑛平訳『見えざるものの形—美の哲学への序説』法政大学出版局、写1973年）やArt and Alienation（1967）（増渕正史訳『芸術と疎外—社会における芸術家の役割』法政大学出版局、1992年）などがあげられる。父の作品を授業で使う場合には、学生には、「リードの意見にもちろん反対でもよい」と伝える。ただし、なぜ反論するのか、その理由をしっかりと述べ、いい議論を展開すること、と伝えている。父ではあるが、一人の美術史家・評論家として客観的な視点に立って評価すべき、という立場からコメントしたい。学生に実際に教えた経験から、父の著作は、学生にとっては理解することが難しいと思われる。

私は父の著作のすべてに同意する訳ではない。例えば、ユング心理学などは理解が難しく、私はユングの著作のすべてを読んでいる訳ではないが、私も含め、他の評論家なども、リードの芸術と心理分析に関する考え（芸術は無意識を意識化したもの、とする考えなど）に対して、疑問を呈している。とはいえ、父に対して公正であるならば、その理論展開や議論には納得させられるところがある。

新関："Education through Art" は、戦後日本の美術教育の基礎を築いた著作である。戦前日本の美術教育では、お手本を真似ることが中心で、技術の習得に焦点が置かれていた。戦前に日本に紹介されていたら、真の価値が認識されなかったと思う。戦後に民主主義が導入され、人間形成という観点が浸透していた時だったからこそ、美術教育界に大きなインパクトを与えたのだと思う。

BR：イギリスでも同じような理由で、出版当時は大きなインパクトを与えたと思う。それ以前の美術教育では、19世紀に誕生した王立芸術院による伝統的な教育方法が主流だった。すなわち、古典彫刻のデッサンや、りんごを描くのなら、「完璧な本物のようなりんごを描くこと」などが重視されていた。イギリスでは1940年代でさえ、このような教育方法が主流だった。『芸術による教育』は、リードの著作の中でも最もインパクトを与えた著作だといえると思う。

⑦リードの日常生活・性格・趣味（BR）

　父は規則正しい生活を送っていた。朝は8時頃に起きてシャワーを浴び、朝食を取り、トイレに行った後、9時半から10時頃から書斎に入って仕事をする。その間は一歩も書斎から出てこない。昼食の後にコーヒーを飲み、必ず短い散歩か長い散歩に出かけた。散歩の後で午後のお茶をして、それから夕食までの時間は、本を読んだり仕事をしたりしていた。夕食の後にはテレビを見ることもあったが、夕食後に仕事をすることはなかった。お酒はビールではなく、ワインやジントニックを好んでいた。お酒は嗜む程度で、父が酔っ払った姿は見たことがない。規律正しい（disciplined）人だった。

　父の規律正しさは、育ちから来ていると思う。父は農家に生まれ、10歳の時に父親を亡くした。小作農だったため、地主から立ち退きを余儀なくされた父の母は、子どもたちを孤児院に預けた。父はその頃から本の好きな子どもだったので、孤児院の庭で他の子どもたちが遊んでいる間、いつも片隅で本を読んでいた。父の驚くべき集中力は、本に没頭することから培われたものだと思う。第一次大戦中は徴兵され、戦場に送られた。塹壕の

中でも本を読んでいて、本に没頭することで、戦場を頭の中から遮断していたのだと思う。父の几帳面さを伝えるエピソードを思い出す。戦後、労働省の公務員になった父は、政府に提出する資料を作成する役目に就いた。ある日、上司から、「こんなにきっちり書かれた議事録は今まで見たことがない」といわれたことがあると聞いた。

父にはこれといった趣味をもっていなかったが、芸術をとにかく愛していた。父が初めて現代美術に触れたのは、リーズ大学の学生だった1914年のことである。当時のリーズ大学の学長マイケル・サドラー（Michael Saddler）は、現代美術の収集家で、自宅にゴーギャンやセザンヌ、カンディンスキーなどの作品を所有していた。父の母が学長の家の家政婦と知り合いで、父は学長の留守にこっそり家の中に入れてもらい、それらの作品を目にした、といっていた。また、父は第一次大戦中の1914〜1918年に水彩画を描いていたことがある。主に抽象的なものだった。戦後は自分で描くことは止めてしまった。おそらく画家としてやっていくほど上手くないと思ったからだと思う。

ヨークシャー地方出身の父は、ヨークシャーの伝統的な食べ物が好きだった。特に、ヨークシャー式のアップルパイとクリームが大好物だった。ヨークシャーではアップルパイと一緒にチーズを食べるが、父もいつもチーズを一緒に食べていた。

父は普段は物静かな（quiet）人だったが、自分の信じるところ対しては、非常に情熱的（passionate）になる人だった。例えば、最近、父の情熱的な面を表すエピソードについて、ある知人から聞く機会があった。この知人はケント大学でドイツ人芸術家ヴィント（Herbert Windt、ヘルベルト・ヴィント?）について研究しており、ヴィントの手紙の中に父についてのエピソードを発見したという。その手紙によれば、ヴィントがパリで開催された芸術の学会に参加した際に、フランス人たちは「典型的な」芸術論を打っていたという。そんな中、リードがすくっと立ち上がり、感情を顕にして非常に情熱的なスピーチしたという。そのように、普段は静かな人だったが、非常に情熱的になることもあった。

⑧ベン・リード氏ご自身を語る（BR）

BR：私が研究対象としてビクトリア朝の彫刻を選んだ理由の一つは、当時、このテーマについて研究している人が誰もいなかったからで、父の現実的な性格が引き継がれているのかもしれない。しかし、このテーマは父が興味を持っていた現代芸術とは正反対のもので、父はビクトリア朝の美術について語ったことはなかったように思う。私がこのテーマに興味をもつようになったのは、オックスフォード大学を卒業した後、コートールド美術研究

所に入学して美術史を専攻していた時のことであった。マンチェスターに見学に行った際に、町の広場でタウンホールの全景を眺めようと後ずさったら、ビクトリア時代に設置された彫刻にぶつかった。その時、その彫刻を見上げて、ビクトリア時代に立てられた公共の場の彫刻（public statue）に知的好奇心を刺激され、興味を持つようになった。リーズに赴任したのは約 23 年前のことで、ヘンリー・ムーア基金（Henry Moore Foundation）の彫刻学の修士コースのうち、20 世紀の彫刻の授業を受けもった。彫刻家の友人もいたので、学生たちをアトリエに連れて行ったりもした。美術館で作品を見るだけでなく、アトリエを見学したり、作家と話したりすることも、美術史の学生にとっては重要なことだと考える。学生たちも作家に会うことに興味を示した。特にリーズ大学では、美術史のみならず、美術の実技の授業もあるので、作家や作家の仕事を知ることは非常に重要である。学生を連れて行った作家にはアントニー・ゴームリーがいる。彼の兄弟と同じ学校に通っていたので、間接的に知っていた。

山口：ベン先生は、とても表情豊かにユーモラスにお話下さいましたが、そのご性格はお父様譲りなのでしょうか。

BR：母から来ていると思います。私のユーモアについては、こんなエピソードがあります。大学の教員は、年に一度、授業に対する審査を受けます。私の授業を見学した審査官は、私の授業は「学生に受け入れやすすぎる（accessible）」といいました。私がジョークを交えて学生を楽しませていたからでしょう。また、公共の場の彫刻についての授業では、ロッチデール（Rochdale）にある彫刻を紹介していました。ロッチデールというと、歌手のグレーシー・フィールズ（Gracie Fields）が有名なので、いつも彼女の話をしていました。ところがある時、秘書に、「今の学生はグレーシー・フィールドなんて知らないわ」といわれました。それ以来、ロッチデールの彫刻の話をするときには、いつもグレーシー・フィールドの歌を歌ったものです（笑）。

　ハーバート・リード・コレクションには手書きの原稿が多数保管されている。1930 年代の作品で特にクリエイティブなもの（詩や小説など）は、大抵は手書きしていた。論文などは、タイプライターも使って執筆していた。〔注：拝見した手書きの原稿は、The Green Child（1935 初版）（増野正衛訳『グリーン・チャイルド』みすず書房、1959 年、あるいは、前川祐一訳『緑のこども』河出書房新社、1975 年〕

(3)ベン・リード氏へのアーカイビング国際面談調査の真価

　本面談調査を当初 1 時間程度とベン・リード氏に申し入れたにもかかわらず、2 時間 30 分という長時間の充実した面談調査となったことは、望外の喜びであった。また、ベン氏と同時期に勤務していたクリス・シェパード元リーズ大学附属図書館特別コレクション室長も同席しての解説が実現して、内容に広がりが生まれた。

　本書名『民具・民芸からデザインの未来まで ─教育の視点から』に関連してH・リードを対象とするなら欧米の近現代思潮の流れの過程から研究を進めるのが望ましかったが、面談調査は『芸術による教育』を軸として行った。けれども、その著書の根底を成す家族・家庭生活や著作活動等々を豊かな具体的事例を示して拝聴できたことは、人間 H・リードを知る上での貴重な内容であったと思われる。しかも、ベン氏が研究者であることで、表面的な絶賛ではなく父親の研究活動や著作に対し批判的に語られたことに本調査の真価があると考える。

4．特別寄稿「ベン先生の想い出」錦織嘉子（Yoshiko Nishigori [20・21・42・46] 翻訳家）

　私は国際基督教大学に在学中の 1999 年に交換留学生として 1 年間、英国リーズ大学で美術史を学びました。ベン・リード先生の授業は、「美学入門」というコースの 2 学期目でした。「美学入門」では、1 学期に、カントに始まり、ヘーゲルやフィードラー、ポスト構造主義に至るまでの西洋の美学の流れをカバーし、2 学期は、ハーバート・リードの美学に集中した構成になっていました。それまで、ハーバート・リードについて全く知らなかった私は、「なぜ 1 学期間も掛けて一人の美術史家について学ぶのだろう？」という思いでしたが、リードがリーズ大学の卒業生であったこと、また、そのご子息であるベン・リード氏が教員をしている関係があるからかと、勝手に納得していました。ところが、実際に授業が始まってみると、リードがシュールリアリズムや実存主義をイギリスにいち早く紹介した人物であったこと、ポール・ナッシュ、ベン・ニコルソン、ヘンリー・ムーア、バーバラ・ヘップワースといった同世代の作家を早くから評価し、英国の近代美術の普及に貢献したこと、また、心理分析に関心を持ち、フロイドやユングの心理学を美術や文学解釈に取り入れるという先進的な試みを行い、人間の内なる表現としての絵画という立場から戦後の美術教育の促進にも寄与したということを学び、「リードの足跡を辿るという

【ブラザートン図書館特別コレクション室にて】　46. 左からベン・リード元リーズ大学美術史学上級講師、クリス・シェパード 元リーズ大学付属図書館特別コレクション室長、錦織嘉子通訳　47. 父親の著書 Herbert Read を手に笑顔で語るベン・リード　48. ２階にある広い特別コレクション室にて語るベン・リード

のでなく、それを通して、実は 20 世紀後半の英国の近代美術やそれを取り巻く潮流を学ぶという意図があった」のだと気付きました。ベン先生は、少年時代の家族写真や父としてのリードの逸話も交えながら講義をされ、生身の人間としてのリードにも触れることができたように思います。

　リードの死後にリーズ大学に寄贈された膨大な数の蔵書からも分かるように、リードはとても勉強家で、執筆した批評や書籍もかなりの量にのぼります。また、美術史家・評論家、美術教育者としての側面のみでなく、第一次世界大戦の兵役中の体験を元にした詩集で詩人としての側面も持ち、自らも表現活動をする人でした。私が個人的に特に興味を持ったのは、英国北部ヨークシャー地方の農家の出身だったという点です。英国には今でも根強く階級意識が残っており、特に美術界や学術界は特権階級の領域という感じが否めません。そのような中で、エジンバラ大学や米国ハーバード大学といった一流大学の教授職のみならず、テート・ギャラリーの理事やヴィクトリア＆アルバート美術館の館長を務めるなど、いわゆる社会階層の上昇にも成功していることから、リードがいかに俊英で努力家だったかというだけでなく、苦境にあっても現状を現状として受け入れるのではなく、ひるまず精力的に未知の領域を開拓する前衛的な人物だったのではないか、そして、そのことが功を奏したのではないかと想像されます。その生い立ちや姿勢は、政治的にはアナキストという立場を取っていたことにも反映されているようにも感じます。リードの肖像写真をみると、ハンサムで知的でもの静かな、いかにもインテリといった印象を受けますが、私は、ベン先生が最初の授業の冒頭でオーバーヘッ

49. ベン・リード氏に恵存寸松庵色紙「讃ハーバート・リード著 藝術による教育」山口筆　50. 山口に熱く語りかけるベン・リード　51. 日英対訳の「H・リード卿子息ベン・リード氏への面談調査をめぐって」掲載の科研報告書 2015　52 ベン・リード氏の訃報を公知する英国 Web サイト記事（https://www.leeds.ac.uk/）

ドプロジェクターに投影したカレル・アペルによるリードの肖像画の、今にも頭から湯気を出しそうな真っ赤な顔が印象的で忘れられません。ベン先生は、この肖像画について、「私が覚えている父そのもの」と言った後で、「父は、普段は優しい穏やかな人でしたが、自分が信念を持っている事については、時には激昂して主張することもあるような情熱的な人だった」と言っていたのを鮮明に覚えています。　　　2020 年 11 月　　錦織嘉子

〔 謝 辞 〕『芸術による教育』習知からベン・リード氏へのリアル面談に至るまで 40 年を費やした。優れた同時通訳を介したリアル面談だからこそ拝聴できた内容であったことは、氏の笑顔やしぐさからも感受できる [47・50]。無知な若年の筆者を導いてくださった時々の先生方のおかげで、偶然を必然へと変換することができた。

　ベン・リード氏は 2016 年 10 月 19 日に逝去、享年 71 歳でした [52]。面談取材への受諾に感謝し [44〜51]、ご冥福をお祈り申し上げます。そして、小著執筆の機会をいただいた宮脇理博士、編著者の佐藤昌彦・畑山未央両氏に御礼申し上げます。また、面談に同行し共著論文引用の許諾をいただいた天形健・新関伸也両氏、科研申請の機会をいただいた故熊本高工氏、科研分担者と連携研究者諸氏、教育実習と勤務した横浜市立中学校・筑波大学附属小学校・宇都宮大学でご指導いただいたみなさま、当時の同時通訳と小著に特別寄稿をくださった錦織嘉子氏のおかげで小著を豊かにすることができ、深く御礼申し上げます。

山口喜雄

山口 喜雄 （やまぐち のぶお）

- 1951（昭和 26）年 神奈川県生まれ
- 公益社団法人日本美術教育連合理事／元・宇都宮大学教授
- 修士（教育学・横浜国立大学大学院、1987 年）
- 真鍋 一男・宮脇 理監修、白沢 菊夫・伊藤 彌四夫・山口 喜雄他共編『造形教育事典』建帛社、1991
- 宮脇 理・山口 喜雄・山木 朝彦共著『〈感性による教育〉の潮流』国土社、1993
- 山口 喜雄・佐藤 昌彦・奥村 高明共編『小学校図画工作科教育法』建帛社、2018
  他著書多数
- 受賞／第 21 回教育美術佐武賞「美術教師十年の軌跡」（授与式／ 1986 年 9 月 3 日）
  財団法人日本教育連合会表彰「美術教育にかかわるマクルーハン的考察」（授与式／ 1987 年 10 月 2 日）

エディティングの意味とその魅力

　宮脇 理先生ご企画・監修の新刊書『民具・民芸からデザインの未来まで ―教育の視点から』の出版にあたりまして、多くの先生のご賛同を賜りました。また、学術研究出版の湯川勝史郎様（常務取締役）、そして、編集をご担当頂いた瀬川幹人様をはじめとする出版社の方々にご尽力をいただきました。また、表紙の装丁に際しては、伊藤文彦先生が本書のコンセプトを的確に抑えた意匠性の高い美しいデザインを施してくださいました。本書に関わる全ての関係者の方々のお力により、無事に出版を実現することができました。まずはこの場を拝借して、心より感謝と御礼を申し上げます。そして、いま本書をお手に取り、お読みいただいている皆様に心からの御礼を申し上げます。

　宮脇 理先生ご監修の書籍としては、本書は『アートエデュケーション思考』（2016年、学術研究出版）に続くものであります。『アートエデュケーション思考』は、宮脇 理先生の88歳米寿記念図書として45名の執筆者による論考・エッセイ集でした。続く本書では、人の手による「ものづくり」と「プロダクト」や「ヴァーチャル」が縒り合う今を見つめ、教育に携わる執筆者26名それぞれの視点から「ものづくり」あるいは「デザイン」を広い視野で捉えて論考しています。したがいまして、本書を構成する民具・民芸論に関わる趣旨としては、柳 宗悦を中心とした民芸論についての史的・学術的考察よりも、所謂民芸として市民権を得ている工芸作品と関連する教育事象などに重心を置くことを併せて付記させていただきます。それを踏まえても『アートエデュケーション思考』と『民具・民芸からデザインの未来まで』は共に宮脇 理先生が追究してきた課題の発展上に位置づく書籍であると同時に、「過去から現在を踏まえ、未来へ提言する」という文脈の特色に両書の共通性を見出すことができると思われます。

この貴重な書籍の出版に際し、私はたいへん僭越ながら編集にも携わらせていただきました。私にとって関わらせていただいた多くの仕事が新鮮でしたが、すでに数々の編者としての実績がある佐藤昌彦先生と山木朝彦先生にご指導とご助言を賜りながら遂行することができました。編集作業では全ての論考の体裁の整理などを行いましたが、今回特に注力したことは目次の構成であると言えます。すなわち、専門知や経験知に満ちた多様な論考を単に連ね並べて本書を構成するのではなく、各論の中に本質的に含まれていると考えられる視座を抽出し、グルーピングをして章立てを構成することを試みました。このことは、山木朝彦先生が編者として関わっている『今、ミュージアムにできること』（2019 年、学術研究出版）を拝見することを通し、同書の適切な章立てが書籍の魅力をより顕在化する役割の一端を担っていることに気づかされたことが契機となりました。換言するならば、読者のウォンツに応じた書籍の案内役を担いながら、多様な論考を明快にまとめて書籍の全体構成への文脈的理解に寄与している章立ての存在に意義を感じた次第です。そこで章立ての検討にあたっては、同書の編集過程に倣い、論考のタイトルから推察される表層的な意味からグルーピングを行うのではなく、各論を熟読した上でその核となる視点や論意をキーワード化し、並び替えを繰り返した後、最終的に第 5 章までまとめました。下記に簡単ですがその趣旨を記させていただきます。

　第 1 章は「ものづくりの原点を求めて　－民具・民芸とデザインの源流－」としました。この章に掲載させていただいた 6 編の論考は、取り上げている主な対象が「かて切り」、「水石」、「和紙」、「玩具」、「建築」、「造形題材」と多様です。しかし、その民具・民芸、デザインに関わる対象を通して言及されていることは、先人から学ぶ生活や美的価値の本質、発想や創造性の喚起、手を使ってつくりだす喜びなどについてであることから、「ものづくりの原点」という視座が一貫して通底していると捉えることができ、本書のトップバッター的位置付けとしてふさわしいと考えました。

　第 2 章は、「ものづくりとデザイン教育の現在と未来　－理論的アプローチ－」としました。この章に掲載させていただいた 8 編の論考は、この章タイトルに符合する学術的論文集と言えます。例えば、宮脇 理先生は、ボードリヤールの消

費社会論を援用し、教育という現象を記号的な価値の世界として再解釈する必要性を述べ、そのことによって「手渡す贅沢な教育のシステム」としてイメージされる「工芸による教育」は、そのプロセスが豊かに抱え持つ生産や消費の意味を理解する教育媒体となり得ることを私たちに投げかけています。また、伊藤文彦先生は、デザインが従来のモノの範疇からコトへ、そして社会のしくみへと対象領域を拡張し、役割がアップデートされ続けてきたことを具体例とともに示し、これからのデザインおよびデザイン思考とともにデザイナーに求められるチカラを措定して私たちにデザインの行方について考えるきっかけを提示しています。このように全ての論考をご紹介するにはあまりにも紙幅が足りないのですが、本章にはこれからのものづくりとデザイン教育を考える一助となる知的で刺激的な論考を集約しました。

　第3章は、「地域に深く根ざした伝統の"今"－民芸・工芸と教育－」としました。この章に掲載させていただいた5編の論考は、いずれも東北地方と九州・四国地方の特定の伝統工芸・伝統玩具に焦点化して、その成り立ちの歴史や現代の生活に寄り添う工芸品のあり様を詳らかに論じています。また、伝統工芸品の特徴やつくり手へのインタビューを基にしながら題材開発や授業実践を行ったり、地域性に寄り添った美術講座を実施したりするように、伝統工芸と教育の関連や意義を実践的に検討している論考が多いことも興味深いところです。

　第4章は、「Cultural Exchange のための理論と実践 －その史的考察と未来を担う者たちの論考－」としました。この章に掲載させていただいた6編の論考は、ものづくりやデザイン教育に関する我が国と海外との往還的な思考を促す論考です。本章は山木朝彦先生によるモダニズムの思想を代弁するモダニストとしてのハーバート・リード像の史的探究から出発します。既成の権威に対するリードの批判的思想やヴァルター・グロピウスとリードの接点から深まったバウハウスの理念の浸透に関する緻密な論述から導き出される問いは、以降に続くシュタイナー学校の造形教育、海外との交流から生まれた肥後地方の民芸、日本の工芸教育の多様性と未来、中国の剪紙を題材とする教育、海外の研究者からみた日本の折り紙の可能性など、国内外の伝統的な造形の多様性と教育方法についての魅力的な論考につながっていきます。

さいごに、第5章を「研究の道程」とし、山口喜雄先生の論考を掲載させてい
ただきました。山口喜雄先生は、ハーバート・リードの令息であるベン氏のイン
タビューという貴重な第一次資料を中心に、先生ご自身の研究方法や研究の過程
を平易に語っておられます。そのため、これからのものづくり教育研究の道程と
いう広い視野から捉えても示唆的な内容であると考えられます。

　以上のように、第1章から第5章までの各章ごとに通底する視座を章名に示し、
さらに全ての章を貫く概念として「民具・民芸からデザインの未来まで」が意識
されるような構成に努めました。改めまして、ご丁寧なご監修とご助言をいただ
きました宮脇 理先生と山木朝彦先生、編集のご指導をいただきました佐藤昌彦
先生に心より御礼申し上げます。私自身にとって、とても学び多く貴重な経験と
なりました。

　末筆となりますが、国内外の美術教育分野において研究と教育に専心されてい
る研究者・実践家の方々の知見や成果のご寄稿から成る本書の出版が斯学のさら
なる充実・発展に寄与できますことを祈念して、あとがきとさせていただきます。

2020 年 12 月

畑山未央

ものづくり全体を視野に入れて教育を考える

　新刊書『民具・民芸からデザインの未来まで ―教育の視点から』の発刊にあたりまして、多くの執筆者の皆様、学術研究出版の方々（小野高速印刷）、関係者の皆様にたいへんお世話になりました。心から御礼申し上げます。

　本書の出版は、宮脇 理先生（Independent Scholar ／元・筑波大学大学院教授）が企画・監修されたものです。宮脇先生の企画書に基づいて国内外（日本及び中国）の 26 名という多くの皆様にご執筆をお引き受けいただきました。今回の出版の起点となった企画書の一部を以下に記しました。

■「口紅から機関車まで」は、皆さんもご存知のパリ出身／フランスのデザイナー：レイモンド・ローウィ（Raymond Loewy, 1893-1986）の著名なキーワードであり、これに「respect」して、今回の企画の書名を考えたのです。

■さて、ヒトが地球上にて『ものづくり』をする拡がりは実に多様にして膨大であり、いまや、上に述べたレイモンド・ローウィがアメリカ合衆国にて活動し、インダストリアルデザインの草分けとして様々な分野で活躍した時代を超えているのが、イマかもしれません。まさに現在は、3D プリンターから顔認証まで可能な時代、やがて、この 5G から次の 6G も間もなく姿を現すことでしょう。……そしてミライは???

■「口紅から機関車まで」が書かれた時代、レイモンド・ローウィ（1893-1986）が活躍した時代は「モノ」の実態がまだまだ「ひとの手」で掴めた時代でもありました。

■（イマは）「ひとの手」と「仮想のモノ」が混在する時なのでしょう。

■皆様には、「ものづくり」教育を巡るデザイン理論、造形論、民具・民芸論、制作論、教育実践、資料渉猟、記録、エッセイ、写真などを期待しています。

総勢 26 名の執筆者の皆様への原稿の依頼につきましては、宮脇先生にご相談をしながら畑山未央氏（東京学芸大学大学院　連合学校教育学研究科　博士課程在学中）とともに進めましたが、皆様への原稿を依頼した後に、宮脇先生が体調を崩されて東京の病院に入院されることになりました。

　入院されてまもなく、宮脇先生から「医療の現場での手術の成功はチームワークにかかっています。10 人のスタッフであれば、診断を下すお医者さん、麻酔を担当するお医者さん、手術を執刀するお医者さん、出血に対応するお医者さんというようにそれぞれの役割をしっかり果たしながらチームとして力を合わせることが大切になります。一人一人が主役です。誰が欠けても手術は成功しません。今回の出版も同じです。26 名の皆さん一人一人の原稿が揃ってこそ『ものづくりの流れ全体』を示すことができます」とのお電話をいただきました。さらに次の日のお電話では「今回の新刊書では一人でつくる事例から量産の事例まで『ものができるためのトータルな構造』も示そうと思います。量産の場合は組織がなければできません。デザイナーとともに食堂や医療なども含めたトータルな構造が必要です。総合的な構造がないと会社での量産ができないということです」とも述べられていました。また「私（宮脇先生）が病院に入院したので、山木朝彦氏（鳴門教育大学教授）に特別　企画・監修をお願いしました」、「表紙デザインをお願いしている伊藤文彦氏（静岡大学教授）には、表紙に 26 名の執筆者全員の氏名を掲載していただくように伝えてください」とのお電話もいただきました。宮脇先生の出版に対する強い情熱を感じるとともに「ものづくりの全体を視野に入れて教育を考える」（ものづくりの過去・現在・未来、科学・技術・芸術の連携など）という本書の意図や執筆者の皆様 26 名全員を大切にされている宮脇先生の思いをあらためて深く認識いたしました。

　宮脇先生の入院を知った執筆者の皆様からは、「宮脇先生のご回復を願う上でも、この出版を成功させたいと思います」、「ぜひ、宮脇先生ならではの著書を成功させましょう！」という温かいお言葉をたくさんいただきました。そして次々とデザイン理論や教育実践などに関する玉稿を送っていただきました。直江俊雄氏（筑波大学教授）には出版へ向けての進め方に関する貴重なアドバイスもいただきました。学術研究出版の湯川勝史郎氏と瀬川幹人氏には出版に関する多大な

ご配慮をいただきました。宮脇先生を深く敬愛し出版の成功を願う執筆者の皆様の熱い思いや出版社の皆様のお心遣いに触れるとともに前述した「一人一人が主役です」との宮脇先生のお言葉を実感いたしました。民具・民芸論には詳しく触れていませんが、ものづくり全体へ眼差しを向けて教育を考えるための一冊になれば幸いです。

　最後になりましたが、常に私たちをお導きくださっている宮脇　理先生のお身体のご回復を心からお祈りしますとともに、本書の出版が我が国及び国際社会の充実・発展に寄与できますことを願ってあとがきといたします。

2020 年 12 月

佐藤昌彦

【表紙デザインコンセプト】

民具・民芸を日本古来の木組みや竹の編み方のイメージに象徴化するとともに、リアルとバーチャルが交錯するデザインの未来を重ね合わせた。

これは、クリストファー・ノーラン監督による2014年のＳＦ映画『インターステラー』（原題：Interstellar）に登場する「５次元空間」のイメージへのオマージュを込めてデザインしたもので、偉大な師の教えや知恵が、過去から未来へと時空間を超えて繋がる場を表わした。

表紙デザイン：伊藤文彦

民具・民芸からデザインの未来まで
―教育の視点から

2020年12月4日　初版発行

企画・監修　　宮脇　　理
編　集　　　　畑山　未央
　　　　　　　佐藤　昌彦
特別 企画・監修　山木　朝彦
著　者　　　　宮脇　　理
　　　　　　　ほか計26名

発行所　学術研究出版
〒670-0933　兵庫県姫路市平野町62
TEL. 079（222）5372　FAX. 079（244）1482
https://arpub.jp
印刷所　小野高速印刷株式会社
©Osamu Miyawaki 2020, Printed in Japan
ISBN978-4-910415-22-2